D0902349

CODE

Kathy Reichs
&
Brendan Reichs

CODE

Traduit de l'anglais (États-Unis)
par Emmanuel Pailler

roman

Retrouvez Kathy Reichs sur les réseaux sociaux

TWITTER: http://twitter.com/#!/KathyReichs
FACEBOOK: http://www.facebook.com/ pages/Kathy-Reichs/130352853704270
WEBSITE: http://kathyreichs.com/

Titre original : *Code*

ISBN : 978-2-84563-613-2

Brendan Reichs dédicace ce livre à Emily,
son extraordinaire épouse,
à Alice, sa fille si parfaite qui vient de naître,
et à Henry, son fantastique fils.
Vous êtes sa vie.

Kathy Reichs dédicace ce livre
à ses merveilleuses familles irlandaise et lettone.

Tá grá agam duit. Es jūs mīlu.

Prologue

97 jours plus tôt.

Une brise légère balayait les dunes de Turtle Beach.

De petites bouffées de vent faisaient tourbillonner le sable, puis filaient en sifflant dans les bois sombres.

Le ciel était immense, noir et sans lune. La nuit était bien avancée, mais l'air restait tiède et épais comme de la boue.

Encore une nuit tranquille sur l'île de Loggerhead.

Pas tout à fait.

À la lisière du bois, sous la masse en surplomb de Tern Point, une bande de singes s'était déjà perchée dans les branches d'un pin des marais.

Silencieux.

Ils observaient le sol.

En contrebas, dans une petite clairière proche des racines imposantes de l'arbre, quelqu'un pelletait sans relâche. La terre fraîchement retournée s'accumulait en un tas qui arrivait déjà à hauteur de son genou.

L'individu portait un épais manteau marron, incongru par cette chaleur étouffante. Ce vêtement bouffant semblait engloutir son propriétaire, et pendait sur ses bottes noires fatiguées.

La sueur luisait sur son front plissé par l'effort.

Il s'arrêta un instant, leva la tête et sourit à son public simiesque, heureux de partager cet instant.

Des années d'attente, puis des mois de préparation méticuleuse.

Il était enfin temps.

Le Jeu allait commencer.

L'individu reprit sa tâche avec patience, éventrant le sol riche et noir. Le trou atteignait un mètre de profondeur.

Presque fini.

L'individu s'arrêta de nouveau. Il s'étira et respira profondément, inhalant le parfum entêtant de la glaise, de l'herbe humide et du chèvrefeuille.

Un rire éclata – strident comme celui d'un oiseau ; il résonna un long moment avant de mourir dans un gloussement étouffé.

En haut de l'arbre, les primates s'agitèrent nerveusement, redoutant un danger. Deux jeunes mâles grimpèrent dans les ombres de la canopée, mais le reste du groupe demeura immobile, fasciné.

Abandonnant sa pelle, l'homme extirpa un petit paquet d'un sac de toile. Il l'embrassa puis le plaça avec révérence dans le trou.

Le Jeu commençait.

« Venez me chercher », chuchota l'individu. Les battements de son cœur couvraient le chant des grenouilles.

L'homme reboucha le trou en chantonnant et le recouvrit de feuilles mortes. Il recula d'un pas. Poussa un bouton sur sa montre d'un doigt tremblant.

Ding.

Le rire enfantin résonna une fois de plus.

C'est fait. La clé est enterrée.

« Il est temps de jouer. »

Saisissant son sac et sa pelle, la silhouette s'enfonça dans l'ombre.

PREMIÈRE PARTIE

CACHE

1.

Un grincement de moulinet, et ma canne à pêche a failli m'être arrachée des mains. Je m'y suis cramponnée.

— Waow ! J'en ai un costaud !

— Vas-y doucement, m'a dit Ben, ses yeux marron brillants d'inquiétude. Si tu ne fais pas attention, tu vas casser la ligne.

Tern Point, sur Loggerhead Island. Ben et moi, on était perchés sur un grand éperon rocheux, sept mètres au-dessus de l'Atlantique. Cela faisait plus d'une heure, et ça ne mordait toujours pas.

Jusqu'à maintenant.

— Aaaah ! Je-fais-quoi ?

Pour ma première pêche à la cuiller, j'étais larguée. J'ai essuyé mes mains moites sur mon polo gris.

— Tiens la canne à deux mains !

Je sentais que Ben avait envie de prendre les choses en charge, mais il s'est retenu.

— Donne un peu de mou au poisson, puis mouline lentement, et ensuite relâche un peu. Mais fais attention. Cette ligne n'est pas faite pour la pêche sportive.

J'ai suivi ses instructions, en laissant ma prise se fatiguer. Enfin, un éclair argenté s'est tortillé dans les vagues, juste en contrebas.

Ben poussa un sifflement.

— Belle prise. C'est un gros.

— Merci. Tu me remplaces ? Ce monstre ne lâche rien…

J'avais les bras qui brûlaient d'avoir tiré si longtemps sur la ligne.

Ben a pris ma place. Ses muscles noués saillaient sous son T-shirt noir et son short kaki. De tous les Viraux, c'était de loin le plus fort. Et le plus en harmonie avec la nature. Ben Blue passait l'essentiel de son temps libre à l'extérieur, comme en témoignait son bronzage cuivré.

La famille Blue affirme descendre de la tribu Sewee, un groupe local d'Indiens disparus trois siècles plus tôt. Bien sûr, c'est impossible de le prouver – mais ça, il ne faut pas le dire à Ben.

Son petit bateau, le *Sewee*, était notre principal moyen de transport. Ce vieux canot à moteur de cinq mètres lui avait permis d'explorer des dizaines d'îles barrières, au large de Charleston. Et de découvrir les meilleurs endroits pour pêcher, comme celui-ci.

Quelques instants plus tard, ma prise luisante s'agitait au bout de la ligne. Ben l'a remontée à notre hauteur.

Ma prise était argentée, longue de cinquante centimètres, et recouverte de petites écailles écartées. Un filet de sang s'écoulait de sa bouche.

— Un maquereau roi.

Ben a ôté l'hameçon et soulevé le poisson par une ouïe.

— Pas loin de dix kilos. Une belle taille. Content qu'il ne se soit pas décroché.

Le poisson pris au piège aspirait l'air, cherchant en vain l'oxygène. J'ai croisé son regard.

Soudain, ce n'était plus aussi amusant.

— Remets-le à l'eau.

— Quoi ! dit Ben mécontent. Pourquoi ? Cette espèce est comestible. Sinon, on peut le vendre au marché aux poissons de Folly Beach.

Le maquereau continuait à agiter les mâchoires, mais avec moins de vigueur. Une bulle s'est formée au coin de sa bouche, avant d'éclater.

— Remets-le à l'eau, ai-je répété, plus sèchement. Face-de-poisson doit encore vivre un peu.

Ben a fait la tête, mais il savait pertinemment qu'il ne servait à rien de discuter. L'an dernier, les garçons avaient appris à accepter mon entêtement ; je sortais rarement perdante d'une dispute, quand je me braquais vraiment. Tout comme ma tante Tempe.

Vous avez peut-être entendu parler d'elle. Le Dr. Temperance Brennan, anthropologue et médecin légiste mondialement célèbre. Certains l'appellent la Dame aux Os, tout simplement. C'est ma grand-tante – je n'ai appris cette parenté miraculeuse qu'après l'accident de ma mère, lorsque je suis allée vivre chez mon père, Kit.

Tante Tempe est aussi mon modèle. Mon idole. Tout ce que je veux être. Je pourrais porter en permanence un T-shirt « Que ferait Tempe ? ». Ma plus grande ambition est de devenir une aussi bonne scientifique que Tempe, et, comme elle, de résoudre des affaires, de marquer mon époque.

— D'accord, ma grande, a répondu Ben en saisissant notre prise par les deux extrémités. Tu as bien de la chance que mon amie ait un cœur de guimauve…

Et il a rejeté le maquereau à l'océan. Le poisson a heurté l'eau et disparu en agitant sa nageoire.

— On l'a attrapé. C'est ça la partie amusante.

— Pour nous, en tout cas. Ça m'étonnerait que le poisson soit d'accord.

— Pas grave, a marmonné Ben en rangeant nos affaires. On va retrouver les autres. Hi doit avoir laissé tomber maintenant.

Ben a accroché les hameçons aux cannes, puis vérifié qu'on n'avait pas laissé de détritus. C'était sympa d'avoir pêché seule avec Ben. On ne passait pas beaucoup de temps en tête à tête, et lorsque Hi et Shelton étaient dans les parages, il parlait peu. Probablement parce que ces deux-là n'en laissent jamais placer une aux autres.

Ben avait déjà seize ans. C'était le plus âgé des Viraux. Il avait même son permis. Cela aurait dû en faire notre chef, mais il préférait me laisser prendre les décisions. Pourtant, avec mes quatorze ans, j'étais la plus jeune, la seule fille, et je découvrais notre ville de Charleston. Mais Ben me laissait généralement le dernier mot.

En plus, je dois avouer qu'il est plutôt mignon, même si je le considère comme un frère. Ben me fascine, mais il peut aussi être tellement exaspérant. C'est souvent impossible de savoir ce qui se passe derrière son regard intense. J'ai parfois l'impression que, dans la meute, c'était celui que je comprenais le moins.

Après avoir rangé nos affaires, nous sommes redescendus vers la forêt. J'avais à peine posé le pied à terre qu'une tache grise a jailli des buissons.

— Coop, au pied !

Je n'avais pas très envie qu'il me fonce dessus. Obéissant à son nouveau dressage, le chien-loup a ralenti et est venu s'asseoir à mes côtés.

– Bon chien. (Grattage d'oreille.) Où est ta famille ?

Craquement de feuilles : réponse à ma question. En me retournant, j'ai vu Whisper assise près d'un grand cèdre. La louve grise m'a regardée tranquillement, puis s'est écartée pour céder la place à son compagnon, un berger allemand que j'avais baptisé Polo. Plus loin, le frère de Coop, Buster, jouait avec un bâton qu'il mâchouillait.

– Allez, vas-y Coop.

Coop a bondi dans les buissons, suivi par ses congénères.

– C'est fou de traîner avec une meute de loups.

Ben s'est essuyé le front ; malgré la douceur de l'air, il transpirait.

– Même s'il y a la mère de ton chien.

– Ne fais pas le bébé, ai-je souri. C'est quasiment des chiens de salon.

– Les chiens de salon ne risquent pas de t'arracher la figure. Ou de te manger.

– Hé, nous aussi on forme une meute, tu te rappelles ?

J'ai retrouvé la piste aux cerfs qu'on avait suivie jusqu'à Tern Point, puis nous nous sommes enfoncés dans la forêt.

– Pourquoi est-ce qu'on devrait avoir peur d'une autre meute ?

Ben n'a pas répondu. La vérité le gênait encore. Pas comme moi.

Voilà l'histoire. Au printemps dernier, mes amis et moi, on a été touchés par un méchant supervirus. Hiram, Shelton, Ben et moi. Et Coop, mon berger allemand, bien sûr.

Le coupable était un agent pathogène conçu par le Dr. Marcus Karsten, l'ancien patron de mon père à l'Institut de Recherche de Loggerhead Island. Dans une tentative désespérée pour devenir riche, Karsten avait combiné l'ADN de deux types de parvovirus différents, créant accidentellement une souche tout à fait nouvelle. Incroyable.

Malheureusement pour nous, ce vicieux petit virus était contagieux pour les humains. On a été infectés en portant secours à Coop, qui avait été enlevé par Karsten pour servir de cobaye.

D'abord, il y a eu la maladie. Les maux de tête. La fièvre. Les évanouissements. La totale.

Puis les changements sont apparus. Nous avons commencé à évoluer. Ou à régresser.

Même aujourd'hui, j'ai du mal à décrire ça. Mon esprit se plie et se tord, plongeant dans de nouvelles profondeurs de mon subconscient. Mes sens se décuplent, plus affûtés que ceux des humains.

Il m'arrive aussi de perdre le contrôle, de succomber à mes instincts élémentaires. Des pulsions inconnues. Un désir animal de chasser, de me nourrir ou de me battre. C'est pareil pour les trois autres – en gros.

La maladie a fini par passer, mais pas les changements. Nos corps se sont transformés. Le petit envahisseur viral avait réécrit notre code génétique, insérant de l'ADN canin dans nos doubles hélices humaines.

Notre modification. Le loup caché dans notre empreinte cellulaire.

Nous étions désormais soudés comme une meute.

Nous étions les Viraux. Au plus profond de nous.

L'effrayant, c'est qu'on ne sait pas si la maladie est vraiment finie – ou si les modifications sont permanentes. Les effets peuvent-ils encore s'accentuer ? Vont-ils disparaître avec le temps ? Aucune idée. Karsten était notre seul lien avec le virus. Il a disparu.

Ce n'est pas pour dire qu'on a abandonné. On n'a pas les réponses, mais on a bien l'intention de les trouver. Comment ? On y réfléchit.

Ben et moi avons continué sur la piste, jusqu'à une petite clairière.

Bip ! Bip !

Ben m'a jeté un regard entendu. J'ai levé les yeux au ciel. Visiblement, Hi s'amusait encore.

Bip ! Bip ! Bip !

En arrivant dans la clairière, j'ai entendu des voix énervées.

— Ça va durer encore longtemps ? a demandé Shelton Devers en remontant ses lunettes à monture noire sur son nez. Tu sais, ça a cessé d'être intéressant avant même d'avoir commencé…

Shelton est petit et maigre, avec une peau chocolat mais des traits que l'on rencontre dans les rues de Kyoto : père noir, mère asiatique. Enfin, vous voyez.

Shelton se tenait au centre de la clairière, les bras croisés, l'ennui peint sur la figure. Il portait un sweat Pac-Man vintage à capuche jaune et un short de basket trop grand, qui pendait sur sa silhouette osseuse comme un vêtement sur un cintre.

— Pourquoi tant de haine ? a répondu Hiram Stolowitski. On a déjà trouvé un trésor enfoui, pas vrai ?

— Raison de plus pour arrêter. On a rempli notre quota pour une vie entière.

— Pas encore, a rétorqué Hi en reportant son attention sur l'engin qu'il tenait à la main. La cache doit se trouver *juste ici*. Quelque part. Il ne me reste plus qu'à la découvrir.

— Pour l'instant, tout ce que tu as trouvé, ce sont des capsules de bouteille, des tenailles et une canette de Coca Light.

— J'ai refait les réglages pour laisser de côté les métaux de rebut. Plus de fausse alerte.

— Plus rien du tout. Il fait bip-bip, c'est tout.

Hi arborait une tenue qui faisait mal aux yeux : bandeau Adidas rouge, chemise bleue hawaïenne et caleçon de bain blanc. Il tenait un détecteur de métal Fisher Labs F2, tout frais sorti de l'emballage ce matin. Hi ratissait la clairière depuis une demi-heure, persuadé que quelque chose y était enfoui.

Joufflu et les joues rouges, Hi donnait l'impression d'avoir plutôt couru un sprint que suivi un quadrillage méthodique. Il pouvait certes être agaçant, mais on respectait tous sa curiosité scientifique. Hi adorait les expériences, les gadgets, et comprendre comment fonctionnaient les choses. En général, je lui laissais le bénéfice du doute.

Ce jour-là, tout le monde n'était pas d'humeur aussi charitable.

— C'est débile.

Shelton, plus branché ordinateurs, préférait hacker des sites Internet que traîner dans les bois.

— Regarde encore ton GPS. On n'est peut-être pas au bon endroit. Et qui irait enterrer un truc ici, de toute façon ? C'est une propriété privée.

Loggerhead Island est une réserve consacrée à la recherche vétérinaire, avec des bandes de singes rhésus en liberté. Leur habitat est presque entièrement préservé, sans aucun bâtiment permanent à l'exception du complexe principal, celui du LIRI.

On s'y rendait souvent. Loggerhead était l'un des rares endroits où l'on pouvait être totalement seuls.

— Le site Internet de géocache a fourni la liste des coordonnées, a répété Hi d'un air buté. C'est la toute première fois qu'une cache est publiée pour Loggerhead, et j'ai bien l'intention de la trouver.

— Et depuis quand as-tu adopté ce nouveau hobby merveilleux ? a demandé Ben.

— Lorsque j'ai commandé ce détecteur. Donc le mois dernier, je crois. Maintenant, laissez-moi terminer la clairière. La cache se trouve dans un rayon de trente mètres.

Un dimanche oisif. En l'absence d'autres projets, on avait choisi par défaut d'aller traîner sur Loggerhead. Notre refuge. On avait pris le *Sewee*, comme d'habitude, puis exploré les bois en lisière de Tern Point, un pic rocheux en forme de cône, à l'extrémité sud-est de l'île. Hi avait insisté.

— Explique-moi ça encore…

Je n'étais pas sûre d'avoir pleinement saisi le concept.

— Je cherche une géocache, a répondu Hi avec une patience infinie. C'est un jeu. Quelqu'un enterre ou dissimule une boîte avec un objet à l'intérieur, puis il publie ses coordonnées géographiques sur le site.

— Comment sais-tu qu'une boîte est enterrée ici ? a demandé Shelton, sceptique.

Hi a continué à avancer d'un pas lent et décidé, balayant le sol de son détecteur.

— Parce que selon mon iPhone, les coordonnées concordent, et que l'indice disait de « bien gratter à la surface ».

— C'est un jeu complètement idiot, a ricané Shelton.

— C'est toi, le jeu idiot, a riposté Hi.

— Je vais essayer de créer un lien pendant que Hi travaille, ai-je proposé, sachant bien que l'idée ne leur plairait pas.

Comme prévu, trois gémissements ont accueilli ma suggestion.

J'ai insisté :

— Mais il faut qu'on maîtrise nos pouvoirs. À quoi ça sert d'avoir des capacités spéciales si on ne s'en sert pas ?

Hi a poussé un grognement, les yeux rivés à l'écran du détecteur.

— C'est flippant, a frissonné Shelton, malgré la tiédeur de cet après-midi d'octobre. Ton pouvoir est intrusif.

— Oui, a dit Ben. Tu ne devrais pas pénétrer dans l'esprit des autres.

L'exposition au supervirus avait déclenché un important… effet secondaire. Chance ou malchance ?

On appelle ça des « flambées ». Lorsqu'elles arrivent, nos esprits se tendent jusqu'à se rompre, et nos pouvoirs se libèrent. Nos sens gagnent une acuité incroyable. La vue. L'odorat. L'ouïe. Le goût. Même le toucher.

Le loup naît en nous, il nous rend plus vifs, plus forts.

Viraux.

Mais l'évolution n'obéit pas à une règle fixe. Le virus a affecté différemment chacun de nous. Peut-être que les mutations étaient propres à nos séquences génétiques particulières. Quelle qu'en soit la raison, nos pouvoirs varient. Hiram a une vision d'aigle acérée. Shelton peut entendre bruisser les plumes d'un moineau ébouriffant ses ailes. Ben devient plus fort et plus rapide, comme un taureau sous stéroïdes. Mon nez devient tellement sensible que je peux sentir l'émotion, le mensonge et la peur. Et d'autres choses encore auxquelles mieux vaut ne pas penser.

Et récemment, nos pouvoirs avaient atteint un nouveau niveau.

Pour moi, en tout cas.

Les garçons ne peuvent pas le faire. Ils n'aiment pas ça. Mais quand nous avons une flambée, et que notre meute est réunie, j'arrive parfois à m'infiltrer dans l'esprit des autres Viraux. À entendre leur voix, à leur transmettre la mienne. Ce talent s'est avéré utile plus d'une fois. Il nous a sauvé la vie, en fait. J'ai donc insisté :

— Juste une fois. S'il vous plaît. Il faut que je voie ce que Coop ajoute à notre groupe.

Les garçons ont encore poussé quelques gémissements théâtraux, mais ils ont arrêté de faire ce qu'ils faisaient.

— D'accord, a dit Hi.

— Si tu veux… a ajouté Shelton.
— Une fois, a précisé Ben. Une seule.
— Entendu.
J'ai fermé les yeux et fait le vide dans mon esprit. J'ai pris une profonde inspiration, puis je les ai *contactés* d'une manière que je ne peux pas vraiment décrire. Mes pensées ont plongé, régressé, au plus profond de mon cerveau.
J'ai visualisé une séquence d'ADN. Le fondement de mon être génétique.
Je me suis concentrée, imaginant que je défaisais la double hélice.
SNAP.
La flambée a explosé en moi comme une rivière de lave. J'ai poussé un cri. La sueur a jailli de mes pores au moment où le loup sortait.
Bien que je maîtrise mieux mon pouvoir, cette première décharge ébranlait toujours mes défenses. Comme une bête sauvage lâchée dans mon système nerveux. Le contrôle était ténu et fragile – dans le meilleur des cas.
Je me suis tournée en moi-même, et j'ai plongé dans mon subconscient. Une image de chaque Viral m'est apparue, très nettement. D'abord Hi, puis Shelton. Quelques instants plus tard, ce fut au tour de Ben de se matérialiser dans mes pensées. J'ai senti Coop en alerte dans les bois, non loin de là.
Nous étions reliés par des cordes brûlantes. Un nuage doré entourait chaque membre de notre groupe.
Viraux. Entendez-moi.
Mon message s'est heurté à une barrière invisible. J'ai réessayé, en me concentrant davantage.
VIRAUX. ENTENDEZ-MOI.
Cette fois-ci, j'ai réussi à projeter mon message sur les cordes incandescentes. Les garçons ont sursauté comme si on les avait frappés, leurs yeux luisants s'écarquillant de surprise.
J'ai examiné la barrière mentale qui nous séparait, en quête de failles. Tout à coup, le barrage s'est affaibli, puis fragmenté.
Les esprits des autres Viraux se sont ouverts comme une écluse. Des pensées, des sensations se sont déversées en moi. Des soucis. Des émotions brutes. Des bribes de

souvenirs inconnus. Ce déferlement d'informations me brûlait l'esprit.

J'ai lutté contre cette invasion, sentant qu'elle menaçait mon équilibre mental.

Qu'est-ce qui a détruit la barrière ? Comment est-ce que je l'ai franchie ?

— Quelle barrière ? a bafouillé Hi. Pourquoi tu cries ?

— Tory ! a hurlé Shelton, la tête entre les mains. Ça fait mal ! Arrête !

Immobile comme une statue, Ben grimaçait, le regard vide.

— Sors ! bégayait-il.

Je les regardais l'un après l'autre, paniquée, incapable de comprendre ce qui se passait. Mon esprit battait la campagne, dans un effort désespéré pour bloquer le déluge de pensées qui se déversait dans mon cerveau.

Je voyais des arbres. Le ciel. Le détecteur à métaux. Coop, qui s'avançait vers la clairière, le regard braqué sur moi.

Comme s'il sentait le danger que je courais, Coop a foncé sur Shelton, qui est tombé en poussant un hoquet de surprise. La lumière dorée a soudain disparu de ses yeux.

L'assaut cérébral s'est affaibli.

Coop a bondi sur Hi pour lui aboyer en pleine figure. Hi, stupéfait, a aussitôt reculé, lâchant le détecteur, puis il est tombé. Sa flambée s'est éteinte au moment où il touchait le sol.

Une autre vague a disparu.

Plus assurée, j'ai apaisé mon esprit et éteint la flambée.

SNUP.

Le bombardement sensoriel s'est arrêté. J'ai mis un genou à terre, épuisée, et vu Ben dans la même position. Il m'a sifflé :

— Bon Dieu, Tory ! Tu joues avec le feu !

J'ai haleté, le cœur battant la chamade :

— Quand Coop est près, mes capacités sont démultipliées. Mais je n'ai pas pu les contrôler.

— Alors évite ! a balbutié Shelton, en essuyant ses lunettes de ses mains tremblantes. Tu hurlais dans ma tête. J'ai officiellement pété les plombs !

Hi m'observait d'un air inquiet :

— Tu étais en danger, Tory, je l'ai bien vu. Il faut que tu fasses plus attention. C'est dangereux, ce truc d'esprits.

— Entendu.

Mais je découvrirai ce secret.

J'ai gardé cette pensée pour moi... même s'ils n'en auraient pas été surpris.

Dangereux ou pas, j'étais décidée à découvrir toute l'étendue de nos pouvoirs. Il fallait que je sache ce qui était arrivé à nos organismes. Ce dont nous étions capables. Ce qui pouvait encore se passer.

Nos gènes bouleversés nous ont donné des pouvoirs uniques. Des capacités sensorielles stupéfiantes. Mais les modifications sont plus profondes encore. Le croisement cellulaire entre l'homme et l'animal a ouvert des portes dans nos esprits. Je me sentais obligée de découvrir où ces portes menaient.

Pourtant, je devais le reconnaître, cette idée de télépathie directe me donnait la chair de poule. Je n'aimerais pas qu'on vienne fouiller dans ma tête. Tout le monde a des secrets, et le droit de les garder. Ce serait dur de trouver la limite entre la communication et l'invasion mentale.

Mon disque dur se remettait enfin à fonctionner. Les idées claires, j'ai perçu le tintement répétitif que faisait le détecteur à métaux tombé dans l'herbe.

Ding ! Ding ! Ding !

Hi a récupéré son précieux jouet, puis l'a agité au-dessus d'un carré d'herbe clairsemé.

DING ! DING ! DING !

— Gagné ! a hurlé Hi. Ça marche, cette cochonnerie !

2.

Vingt minutes plus tard, Hi a heurté quelque chose avec sa pelle.

— Enfin !

Il est tombé à genoux et a creusé le sol, dégageant un objet au fond du trou.

— Pourquoi l'a-t-il enterré si profondément, bon sang ?

— Il était temps, a commenté Shelton en posant sa pioche. Et combien de ces… choses tu as trouvées, d'ailleurs ?

— Cela s'appelle des « géocaches », et c'est ma troisième, a répondu Hi en sortant précautionneusement une masse terreuse du sol. Les deux autres n'étaient pas enfouies, juste cachées. La première sur Morris Island, près du pont. La deuxième dans une haie près de la poste de Folly Beach.

— La poste ? C'est complètement au hasard, en fait. Pourquoi là ?

— C'est comme ça que ça marche.

Méticuleusement, Hi a dégagé notre trouvaille de la boue.

— Tu caches ton objet quelque part, n'importe où, et tu mets ses coordonnées GPS en ligne. Ensuite, les autres joueurs téléchargent l'info et essayent de le retrouver.

— Et ça a tant de succès, ce jeu ? a demandé Ben, assis sous un orme, sur sa boîte de matériel de pêche. Ça m'a l'air bien geek comme truc.

— Tout le monde ne peut pas s'entraîner à imiter les oiseaux comme toi, a répondu Hi en nettoyant l'objet, une sorte de récipient en plastique. Il y a des millions de géocaches dissimulées dans le monde, et des dizaines de sites qui indiquent où les trouver. Donc ouais, on peut dire que ce jeu est un succès.

Shelton s'est tourné vers Ben avec un grand sourire :

— Laisse tomber, Blue. Hi a trouvé de nouveaux trésors cachés. Les affaires reprennent. Je savais que c'était une bonne idée.

J'ai levé les yeux au ciel devant un tel retournement de veste.

— Le contenu n'a pas de valeur, a prévenu Hi. Le but, c'est de *trouver*, pas d'avoir. En général, il n'y a rien d'intéressant dedans.

— Ça, je veux bien le croire, a répliqué Ben.

— Ouais ! a opiné Shelton.

Je les ai laissés à leur baratin et j'ai aidé Hi à essuyer le paquet.

— On dirait que quelqu'un s'est donné du mal pour celui-là.

L'objet, à peu près de la taille d'une boîte à chaussures, était soigneusement entouré d'adhésif. L'extérieur était d'un violet vif, couvert d'autocollants de clowns en train de danser, leurs visages de dessin animé tordus en un immense sourire.

— Des clowns, a marmonné Shelton. J'ai horreur de ces tarés avec leurs blagues débiles.

— L'été dernier, j'ai lu *Ça* de Stephen King, a opiné Hi d'un air sage. Ne jamais faire confiance à quelqu'un qui se peint un sourire sur la figure.

— Qu'est-ce que vous êtes nazes, a coupé Ben en lançant son canif plié à Hi. Allez, voyons ce que Bozo voulait que tu trouves.

Hi a attrapé maladroitement le couteau, l'a ouvert et a dégagé la boîte.

— Hé, c'est peut-être encore de l'or ? a hasardé Shelton amusé. La nouvelle X-Box doit sortir cette année.

— Je te répète que ça n'a pas de valeur. C'est juste la satisfaction d'avoir réussi.

— C'est ça, dit Ben, pince-sans-rire. La réussite.

J'en avais assez :

— Allez, c'est bon. Sésame, ouvre-toi.

La boîte contenait deux objets : une enveloppe et un petit paquet de toile.

Hi m'a tendu l'enveloppe et s'est intéressé au paquet.

— Ben voilà, c'est rien.

La toile enveloppait un second rectangle composé de petits morceaux de métal entrelacés, couleur prune. De la taille d'une boîte à cigares, l'objet avait été peint à la main : des clowns déchaînés, les yeux écarquillés.

Mais ceux-là ne souriaient pas. Ils semblaient grogner, l'air menaçant.

L'effet était inquiétant.

— C'est flippant, a commenté Hi en faisant tourner la boîte entre ses mains. Et impossible à ouvrir.

Coop s'est avancé pour renifler la boîte. Je l'ai gratté derrière les oreilles – qui se sont aplaties sous mes doigts.

Un grondement sourd a jailli de la gorge du chien-loup.

— Qu'est-ce qu'il y a, mon chien ? Tu as eu peur de quelque chose ?

Coop, visiblement agité, a poussé un gémissement, regardant tour à tour Hi et la boîte.

— Je n'aime pas la façon dont Wouf Wouf me regarde, dit Hi en reculant nerveusement. Hé, je viens en paix, frère spirituel.

— Coop, au pied ! ai-je ordonné. Gentil.

Le chien-loup a jappé, sans quitter Hi du regard. Puis il est venu s'asseoir à côté de moi.

— Lis la lettre, a suggéré Shelton. Elle doit expliquer la boîte.

J'ai passé la main sur l'enveloppe. Le papier était épais et crémeux, manifestement coûteux. Le rabat était scellé à la cire. La seule marque était un majestueux M majuscule, dans une calligraphie ornée.

— M ? Ça veut dire quelque chose, Hi ?

— Tout ce que je sais, c'est que celui qui l'a enterrée a fait beaucoup plus d'efforts que la plupart des joueurs. Ça doit être une bonne trouvaille.

— Ouvre-la, alors, a insisté Shelton.

Cassant le sceau, j'ai sorti de l'enveloppe deux feuilles de papier couleur lilas. Très belle qualité.

La première page était décorée d'un autre M sophistiqué et en spirale, qui se terminait sur une ligne horizontale traversant toute la largeur de la feuille.

— Ça doit être la liste de ceux qui ont trouvé la cache, a dit Hi.

J'ai regardé au dos, mais il n'y avait rien.

— Donc, on est les premiers à trouver cette cachette ?

— Il n'y avait pas beaucoup d'infos sur le site, a expliqué Hi. Pas d'indices, pas d'historique, même pas le nom de celui qui l'a enterrée. Que les coordonnées. C'est la première géocache publiée sur Loggerhead, donc je ne suis pas étonné qu'elle n'ait jamais été trouvée avant.

— Et l'autre page ? a demandé Ben.

La seconde feuille ne portait que deux mots, écrits dans le même style baroque : *Himitsu-Bako*.

— Himitsu-Bako, ai-je lu. Ça inspire quelqu'un ?

— Du chinois ? s'est demandé Hi. Du japonais ? Du birman ?

Mystère complet. Personne n'avait d'idée.

— Et maintenant, on fait quoi ? a dit Shelton. On le vend sur eBay ?

Hi a soulevé la petite boîte d'une main. Quelque chose faisait du bruit à l'intérieur.

— Je pense qu'elle doit s'ouvrir, a dit Hi. On est censé découvrir comment.

— Alors embarque-la, a lancé Ben en bâillant bruyamment. On s'ennuie depuis le début, avec ton sketch, là.

— Béotien !

Là-dessus, Hi a sorti de son sac un magazine de sport fatigué, avec une pin-up en maillot de bain sur la couverture.

— C'est tout ce que je peux mettre en échange, a déclaré Hi d'un air dégagé.

— On doit signer la première page ?

Hi a réfléchi un instant :

— Signe le M et remets la première page, mais garde l'autre. Les deux mots doivent être une sorte d'indice.

J'ai sorti un crayon de ma poche et gribouillé mon nom sur la ligne horizontale qui prolongeait le M, avant de remettre le papier dans le récipient en plastique, avec le magazine.

— Ce n'est pas vraiment un échange équitable, Hi.

— Je sais. Quelqu'un aurait quelque chose à ajouter ?

— Tiens.

Shelton a déposé sa vieille montre verte.

— Cette montre ne vaut pas grand-chose, et de toute façon j'en aurai une neuve pour mon anniversaire. Mais tu me dois une faveur, Stolowitski.

— Je te dois quoi ? a répondu Hi. T'en connais, des gens qui portent encore des montres ? Des hommes des cavernes ?

Satisfaite du troc, j'ai refermé le récipient pour le remettre dans le trou, que Ben et Shelton ont rapidement refermé.

Hi fourrait la boîte métallique dans son sac quand un nouveau grognement a attiré son attention.

C'était Coop, à quelques centimètres de lui, babines retroussées.

— Ho-ho. (Hi a laissé tomber son sac.) Je croyais qu'on était potes.

— Non, ce n'est pas ça. Regarde !

Je lui ai montré Coop : il était concentré sur le sac, pas sur Hi.

Les muscles tendus, le chien-loup a reniflé le sac, gémi, reniflé encore, puis s'est remis à grogner.

— Il ne doit pas être fan de ce jeu, a lancé Shelton en récupérant le détecteur à métaux.

— Il est pas le seul, a marmonné Ben.

— Vous êtes trop drôles, les gars, a dit Hi. Une blague à la minute. Maintenant, si quelqu'un pouvait rappeler le chien d'attaque ?

J'ai sifflé :

— Coop. Ici.

Coop a obéi à contrecœur.

— Il n'aime vraiment pas cette boîte. J'espère qu'elle n'est pas remplie d'écureuils morts ou quelque chose du même genre.

— Ça ne m'étonnerait pas, a grommelé Ben en me lançant un clin d'œil.

Il m'a fait un clin d'œil. Il s'amusait à faire marcher Hi.

— Rien à voir avec un cercueil à rongeurs ! a grogné Hi. Cet objet est respectable. Vous le verrez bien.

— C'est bon, les gars.

J'ai pris mon matériel de pêche.

— On va partir. Je devrais être rentrée au LIRI depuis déjà une demi-heure. C'est ce qu'a dit Kit.

— Alors, il ne faut pas contrarier le Grand Chef ! a ajouté Shelton.

On est sortis de la clairière en file indienne.

3.

La grille arrière du LIRI s'est ouverte dans un léger bourdonnement.

— Si vous venez, dépêchez-vous, a grommelé Carl.

Dépassant à peine un mètre cinquante pour cent quarante kilos, le gardien aux joues rubicondes semblait hors d'haleine après sa brève traversée du complexe.

— Les aimants de la fermeture ne sont désactivés que pendant trente secondes, nous a rappelé Carl.

— Merci, Carl, ai-je dit d'un ton enjoué, connaissant bien son caractère difficile. Désolée de t'avoir fait venir jusqu'ici. J'aurais préféré que Kit n'ait pas commandé ces fermetures automatiques.

— Le directeur Howard devait avoir ses raisons.

Le ton de Carl laissait entendre que nous étions l'une d'elles.

Tandis que nous pénétrions dans le périmètre renforcé, Carl tapait un code sur un clavier récemment installé. La grille s'est refermée derrière nous. Au-dessus de nos têtes, deux caméras ont pivoté pour suivre nos mouvements.

— Je peux supposer que vous ne ressortirez pas par ici aujourd'hui, tous les quatre ? a demandé Carl. J'en ai assez de faire des allers-retours.

— On s'en va, a répondu Hi. Vous pourrez aller au gymnase plus tôt.

Carl a jeté à Hi un regard impénétrable, son uniforme bleu ciel étiré au maximum sur sa masse considérable.

— On rentre bientôt à la maison.

J'ai poussé Hi sur le chemin.

— Il faut juste que je voie mon père une minute. Merci encore, Carl !

Le garde est parti en se dandinant vers le bâtiment 4, marmonnant au sujet des jeunes et de leurs bêtises.

— Il fait la ronde des machines à café, a chuchoté Shelton. Il faut leur assurer une sécurité permanente.

— Quel abruti !

Ben s'était déjà mis en route.

Le LIRI est constitué d'une dizaine de bâtiments de verre et d'acier, cernés par une clôture haute de deux mètres cinquante. Ces immeubles flambant neufs entourent sur deux rangées une cour bien entretenue. Il n'existe que deux points d'accès : une grande grille à l'avant, donnant sur le seul quai de l'île, et un portail plus petit à l'arrière. Le complexe accueille presque toutes les constructions de Loggerhead.

En traversant la cour, j'ai de nouveau été frappée par l'agitation qui régnait. Une dizaine de scientifiques en blouse blanche étaient éparpillés aux alentours, certains filant d'un labo à l'autre, d'autres discutant recherche autour des bancs, déjeunant, ou profitant tout simplement du soleil de l'après-midi.

Depuis que Kit avait pris la direction du LIRI, l'endroit bourdonnait d'une énergie et d'un enthousiasme nouveaux. L'équipe avait doublé de taille ; rares étaient les jours où on pouvait traverser la cour sans rencontrer un vétérinaire soucieux, se hâtant vers son projet. Maintenant que son financement permanent était assuré, le LIRI était redevenu l'un des tout premiers centres de recherches sur la faune sauvage de la planète.

— On est vraiment obligés d'y aller ? a demandé Hi en observant le bâtiment 1.

Haut de trois étages, il abritait le labo le plus important et le plus sophistiqué du LIRI, ainsi que le service administratif.

— Mon père refait les réglages des centrifugeuses, et il ne sera pas ravi de me voir dans le coin.

Le père de Hi, Linus Stolowitski, était le technicien en chef des laboratoires du LIRI ; Kit l'avait promu à ce poste le mois précédent. Depuis qu'il avait pris ses fonctions, Mr. Stolowitski se montrait moins indulgent avec les ados de Morris Island qui venaient tripoter le matériel.

— Arrête de geindre, a dit Shelton. Moi, mes parents sont tous les deux ici…

Nelson Devers, le père de Shelton, était le directeur informatique du LIRI. Son bureau se trouvait au rez-de-chaussée. La mère de Shelton, Lorelei, était technicienne vétérinaire au labo 1.

— J'en ai pour une seconde, ai-je expliqué. Kit est tellement occupé ces derniers temps que je ne le vois presque jamais.

C'était vrai. Depuis deux mois que Kit avait été nommé directeur, il travaillait sans cesse. Réunion du conseil d'administration. Assemblées du personnel. Discussion du budget. Kit s'épuisait, mais il paraissait heureux. De même que tout le personnel de l'institut.

Sur Loggerhead Island, Kit était presque un dieu.

Le jour où le LIRI avait risqué de fermer par manque de financements, la générosité de Kit l'avait sauvé. Du moins, c'est ce que tout le monde croyait.

Seul Kit savait qui avait réellement financé l'institut. Seul Kit savait que les garçons et moi avions découvert et donné le trésor perdu de la pirate Anne Bonny au LIRI. Que c'était une bande d'ados encombrants qui avait permis au LIRI de rester ouvert.

Et ça convenait tout à fait aux Viraux.

Moins on attirerait l'attention, mieux ce serait.

— Attends ici, mon chien.

J'ai attaché la laisse de Coop – rarement utilisée – à une balustrade près de l'entrée.

— Les chiens-loups sont interdits à l'intérieur.

Coop s'allongea, le menton sur les pattes, le regard plein de désapprobation. Pesant plus de trente kilos, et n'ayant toujours pas fini sa croissance, on peut dire que c'était un animal de bonne taille. Son pedigree de demi-loup lui donnait un aspect terrifiant, jusqu'au moment où il venait vous lécher le visage. En attendant notre retour, il s'attirerait sans doute les regards apeurés de quelques passants.

Pas grave. Ça pimenterait leur journée.

Après avoir passé les portes étanches, on s'est approchés du guichet de la sécurité, occupé par l'autre moitié des défenseurs du LIRI : Sam, l'exact opposé de Carl, squelettique et complètement chauve.

Il était plus vieux que son collègue et sarcastique au dernier degré, mais c'était généralement le plus aimable des deux.

— Ah, les vagabonds sont de retour, a lancé Sam avec un petit sourire. Vous avez cassé quelque chose de cher, aujourd'hui ?

Sam n'avait pas de magazine de chasse ou de tir à la main, ce qui ne pouvait signifier qu'une chose : son nouveau chef était dans les parages.

Comme par un fait exprès, une voix a résonné dans le bureau, derrière le guichet de Sam :

— Quel est le but de votre visite ?

David Hudson, chef de la sécurité, est apparu. La quarantaine grisonnante, cheveux coupés en brosse, Hudson avait le regard implacable d'un oiseau de proie. Il portait un uniforme bien repassé, des chaussures et un badge brillants.

Après certains événements récents, Kit avait décidé de revoir complètement la sécurité du LIRI. De nouvelles grilles, caméras, serrures. Des protocoles améliorés. Un meilleur équipement. Et un gros dur pour superviser le tout. Hudson, qui occupait le poste depuis moins d'un mois, était l'innovation de Kit la moins appréciée.

— Il faut que je voie mon père, Mr. Hudson, ai-je poliment expliqué. J'ai juste deux mots à lui dire.

— Attends.

Hudson s'est emparé d'un registre sur le comptoir.

— Signe là, s'il te plaît.

— J'en ai vraiment pour une minute, ai-je répondu avec mon sourire le plus désarmant. Je ne veux pas encombrer vos registres officiels pour une visite en coup de vent.

L'autre tapotait son registre :

— Signe.

J'ai gribouillé mon nom avec un sourire figé.

— C'est bon ?

Hudson n'a pas souri. Il ne souriait jamais.

— Et ne traîne pas en route.

J'ai acquiescé et on s'est dirigés vers les ascenseurs.

— Halte !

J'ai fermé les yeux une seconde, me suis retournée :

— Oui ?

— Toi, c'est tout.

Hudson a examiné Hi, Shelton et Ben :

— À moins que ces garçons aient aussi affaire ici ?

— Non.

Là-dessus, Ben est sorti du bâtiment.

— Mr. Hudson, ai-je commencé, nous allions juste…

— C'est bon, Tory.

Shelton est allé retrouver Ben, suivi de Hi qui hochait la tête, incrédule.

— On va attendre avec Coop.

— Merci les gars. J'en ai pour cinq minutes maximum.

J'ai interrogé Hudson du regard. Il a acquiescé sèchement.

J'ai filé à l'ascenseur.

— Et ne traîne pas en route ! a de nouveau aboyé Hudson, au moment où les portes se refermaient.

J'ai marmonné :

— Pauvre idiot…

Puis je me suis souvenue que les caméras de Hudson me suivaient encore à la trace.

L'ascenseur s'est arrêté au premier pour prendre deux hommes en blouse blanche. Je connaissais de nom le plus grand.

— Salut, Anders ! ai-je lancé en m'efforçant de ne pas rougir

— Salut, Tory. Tu viens voir le Sorcier ?

Avec ses yeux vert clair et ses cheveux bruns bouclés, Anders Sundberg était de loin l'employé le plus séduisant du LIRI. La petite trentaine, ancien nageur olympique, il ressemblait à Justin Timberlake en plus grand et plus costaud. Autrement dit, carrément canon.

Anders avait intégré l'équipe de biologie marine de Kit l'été précédent, apportant sa spécialisation en habitat des tortues marines. Depuis la promotion de Kit, Anders faisait office de directeur du département. Ce choix avait fait grincer quelques dents chez les chercheurs chevronnés, mais Anders s'était révélé un bon choix à tous points de vue. Pour perdre son poste, il aurait vraiment dû le faire exprès.

— Tu veux dire Kit, j'imagine ? Oui.

Anders a souri :

— C'est lui qui tire les ficelles derrière le rideau. Le grand et puissant Dr. Howard !

Avec ses cheveux noirs clairsemés et mal peignés, les yeux rapprochés et un nez trop long d'au moins deux centimètres, l'autre homme paraissait avoir dix ans de plus qu'Anders. Il tapotait impatiemment du pied en attendant que les portes se referment.

— Et ce grand rigolo s'appelle Mike Iglehart, a ajouté Anders en donnant un coup de coude à son collègue. Dis bonjour à Tory Brennan.

— Bonjour, a répété froidement Iglehart. Il y a une sortie scolaire sur l'île aujourd'hui ? À mon avis, tu n'es pas censée quitter ton groupe.

Là-dessus, il s'est de nouveau adressé à Anders :

— Il me faut davantage de bande passante sur l'ordinateur central. En l'état actuel des choses, le programme Triton ne peut fonctionner qu'à mi-temps. Si on doit…

— Mike, c'est la fille du directeur Howard. Tu pourrais te montrer un peu plus poli.

— La fille de Kit, hein ?

Iglehart a daigné me regarder pour la première fois :

— Tu dois être tout excitée que ton père ait arraché le poste de directeur. Dommage pour moi que je n'aie pas trouvé un trésor perdu.

Je l'ai regardé bouche bée. C'était quoi, son problème, à ce type ?

L'ascenseur s'est arrêté au deuxième. Iglehart est sorti sans même nous jeter un regard.

Anders m'a fait un clin d'œil :

— Ne fais pas attention à lui. Mike Iglehart est entré au LIRI à peu près en même temps que ton père, et sa carrière n'a pas exactement décollé. Mets son attitude sur le compte de l'aigreur.

— Pas de souci.

J'ai essayé de prendre l'air dégagé, alors que, seule avec Anders, j'étais tendue.

— Amuse-toi bien, Anders.

— Je suis en train de disséquer une carcasse de tortue âgée de trois semaines. Je devrais bien m'amuser, non ?

Et Anders est sorti de l'ascenseur.

— Amuse-toi bien, ai-je répété dans le vide. Mais quelle naze, Brennan.

Je suis sortie au dernier étage, dans un petit couloir donnant sur des portes en verre dépoli. Les bureaux du directeur. Du temps de Karsten, toute cette zone ressemblait à une ville fantôme. Ayant horreur d'être dérangé, il était seul à occuper les lieux.

Avec Kit, c'est différent. L'étage bourdonne d'activité, tous les espaces de travail sont occupés ou ouverts pour des invités. Kit avait rassemblé tous les acteurs financiers et administratifs du LIRI autour de lui : collecte de fonds, marketing, communication, gestion.

Un jour, j'avais demandé à Kit pourquoi il supportait autant d'agitation dans ses bureaux.

— Il vaut mieux que les bureaucrates s'agglutinent autour de moi, comme ça ils ne dérangent pas les scientifiques qui travaillent, avait-il expliqué. En plus, je veux que ces gens soient parmi nous, à Loggerhead, et pas dans de beaux gratte-ciel en centre-ville. Ça leur rappelle ce qu'on fait ici.

J'ai passé les portes et affronté le dernier obstacle : Cordelia Hoke.

Le Dragon.

Du temps de Karsten, Hoke était la seule employée au troisième étage. Elle n'avait guère apprécié les bouleversements provoqués par Kit dans son royaume personnel, mais elle essayait de ne pas le montrer. En général, elle n'y parvenait pas.

Hoke, la secrétaire personnelle de Kit ? À mon avis, il n'avait pas le cran de la virer.

Kit avait essayé de limiter les pauses clope que s'offrait Hoke toutes les heures – le LIRI était et avait toujours été non-fumeur –, mais même moi, je savais qu'elle sortait s'en griller une dès qu'elle en avait l'occasion. Cela dit, c'était déjà moins souvent que sous Karsten.

Le rationnement en nicotine n'avait pas arrangé le caractère du Dragon. Elle m'a fusillée du regard par-dessus ses lunettes à double foyer.

— Je peux t'aider, Tory ?

Son ton indiquait tout le contraire.

— J'espérais voir Kit un moment.

— Ton père est très occupé.

Hoke a fait bouger sa masse imposante, ôtant des miettes de cookie des manches de son pull en cachemire effrangé.

Elle en avait un par jour de la semaine. Aujourd'hui, c'était le violet.

— Il ne peut pas arriver au pas de course chaque fois que tu te cognes un orteil.

Grrr.

— J'aimerais lui parler de ce qu'on fait pour le dîner ce soir.

Visage de marbre. Aucune réponse.

— Pour pouvoir savoir ce que je fais ce soir, moi.

Rien.

— Écoutez, dites juste à mon père que je suis là.

Le visage de Hoke s'est assombri :

— Ma chérie, de mon temps, une jeune fille ne parlait pas à ses aînés sur ce ton. On nous apprenait les bonnes manières.

J'étais sur le point de faire encore baisser mon éducation dans son estime, quand une ombre a bougé dans le bureau de Kit. Mon père se tenait de l'autre côté de la cloison vitrée, téléphone à l'oreille, l'air de s'ennuyer. Son costume anthracite et sa cravate marron étaient bien loin de la blouse blanche fatiguée qu'il avait portée tous les jours au travail jusqu'à l'année dernière.

Kit m'a fait des gestes du genre « peux pas parler, je suis coincé, fais-toi à manger si tu veux ». J'ai acquiescé et agité la main en guise d'au revoir.

Kit, l'air attristé, m'a fait signe qu'il était désolé.

J'ai souri. « Je comprends. »

Raclement de gorge. C'était Hoke :

— Autre chose ?

— Non.

J'étais déjà à la porte.

4.

Le Dr. Michael Iglehart avançait à grands pas dans le couloir, sans écouter son compagnon.

Le Dr. Sundberg discourait des problèmes d'identification et d'espace alloué sur le serveur, mais Iglehart était ailleurs.

Cette gamine Brennan l'avait agacé. Et voilà qu'il avait une tâche à accomplir.

— Je ne peux proposer de connexion qu'après les heures de bureau, expliquait Sundberg. La sauvegarde est temporaire – nous installerons des extensions au début du mois prochain. Le Dr. Howard a passé des commandes pour doubler notre capacité informatique.

— Magnifique, grogna Iglehart en ravalant la bile dans sa gorge.

Demander une permission à Anders Sundberg, c'était déjà assez insultant. Mais avoir besoin de l'autorité de Kit Howard, c'était quasiment intolérable.

La vie est toujours injuste. Toujours.

Iglehart avait intégré le LIRI bien avant ces deux imbéciles. Tous trois avaient des CV quasiment identiques. À présent, l'un d'eux dirigeait ce département et l'autre la totalité de ce satané institut !

Et pourquoi ? Parce que Kit Howard avait trouvé un trésor dans un trou.

Et pour le Dr. Iglehart, je vous prie ? Rien. Nada. Du vent. Les deux usurpateurs pensaient sans doute qu'il devait être reconnaissant d'avoir simplement conservé son poste.

Mais là-dessus, ils s'étaient trompés. Lourdement.

— Mike ?

Iglehart revint brutalement à la réalité. Il avait dépassé la salle de conférence.

— Les réunions du personnel ont encore lieu ici, sourit Sundberg en lui tenant la porte ouverte. Et ne t'en fais pas pour Triton, on va te régler ça.

Iglehart se força à sourire :

— Désolé. J'ai oublié un dossier dont j'ai besoin. J'en ai pour une seconde.

— Bien sûr, fit Sundberg avec un petit geste. J'ai jusqu'à 5 heures. Prends ton temps.

— Bien sûr. *Votre Seigneurie est bien bonne*. Je reviens dans une minute.

Iglehart revint en hâte vers son bureau grand comme une cabine téléphonique et appuya sur la touche espace de son clavier.

Il avait en horreur ce cachot minuscule aux murs aveugles. Un bureau en métal. Une chaise à dossier droit. Des étagères anonymes de bureaucrate. Jamais assez d'espace. Pour mener de vraies recherches, il était obligé de dénicher des salles de conférence disponibles.

Ce qui signifiait de constantes interruptions d'imbéciles qui travaillent autour de lui. Des imbéciles avec des bureaux plus grands. Exaspérant.

Il avait donc pris des mesures. Howard et Sundberg pensaient qu'il se contentait des miettes qu'ils laissaient tomber de leur table ? Erreur.

Howard était directeur depuis deux mois, et pourtant Iglehart restait là, coincé dans un placard à balais avec un ordinateur de deuxième zone.

Plus pour longtemps.

Il tapa de nouveau sur le clavier d'un geste énervé. Le logo de l'institut apparut enfin sur l'écran. Iglehart entra le code espion qu'il s'était procuré en secret, et accéda au serveur mail du LIRI, dont il désactiva les sécurités. Une fois à l'abri, il se mit à taper.

Son e-mail était court et direct. Il savait ce que son contact voulait, même si ses raisons lui échappaient.

Iglehart envoya son message, réactiva la sécurité du serveur mail, et ferma son portable d'un coup sec.

Tu n'aurais pas dû me snober, Kit.

Un rictus satisfait sur le visage, Iglehart se dépêcha de retrouver les collègues qu'il méprisait.

5.

À l'instant où j'ai tourné la clé, j'ai pressenti les ennuis.

Coop a bondi dans la maison, gravissant les quelques marches qui menaient à notre petit salon. Là, il s'est arrêté, le poil hérissé, la queue droite.

Une seule chose provoquait cette réaction chez mon chien-loup : la copine de Kit.

Beuark.

J'ai lourdement monté les marches pour voir Whitney Dubois bouger d'un centimètre sur mon canapé, regardant Coop comme si c'était un meurtrier armé d'une hache.

Ses yeux couverts de mascara se sont braqués sur moi :

— Tory, contrôle cet animal !

— Du calme.

J'ai fait claquer ma langue. Coop m'a jeté un coup d'œil et est allé s'asseoir dans son panier.

— Il est étonné de te trouver ici, chez nous, seule et sans avoir prévenu. C'est tout.

— Je suis venue te faire à manger. (De ses mains manucurées, elle a ébouriffé ses cheveux blonds permanentés.) Dieu sait de quoi tu as pu te nourrir ces derniers temps. Ton papa passe trop, beaucoup trop de temps au travail. Et le week-end, en plus !

— Kit est le directeur, ai-je sèchement répondu. C'est un poste exigeant.

— Mais c'est lui le patron, a protesté Whitney, ses grands yeux bleus pleins d'incompréhension. Il ne peut pas partir quand il veut ?

J'ai failli soupirer :

— Ce n'est pas comme ça que ça se passe. Kit a des milliers de détails à régler, s'il veut relancer le LIRI. Il dirige des conseils d'administration, il gère l'expansion du centre, tout en supervisant les opérations quotidiennes. En plus, il a des responsabilités vis-à-vis du fonds. Pour l'instant, c'est un travail énorme.

— Il devrait déléguer, a lâché Whitney avec le ton convaincu de celui qui n'a aucune idée de ce dont il parle. Anticiper davantage.

— Il ne peut pas.

Cette fois-ci, j'ai laissé échapper un soupir :

— Kit sera très occupé jusqu'à ce que le LIRI soit enfin remis sur pied. Ça va prendre des mois, pas quelques semaines.

Kit en avait discuté avec moi avant d'accepter le poste. J'avais fini par lui donner mon soutien plein et entier : si Kit devenait directeur du LIRI, personne ne devrait déménager. Les parents de mes amis conserveraient eux aussi leurs postes. Pour que tout le monde reste à Charleston, j'aurais accepté bien, bien pire qu'un père débordé par son travail. Tout pour protéger la meute.

Apparemment, Kit n'avait pas réussi à avoir la même conversation avec Whitney.

— Il faut qu'il passe plus de temps avec sa famille, a-t-elle déclaré fermement.

C'est moi sa famille, pas toi.

— Oui, c'est ça.

Quelque chose d'autre venait d'attirer mon attention.

Des coussins éparpillés sur le canapé où se tenait Whitney, une pêche entamée à la main. Couleur vert clair, avec des entrelacs de broderie rose.

Neufs, avec des fanfreluches. Pas un achat de Kit, c'était certain.

J'ai examiné la pièce et remarqué d'autres changements dérangeants.

Là, sur l'étagère : un vase de porcelaine noir et blanc. Et sur le manteau de la cheminée : la photo de Kit et son équipe de bowling avait été remplacée par un cliché encadré de Kit et Whitney sur la plage, vêtus de polos bleus identiques.

D'autres touches étrangères parsemaient le salon. Un petit ficus. Des presse-livres en céramique. Un panier à magazines en osier.

Qu'est-ce que c'est que ce sketch ?

Kit et moi habitions une maison de ville sur Morris, une île de six kilomètres carrés formant la moitié sud de l'entrée du port de Charleston. C'est une bâtisse maigrichonne à trois étages, plus haute que large. Au rez-de-chaussée, un bureau et un garage pour une voiture. Au premier, notre cuisine et salon ; au deuxième, nos chambres. À mon arrivée, Kit avait déménagé dans celle du fond, me laissant la plus grande, celle qui donnait sur l'océan.

Au dernier étage, c'est la caverne de Kit : un impressionnant centre multimédia, donnant sur une terrasse extérieure avec une vue sur l'Atlantique à couper le souffle. Le moindre meuble provenait de chez IKEA, ou son équivalent. Au total, c'est bien, à condition de supporter tous les escaliers.

Le reste du quartier consiste en dix habitations identiques construites à l'intérieur d'une bâtisse en ciment de cent cinquante mètres, autrefois appelée Fort Wagner – souvenir de l'époque où l'île était un avant-poste, pendant la guerre de Sécession. Il y a tellement peu d'habitants que même la plupart des gens du coin pensent que Morris est déserte. Sauf nous, bien sûr.

Il n'y a pas d'autres constructions modernes. Et une seule route : un mauvais ruban d'asphalte qui zigzague vers le sud, entre les dunes, avant de passer sur Folly Island. Notre seul lien avec la civilisation.

Le Fonds de Loggerhead avait récemment fait l'acquisition de l'île entière, et louait les habitations aux scientifiques travaillant au LIRI. Les Stolowitski en occupaient une, ainsi que les Blue et les Devers ; comme ça, nous étions parmi les ados les plus isolés de la planète.

Grâce à cet éloignement, Morris Island ne recevait qu'un nombre minimum de visiteurs. Et pourtant, voilà que Whitney était là, vautrée dans mon canapé comme chez elle.

Et occupée à refaire la déco.

J'ai senti une bouffée de colère m'envahir. Cette princesse décolorée allait trop loin – elle n'avait aucun droit de redécorer ma maison sans me demander. Elle ne vivait pas ici. Ce n'était pas ma mère.

Ouf… et voilà. Une vague d'émotion a déferlé sur moi, et j'ai dû refouler mes larmes.

Voilà l'histoire. Je suis venue vivre avec Kit il y a neuf mois, après qu'un chauffard ivre a tué maman. La douleur que j'éprouve dort en dessous de la surface. La plupart du temps. Sauf lorsqu'un événement particulier me prend par surprise.

Comme des coussins non autorisés sur mon canapé.

J'ai rencontré Kit pour la première fois après l'accident. On a eu des débuts difficiles, mais par la suite on a réussi à trouver un terrain d'entente. Enfin, quand je n'étais pas occupée à me faire tirer dessus ou arrêter.

Kit a déclaré un jour que je le terrifiais. Il disait ça de manière positive. Enfin, je crois. Presque sûre.

Même si on était à des années-lumière d'une relation père-fille normale, on n'était plus de parfaits inconnus l'un pour l'autre. Des progrès – petit à petit.

Comme si je savais ce qu'est une relation père-fille normale, d'ailleurs.

Mais une chose est sortie tout de suite : on n'était pas d'accord sur Whitney.

Je trouve cette femme frivole, dénuée de tact, indiscrète et autoritaire. Pour Kit, c'est une pure merveille. Allez savoir. Au total, je dois supporter sa présence.

Jusqu'à présent, j'y arrivais à peu près. Péniblement. Mais voilà qu'elle en rajoutait.

Tu en parleras à Kit plus tard. Inutile de se disputer maintenant.

J'ai perçu un mouvement du coin de l'œil. Coop, sentant la nourriture, s'était glissé vers la table basse.

Whitney l'a remarqué au même moment.

— Va-t'en ! Va-t'en !

Elle a agité une serviette en tissu dans sa direction.

— Va-t'en, corniaud !

Whitney lui a donné un coup sur la truffe tout en se renfonçant dans le canapé. Coop l'a fixée de ses yeux bleus glacés, implacable, les poils hérissés sur le dos.

— Tory ! a couiné Whitney. Il va attaquer.

— Peut-être.

Je suis allée me prendre un Coca Light au frigo :

— Essaye de protéger ta gorge.

— Tory !!!

— Allez, détends-toi.

L'inquiétude de Whitney m'amusait, mais je savais que Kit ne goûterait pas cet humour.

— Coop, au pied !

Le chien-loup est venu s'asseoir à mes côtés. Impossible de le prouver, mais j'aurais juré qu'il avait l'air content de lui.

Whitney s'est rajustée, a levé les yeux au ciel pour y puiser de la patience, puis est partie mettre la table dans le salon.

— C'est l'heure de dîner. J'ai apporté des sandwichs au poisson-chat, cuisine cajun, avec des haricots à œil noir.

Je reconnais une qualité à Whitney : elle s'y connaît en cuisine. En général, je supporte sa compagnie quand elle m'achète à coups de plats du Sud délicieux.

J'avais presque fini mon sandwich quand elle a remis ça :

— J'ai parlé au comité des mères. (Elle s'est fort proprement ôté une tache de rouge à lèvres sur les dents.) Ce n'est pas commode de te réinscrire dans la promotion de l'année prochaine. Les invitations ont été imprimées, ainsi qu'un registre officiel. Mais finalement, tu feras tes débuts cette saison.

Je me suis effondrée :

— Quoi ? Mais je n'ai que quatorze ans ! Je serai la débutante la plus jeune d'au moins deux ans !

Totalement à contrecœur, j'ai été obligée de suivre la grande tradition sudiste du bal des débutantes. Une idée de Whitney, même si elle a obtenu tout le soutien de Kit. J'aurais besoin de « plus de raffinement » et de « temps passé au féminin », des bêtises de ce genre. Comme si c'était ma faute à moi, si aucun adolescent à chromosomes XX n'habitait Morris Island.

Je suivais des cours de maintien depuis six mois, apprenant des choses aussi immensément importantes que la danse de salon, se tenir droite, bien utiliser l'argenterie, et l'art de recevoir pour le thé. Toute cette prétention me faisait horreur, mais impossible d'y échapper. Whitney était décidée à faire de moi une jeune demoiselle comme il faut.

Bon, ce n'était pas si mal que ça. Je m'étais fait quelques amies, et je me sentais moins mal à l'aise avec l'élite dirigeante de Bolton. C'était plutôt drôle de se déguiser. En plus, l'organisation s'occupait d'œuvres charitables, et on avait passé beaucoup de temps à rendre service à la collectivité.

Mais, à cause de mon jeune âge, je n'aurais pas dû débuter avant la saison suivante. Whitney l'a d'ailleurs reconnu :

— Il est un peu tôt pour que tu participes à la fête, mais on ne peut pas dire que tu sois une exception non plus.

J'ai senti une pointe d'agacement dans son accent sudiste traînant :

— À l'époque où nous pensions que tu devrais quitter Charleston, j'ai beaucoup usé de mon influence pour te faire progresser. C'est tout simplement impossible de revenir en arrière.

Je pensais déjà à l'avenir :

— Quand est le bal ?

— Vendredi en huit, a répondu Whitney en gloussant d'excitation. Il faudra nous dépêcher, et tu as une décision importante à prendre.

Oh-oh.

— Comme ?

Whitney m'a gratifiée d'un regard indulgent :

— Tes cavaliers et chaperons, Tory. Tu dois choisir une escorte pour le bal.

On peut appeler ça de l'évitement. De l'aveuglement volontaire. On peut appeler ça comme on veut : je déclare en toute honnêteté que je n'y avais même pas pensé jusque-là.

— Quoi ? Qui ? Combien ?

— Un de chaque, en général, mais tu peux en avoir davantage si tu veux. En revanche, il te faut impérativement un cavalier pour tes débuts.

J'en suis restée bouche bée. Qui pourrais-je bien entraîner dans ce désastre ? Et qui aurait l'idée impensable de m'accompagner ?

Whitney, comme d'habitude, a interprété mon attitude de travers.

— Je sais bien que c'est une décision très importante. Prends le temps d'y réfléchir. Mais j'aurai besoin de connaître ton choix bientôt, ma chérie. Nous sommes déjà en retard pour les invitations, et les garçons doivent louer leur smoking, s'ils n'en ont pas déjà un.

Whitney s'est levée pour desservir. J'ai marmonné « merci » et j'ai battu en retraite à l'étage, dans ma chambre. Je me suis effondrée sur mon lit, incapable d'esquiver cette question lancinante :

Qui ?

Indépendamment des illusions de Whitney, je ne considérais pas ce bal comme une fabuleuse occasion de rencontres. Je n'avais même pas envie d'y aller. Comme pour la plupart de ces événements, je passerais sans doute la soirée à éviter les gens et à essayer de ne pas me ridiculiser. Mon but était de survivre à ces trucs, pas d'y rencontrer l'amour.

Un petit aveu : je n'avais jamais eu de « petit ami ». Attention, je n'étais pas sortie du couvent ni rien – quand j'étais à Westborough, on s'embrassait avec Sammy Branson derrière le Dunkin' Donuts, même si maman pensait que c'était un paresseux fini. Mais je n'étais jamais sortie avec quelqu'un pour de bon, ni même officiellement.

Quand est-ce que j'aurais pu ? J'avais passé l'essentiel de mon enfance d'un coin à l'autre du Massachusetts, sans m'attarder nulle part. Maman avait été mon seul point de repère. J'avais treize ans quand l'accident de voiture avait eu lieu. Maman était morte, et j'avais été envoyée dans le Sud pour vivre chez Kit.

Ma première année à Charleston n'avait pas été romantique. Au lycée chic de Bolton, j'avais été une paria dès le premier jour – une inconnue intello fraîchement débarquée, boursière, et plus jeune que tous les autres, d'un an au moins. J'avais combien de points, avec ça ?

Je n'avais rien en commun avec mes camarades. Mon père n'était pas membre de sept country clubs, ni administrateur d'un hôpital local. Et quand on s'intéressait à moi, ce n'était pas par bienveillance.

En dehors du lycée, mon monde c'était les îles, Kit et mes congénères de meute. Rien à tirer de ce côté-là. Shelton, Hi et moi étions des amis très proches, mais l'idée d'une liaison romantique nous aurait fait mourir de rire. Pas la peine.

Ben, en revanche… il était différent. Je pouvais l'avouer, du moins me l'avouer. Il était plus âgé, plus mûr, et indéniablement séduisant. C'était le seul client potentiel sur le microscopique marché amoureux de Morris Island. Quand j'étais arrivée là-bas, il m'avait même un peu intéressée.

Mais depuis le virus, et l'apparition de nos pouvoirs, nous étions devenus une meute. Et pour moi, la meute, c'était la famille.

C'était mieux comme ça. Plus sain. Plus sûr.

Eurk.

Je regardais mes notes, sans la moindre idée de la réponse que je donnerais à Whitney.

Il me fallait un cavalier.

Mais qui ?

6.

Le casier voisin s'est refermé d'un coup.

— Pourquoi commence-t-on par les maths ? a demandé Hi en tripotant sa cravate. Les enseignants ne comprennent-ils donc pas qu'il faut démarrer une journée de cours en douceur ?

Lundi matin. Lycée privé de Bolton, 7 h 26.

Le premier cours allait commencer.

J'étais de nouveau en uniforme : cravate bleue à motifs écossais avec jupe plissée assortie, chemisier blanc, chaussettes noires montantes, et chaussures noires plates. J'étais loin d'adorer cette tenue, mais ce règlement empêchait les filles riches de transformer les couloirs du lycée en Beverly Hills. En somme, j'y gagnais et c'était bien.

J'ai fermé mon casier et brouillé la combinaison.

— Tu sais, Hi, il vaut mieux s'en débarrasser d'abord. D'ailleurs, j'aime bien les maths : il n'y a pas de piège, il suffit d'apprendre les règles.

— Mais les règles sont piégées.

Ben arborait l'uniforme masculin standard : blazer bleu marine blasonné d'un griffon, chemise blanche, cravate et pantalon marron, et mocassins.

— Quand le signe « égal » a disparu des problèmes, les maths ont perdu toute signification pour moi… Ah, tiens, voilà Shelton.

Hi portait son blazer dans son style inimitable : à l'envers, la doublure en soie visible. Les professeurs avaient abandonné l'espoir de le lui faire mettre correctement.

— Il a eu le temps, finalement.

— J'l'ai eu ! a haleté Shelton, un livre de maths sous le bras, son uniforme en bataille. Ça prend plus de temps que je pensais, de revenir au quai en courant. Ben, la prochaine fois, je me contenterai d'emprunter un manuel, et j'attendrai de voir ton père pour récupérer le mien.

Ben est intervenu :

— Je te l'avais dit.

Son père, Tim Blue, nous emmenait en navette les jours d'école.

— Tu as eu de la chance que le *Hugo* ait encore été là. D'habitude, à cette heure, mon père en est déjà à sa deuxième desserte de Loggerhead.

En guise de compensation pour les parents qui habitaient loin de tout, comme les nôtres, le LIRI payait les études de leurs enfants à Bolton, le lycée privé le plus prestigieux de Charleston. Shelton, Hi et moi, on avait commencé notre deuxième année depuis deux mois, et Ben était en troisième. Comme il aurait fallu deux heures aller-retour de trajet en voiture, le LIRI nous fournissait aussi une navette par bateau. Pas mal.

À condition de s'intégrer. Ce qui n'était pas notre cas.

La plupart des élèves de Bolton étaient issus des familles les plus riches de la ville. Avec mon équipe, on se faisait remarquer comme des prostituées à l'église. On n'appartenait pas à leur monde gâté et privilégié, et pas mal de nos camarades s'empressaient de nous le rappeler. Se moquer des « boat people », c'était presque un sport officiel.

Heureusement cette année, Shelton, Hi et moi avions le même emploi du temps, et Ben suivait la moitié de nos cours. On pouvait donc veiller les uns sur les autres.

Pour un groupe de rats de labo, Bolton était un champ de mines, un désastre potentiel. Comme j'étais aussi la plus jeune de ma classe, j'avais double dose. Impressionnée par mes résultats brillants en primaire, maman avait décidé que je sauterais la sixième. Quatre longues années plus tard, et voilà : j'étais la seule élève de quatorze ans à Bolton.

Les moqueries avaient commencé dès le premier jour. Et quand mes camarades avaient découvert que c'était bel et bien la « petite fille » qui avait le meilleur niveau en classe… le bombardement s'était intensifié.

Ma première année avait été dure. Une horreur.

Mais ces derniers temps, c'était… différent.

La première année, d'autres élèves se moquaient ouvertement de moi. Ils chuchotaient dans mon dos. Ils me traitaient de « minable », de « réfugiée dans l'île » ou même de « plouc ». Au lycée, les petites brutes peuvent être mauvaises, et j'en avais pris plein la figure.

Ce déluge de moqueries m'avait obligée à faire attention. Si je baissais la garde, même une micro-seconde, les Vipères du bahut me tomberaient dessus « pour me remettre à ma place ».

Mais tout ça, c'était avant l'été.

Avant de décider que j'en avais assez, et que j'allais riposter.

Avant que je perde mon sang-froid.

Comme attirées par mes pensées, j'ai vu mes persécutrices apparaître deux salles plus loin.

Madison Dunkle remontait le couloir d'un pas nonchalant, entourée de ses deux groupies. Elle était tellement apprêtée qu'elle en brillait presque, de sa coiffure sculptée – ce semestre, cheveux noirs avec des mèches blond cendré – jusqu'à ses bijoux design à cinquante mille dollars.

Courtney Holt se tenait à sa gauche. Blonde, les yeux bleus et bien faite, elle irradiait une bêtise inimitable. Elle avait été nommée capitaine de l'équipe des pom-pom girls. J'étais stupéfaite qu'elle ait réussi à ne pas se faire virer pour mauvais résultats.

De l'autre côté de Madison se trouvait Ashley Bodford, une authentique vipère. Si Courtney était le jour, Ashley représentait la nuit, avec ses cheveux d'un noir luisant, sa peau au bronzage artificiel et son infinie malveillance. Son activité favorite consistait à s'attaquer aux faiblesses des autres, à coups de méchancetés chuchotées.

Le Trio des Bimbos.

Elles me détestaient. Je les vomissais.

Au dernier semestre, j'aurais été emplie de crainte à la seule vue de ces trois-là. Elles avaient transformé ma première année en véritable enfer.

C'était fini.

En août dernier, lors d'un brunch, je m'étais lâchée sur le Trio, et devant tout Bolton. En flambée, j'avais utilisé mes hypersens pour lire leurs émotions. Percevoir leurs faiblesses. Puis j'avais attaqué sans pitié.

Abasourdies, en état de choc, les filles du Trio avaient battu en retraite, pleurant de rage.

Une embrouille épique.

Depuis cette explosion, les autres élèves « populaires » m'avaient manifesté un peu plus de respect. Presque de la politesse. Pas franchement amicaux ni rien, mais l'hostilité ouverte avait disparu.

La faveur du lycée est bien capricieuse.

Tout à coup, parce que j'avais montré les dents, mes camarades m'appréciaient davantage. Parce que j'avais massacré quelques-uns des leurs. Quelle gaminerie ! J'en aurais pleuré.

Ce jour-là, j'avais enfin dominé le Trio. Mais j'avais commis une erreur.

En laissant le loup m'envahir, j'avais libéré mon adrénaline. Les flambées semblaient exacerber mon côté agressif. Entraînée par l'énergie, j'avais commis un acte d'une incroyable bêtise. Une catastrophe. J'avais ôté mes lunettes noires pour montrer mes yeux étincelants.

Courtney et Ashley n'avaient rien vu, mais Madison était aux premières loges. Elle s'était enfuie, terrifiée. Et depuis, elle m'évitait.

En temps normal, j'aurais dit que c'était gagnant-gagnant. Le Trio s'était enfui et se tenait depuis à l'écart. Leur harcèlement permanent s'était arrêté.

Mais je m'inquiétais. Que soupçonnait Madison ? À qui parlerait-elle ?

Si nos pouvoirs venaient à être connus, on deviendrait des rats de laboratoire pour le gouvernement d'ici à demain matin.

À cause de ma bêtise, Madison était devenue une menace.

À cet instant précis, la menace en question m'a aperçue. Elle a pâli et ralenti le pas.

Ashley et Courtney lui sont rentrées dedans par-derrière. Surprises de voir leur reine abeille hésiter, elles ont suivi son regard.

Serrant ses livres contre elle, Madison est passée devant moi à toute allure et a filé aux toilettes en me jetant des coups d'œil inquiets, Courtney et Ashley sur ses talons.

– Eh ben…

Hi avait suivi la scène.

– Tu as vraiment fait flipper Madison, c'est sûr. Espérons qu'elle n'envoie pas de lettres à *Cosmopolitan*…

J'avais parlé de ma bêtise aux Viraux. Ça ne leur avait pas fait plaisir – pas du tout.

J'allais répondre à Hi quand Jason Taylor est apparu.

— Tory... (Jason a commencé à tripoter sa cravate.) J'espère que, euh, tu vas bien. Que tu as passé un bon week-end... et tout.

Ben a réprimé un sourire, puis est parti en levant les yeux au ciel, suivi par Hi et Shelton.

Jason avait les yeux bleus et les cheveux blonds, presque blancs, d'un dieu nordique. Le physique, aussi. Grand et fort, c'était un athlète fou, capitaine de l'équipe de lacrosse du lycée. C'était aussi un gars vraiment sympa, un allié à Bolton depuis le début.

Un allié qui me montrait un intérêt surprenant.

Je n'avais jamais pu mettre des mots sur ce que je ressens pour Jason. Je n'y arrive toujours pas.

Jason était le seul type de Bolton qui semblait me prêter attention. Il était mignon. Chaleureux. Drôle. Très très apprécié. Tout ce qu'une fille recherchait chez un petit ami. Du moins, c'est ce qui me semblait, vu que je ne disposais d'aucune expérience concrète dans ce domaine.

Et pourtant... rien. Pour une raison ou pour une autre, Jason ne me faisait aucun effet. Je n'avais jamais ressenti d'attirance pour lui. Mon cœur ne battait pas plus fort, mes mains ne devenaient pas moites. C'était absurde, inexplicable – y compris à moi-même.

Tout cela rendait la situation... gênante.

Je ne devrais pas me plaindre : la plupart des filles auraient été ravies que Jason leur prête attention. Et c'était un ami précieux. Il me protégeait au lycée, en empêchant les gosses de riches les plus teigneux de m'embêter.

— Salut, Jason, ai-je balbutié. J'ai passé un bon week-end. Et toi ?

— Moi ? Oh, super. Sortie en bateau... joué au golf. Il fait beau, euh, hein ?

— Tout à fait, ai-je répondu en réajustant inutilement mon sac. Y'a du soleil.

Mon embarras vis-à-vis de Jason était un dommage collatéral de ma dangereuse réaction lors de ce brunch. Énervée d'avoir gaffé ainsi avec Madison, j'étais tombée des nues quand Jason avait proposé de m'escorter au bal des débutantes. Furieuse contre moi-même, je m'en étais prise à Jason.

On ne s'était pas reparlé jusqu'à la rentrée, et même maintenant, on évitait soigneusement d'aborder ce sujet. Ce petit jeu durait depuis bientôt deux mois, et rien n'indiquait qu'il allait s'arrêter.

En plus, Madison avait des vues sur Jason, et me considérait comme sa rivale.

Et Ben, lui, n'aimait vraiment pas Jason.

Rien n'est jamais simple.

La sonnerie a heureusement mis un terme à ce moment gênant. Ravie de ce répit, j'ai lancé :

— Faut que j'y aille. À plus !

— À plus.

Jason est parti en faisant un signe de tête à Shelton et Hi. Les deux compères lui ont maladroitement rendu son salut.

Shelton s'est glissé à mes côtés d'un air rusé.

— Finement joué, l'artiste.

— Ferme-la.

Cette conversation embarrassée avec Jason m'avait rappelé les instructions de Whitney. Il me fallait trouver des accompagnateurs pour ce bal débile, et je n'avais aucune idée.

Jason s'était porté volontaire, mais c'était des mois auparavant, et j'avais rejeté son offre. Grossièrement. Est-ce qu'elle tenait toujours ? Ce pourrait être une bonne idée de choisir un garçon si populaire. Et Jason m'avait toujours défendu quand il le pouvait.

Mais je l'ai trop mis mal à l'aise, la dernière fois. Pourquoi il me dirait oui, maintenant ?

Shelton tapotait sa montre :

— C'est aujourd'hui, Brennan.

À cet instant, Hi est arrivé à toute allure :

— Vous avez entendu la nouvelle, les gars ?

— Quelle nouvelle ? a demandé Shelton nerveusement. Je sais déjà que ça ne va pas me plaire.

— C'est partout sur Twitter. Il est sorti ! On l'a libéré le week-end dernier.

J'ai demandé :

— Qui ?

Mais je le savais déjà. Sans aucun doute.

— Chance Claybourne. J'y crois pas... Il va revenir à Bolton.

7.

Des gouttelettes m'éclaboussaient les bras.

La navette de Tom Blue, le *Hugo*, projetait une brume d'embruns. Je me tenais seule à la poupe, observant la ville qui s'éloignait.

Je pensais à Broad Street, à ce coûteux domaine nommé le « manoir Claybourne ».

Je parie qu'il est seul dans cette immense demeure. En ce moment.

Impossible de me concentrer en cours de toute la journée.

Chance Claybourne.

Sorti de l'hôpital.

De retour à Bolton.

La culpabilité pesait sur moi comme une couverture froide et humide. L'acte affreux que j'avais commis. La manière dont j'avais joué avec l'esprit de Chance, pour protéger nos secrets.

Et le voilà de retour.

J'ai entendu la voix de Ben dans mon dos :

— Tu n'as pas eu le choix.

— Je sais, ai-je soupiré.

Je me suis retournée vers Ben. Il devinait souvent mes pensées.

— Mais quand même... m'infiltrer dans son cerveau. Lui faire croire qu'il était fou. Je me sens très mal depuis.

Chance, s'il n'était pas l'homme le plus riche de Charleston, était certainement en tête de la liste : fils de Hollis Claybourne, ancien sénateur de l'État, et héritier d'une fortune familiale colossale. L'effondrement mental de Chance avait provoqué le scandale de la décennie.

Il avait souffert d'une dépression nerveuse totale, dont le moindre détail sordide avait été rapporté par la presse. Il avait été hospitalisé pendant cinq mois, durant lesquels il n'était sorti qu'une fois, pour nous aider à chercher un trésor pirate disparu.

À deux reprises, Chance avait été témoin de nos flambées. Il avait vu notre vitesse canine. Notre force. Nos yeux brillants.

Après le second incident, Chance était venu me parler, perplexe et vulnérable. Il lui fallait des réponses.

Au lieu de l'aider, j'avais enfoncé le couteau dans la plaie. J'avais trahi sa confiance.

Pour protéger les Viraux, j'avais convaincu Chance qu'il s'était imaginé toute cette histoire. Que les images qu'il décrivait étaient irréelles. De purs produits d'un esprit perturbé. Effrayé et sous le choc, il était retourné à l'hôpital subir de nouveaux traitements.

Ta vengeance.

J'ai tressailli. D'où était venue cette pensée ?

Une nouvelle vague de culpabilité m'a submergée. Si j'avais trompé Chance, ce n'était pas par ressentiment… pas vrai ?

À mes yeux, Chance et Jason étaient bien différents. Le plus riche héritier de Charleston m'avait effectivement inspiré des pensées lascives. Superbe, raffiné et distingué, taillé comme un gladiateur, Chance avait les manières d'un prince. Comme toutes les filles au lycée, j'avais rêvé d'assister au lever du soleil entre ses bras.

Idiote. Tout ça était bien fini.

À la fin de la première année, Chance m'avait manipulée, se servant de mes sentiments à son égard pour dissimuler de sombres secrets de famille. Ça avait failli marcher, d'ailleurs.

J'avais depuis longtemps étouffé tout embryon de sentiment pour le jeune maître Claybourne. Du moins je le pensais. Je l'espérais.

— Hé, ils l'ont laissé sortir, pas vrai ?

Hi s'est assis sur le banc à côté de moi, la cravate de travers, le blazer plié sur les genoux :

— Donc, il doit être guéri. Y'a pas de mal, finalement.

— Oui, sans doute…

Alors, pourquoi j'avais l'impression d'être une traîtresse ?

– C'est un millionnaire, bon Dieu, a ajouté Ben avec un geste désinvolte. Il s'en sortira.

J'ai conclu :

– On a des affaires à régler avec Chance, mais pas aujourd'hui. On va au bunker. Je veux voir ce qu'il y a dans cette boîte de clowns idiote.

*

* *

Une fois chez nous, sur Morris, je me suis changée, enfilant un polo et un short, puis j'ai sifflé Coop avant de retourner en vitesse au quai. Les garçons attendaient déjà à bord du *Sewee.* Shelton et Hi ont poussé le bateau, puis Ben nous a guidés entre les bancs de sable pour arriver en pleine mer.

Ben a réduit les gaz au moment où on contournait la pointe nord de l'île. Après avoir regardé aux alentours pour vérifier qu'on était seuls, il a viré sèchement vers la rive, faisant passer le *Sewee* entre les rochers, dans un trou à peine plus large que la coque.

Des écueils se dressaient des deux côtés, créant une crique circulaire avec plage de sable blanc. Encore mieux. Les saillies rocheuses dissimulaient ce mouillage discret aux yeux des embarcations de passage.

Comme endroit secret, celui-là était incroyable.

Ben a attaché le *Sewee* à un poteau immergé. Shelton a jeté l'ancre. Hi, Coop et moi avons sauté à terre et pris un petit sentier escarpé pour grimper la dune surplombant la baie cachée. En arrivant à la crête, on a tourné à droite. Je me suis mise à genoux pour ramper dans un trou creusé à flanc de colline.

On était arrivés au club.

Jadis élément essentiel des défenses du port, à Charleston, Morris Island est parsemée d'anciennes fortifications militaires. Les garçons et moi, on avait découvert notre bunker par accident, en cherchant un frisbee égaré. L'endroit, pratiquement invisible, pourrait servir de refuge à la CIA.

En principe, nous étions les seuls à connaître son existence.

Et nous avions l'intention que ça continue, même si ç'avait été difficile ces derniers temps.

Un léger bourdonnement m'a accueillie à mon arrivée dans la pièce principale. L'air sentait l'ozone, la poussière et les cacahouètes en sachet.

Shelton, qui avait rampé derrière moi, s'est assis sur la chaise ergonomique face à notre nouvel ordinateur. Sérieusement, ce truc semblait sorti de Star Trek.

Shelton s'est mis à pianoter sur le clavier, encore un objet magique sans fil.

— Allume les ventilateurs quand le système fonctionne, Shelton. Sinon, les composants risquent de surchauffer.

— Je n'en ai que pour une seconde. (Shelton a actionné un interrupteur sous le bureau.) Il faut que je jette un œil aux logiciels que j'ai installés. Ça va vous scotcher.

Les semaines précédentes, on avait transformé les lieux.

Avec l'or des pirates, on va loin, à condition de le dépenser judicieusement.

Le sol était recouvert d'une moquette intérieur/extérieur. Une fenêtre escamotable protégeait la meurtrière donnant sur le port. Des meubles IKEA profilés avaient remplacé les vieilleries en bois branlant. Notre vieux banc était toujours posé le long du mur, sous la fenêtre, mais Ben l'avait poncé, poli et repeint avec un vernis couleur cerise foncée. Trois lampes diffusaient une douce lumière blanche.

Un mini-frigo se trouvait dans un coin. Hi avait insisté.

La pièce de derrière avait également subi des transformations.

Le puits de mine et l'ouverture à canon étaient scellés. Cela nous avait pris des jours de labeur. Des câbles tirés depuis la pièce principale serpentaient sur des étagères métalliques, bourrées de disques durs externes, de routeurs, de switchs Ethernet, de composants audio-vidéo et d'autres encore, avec une série de piles rechargeables.

Dans le fond, c'était l'hôtel pour chiens de Coop : un panier, des jouets à mâcher, et des distributeurs automatiques d'eau et de nourriture. Il s'y est mis en boule et endormi aussitôt.

Après des semaines de recherches et d'achats en ligne, de livraisons secrètes, de transports épuisants à dos d'homme, et de montages exaspérants, notre club était aussi bien équipé qu'une tour de contrôle. Et il nous restait encore pas mal d'argent sur notre compte.

Merci, Anne Bonny.

— Tu as réglé le Wi-Fi ? a demandé Hi en fouillant dans le frigo. Je n'ai pas pu obtenir d'adresse IP, hier.

— Oui. Un câble était mal fixé. Le routeur n'était pas connecté au groupe électrogène. C'est réglé maintenant.

Ajout précieux : un groupe électrogène solaire. On avait caché un bloc de quatre panneaux solaires dehors, dans des buissons, au-dessus de l'entrée du bunker. L'électricité était stockée dans une demi-douzaine de piles et batteries, nous fournissant de l'électricité en permanence.

Je m'inquiétais sans cesse pour ces panneaux – c'était de loin notre achat le plus coûteux. Mais pour l'instant, le système avait subi deux tempêtes sans le moindre dégât. C'était un matériel trop onéreux pour le laisser exposé, sans protection, mais que faire ? Les panneaux solaires ont besoin de lumière naturelle pour fonctionner. Et en plus, on était les seuls à les savoir là.

— Tu testes de nouveaux logiciels ?

Ben a jeté un œil à l'imposant écran LED de vingt-sept pouces.

— J'ai plutôt l'impression que tu télécharges des vidéos de blagues…

— Je suis multitâche, a répondu Shelton. Si je ne m'amuse pas un peu, je m'ennuie à mourir.

— Ne prends pas trop de place sur le disque dur, l'ai-je prévenu en regardant l'écran par-dessus son épaule. On a acheté ce truc pour faire des recherches sur le parvovirus, pas pour que tu regardes des lolcats vingt fois par jour.

On était tombés d'accord sur l'usage spécifique de notre argent : en apprendre le plus possible sur l'envahisseur qui nous tordait l'ADN. Nos pouvoirs étaient incontrôlables, et restaient pour l'essentiel un mystère. Karsten disparu, personne d'autre ne connaissait l'existence du virus. C'était à nous de trouver des réponses.

— Qui a la boîte aux clowns ?

J'étais pressée d'y jeter un œil.

— C'est moi.

Hi l'a sortie de son sac et posée sur la table. On s'est assis autour. Puis, les garçons se sont tournés vers moi d'un bloc.

— Je veux bien.

J'ai soulevé l'étrange objet violet. Il n'y avait pas de haut ou de bas visible, ni de mécanisme d'ouverture. Les clowns ricanants étaient de taille identique et uniformément espacés. Et aussi flippants les uns que les autres. J'ai secoué la boîte. Quelque chose a fait du bruit à l'intérieur.

Après quelques minutes d'essais infructueux, j'ai tendu la chose à Ben. Il a pressé, poussé sur les côtés, frotté, puis passé l'objet à Hi, qui a tapoté et tripoté pendant une éternité avant de donner les clowns à Shelton.

— C'est tout ce que vous savez faire ? a demandé Shelton d'un air faussement désapprobateur. Minable.

— Tu crois que tu seras meilleur ? a répliqué Ben, mi-figue mi-raisin.

— Je ne crois pas, mon pote. Je sais. (Grand sourire.) J'ai un plan, vois-tu.

8.

— *Himitsu-Bako*.

D'un geste théâtral, Shelton a sorti la feuille qu'on avait trouvée dans la cachette.

— *Himso Bucko* ? a répété Hi, perplexe. Ça rime à quoi ?

— *Himitsu-Bako*, a repris Shelton. C'est du japonais. Ça veut dire « boîte secrète personnelle ». Ce doit être ce gadget.

— Donc, il y a bien quelque chose à l'intérieur.

J'ai pris la page, gênée de l'avoir oubliée.

— Et cette expression nous donne un indice sur la façon de l'ouvrir ?

— Exactement.

Shelton est retourné s'asseoir à l'ordinateur.

— J'ai cherché sur Internet. Les boîtes mystère comme celle-ci sont apparues au XIXe siècle, dans la région de Hakone, au Japon. Elles sont conçues comme des jeux, et contiennent généralement un porte-bonheur.

— Bravo, Wikipédia, a ricané Hi. Et maintenant, comment on l'ouvre ?

— Ce n'est pas si simple. Le Himitsu-Bako ne s'ouvre que grâce à une combinaison spéciale de manipulations. Pour certaines, il suffit d'appuyer au bon endroit, mais pour d'autres, il faut plusieurs mouvements en même temps. Chaque boîte est unique. Le truc, c'est de trouver la combinaison.

Je contemplais les clowns menaçants qui dansaient. Ils semblaient me regarder eux aussi.

— Elles sont en métal, normalement ?

— Non, a répondu Shelton. En bois, d'habitude. Celle-ci, c'est une version moderne.

— Fascinant, a commenté Ben. On fait quoi maintenant ?

— J'ai quelques idées.

Shelton a regardé Ben derrière ses lunettes aux verres épais :

— Sauf si tu veux prendre le commandement ?

— C'est toi le chef, maestro.

— Tu l'as dit.

Shelton a placé la boîte devant lui. On l'observait en silence.

— Je vais commencer par une manœuvre facile. Quatre coins.

Il a appuyé sur les deux coins les plus proches, puis les autres. Rien. Il a fait tourner la boîte et réessayé. Rien non plus.

— En bas et en haut.

Shelton a réessayé, tenant la boîte entre ses deux mains. Il les a fait glisser. Toujours rien.

— Sur le côté.

Non.

— En faisant tourner le haut.

Niet.

— En tirant sur le bas.

Rien de rien.

Toutes ces tentatives étaient vaines. La boîte restait obstinément fermée.

Agacé, Hi est allé consulter l'ordinateur.

— Je vais regarder mes mails.

— Je vais me tuer, a marmonné Ben.

Shelton ne leur a prêté aucune attention.

— Seuls trois côtés bougent : cette pièce rectangulaire – qui est soit le sommet, soit le fond – et les deux côtés courts et verticaux.

J'ai eu du mal à cacher mon impatience :

— C'est utile, de le savoir ? Et si on le mettait dans une recherche Internet ?

— Je suis dessus, a lancé Hi.

Quelques instants plus tard, l'imprimante a bourdonné. Hi a arraché la page, qu'il a tendue à Shelton.

Shelton a parcouru les instructions, puis, haussant les épaules :

— Ça peut marcher.

Shelton a doucement appuyé sur le côté gauche. Le métal a glissé de quelques millimètres puis s'est arrêté. Tenant bien la boîte d'une main, Shelton a poussé le sommet vers la droite.

— Mets ton doigt là.

Il m'a montré où je devais tenir le couvercle. Shelton a poussé le côté droit vers le bas, comme il l'avait fait pour le gauche. Ensuite, il a ramené le haut de la boîte vers la gauche.

Cette fois, le couvercle a glissé.

La boîte était ouverte.

— Oui !

J'ai tapé dans les paumes de Shelton.

— Et bien joué aussi, Hi.

— Il y a une tonne de trucs sur ces boîtes, a expliqué Hi, en examinant la suite. Eh bien… on se demande vraiment comment ils faisaient avant Internet ?

— Ils devaient réfléchir, en fait, a lâché Ben. C'était pas si facile de tricher.

Sans prêter attention à leur bavardage, j'ai tiré une nouvelle enveloppe de la boîte. Épaisse, couleur crème, et elle aussi décorée du M aux arabesques, des clowns dansants et d'un sceau en cire.

— Notre hôte a un sens unique du style, a commenté Hi, et il ne recule devant aucune dépense.

Tout à coup, Coop a bondi dans la pièce. Il s'est rapproché et mis à grogner, figé.

— Coop, non !

J'ai voulu lui caresser le museau, mais il s'est écarté, a aboyé et s'est jeté sur l'enveloppe.

— Couché !

J'avais crié. Sa réaction était déconcertante.

— Vilain chien !

Coop a grogné encore, puis est allé s'asseoir au coin. Silencieux et obéissant… mais il gardait les yeux rivés sur l'enveloppe.

— Il doit avoir horreur des clowns, a dit Shelton.

— On ne peut pas lui en vouloir.

J'étais perplexe :

— Je ne l'ai jamais vu se comporter ainsi.

J'ai brisé le sceau et retiré deux nouvelles feuilles de papier épais.

La première présentait un dessin d'un demi-cercle noir ressemblant à un sourire édenté, aux dents ébréchées. Au milieu et en dessous du sourire se trouvait un grand carré noir. Dix rectangles étaient disposés à intervalles réguliers le long du demi-cercle, cinq de chaque côté. Neuf des rectangles étaient tournés vers l'intérieur, comme les dents d'une mâchoire de dessin animé. Mais le dernier rectangle, sur la gauche, était tourné vers l'extérieur. Une dent de travers.

Sous cette étrange image s'étirait une longue suite de nombres, couvrant toute la largeur de la page.

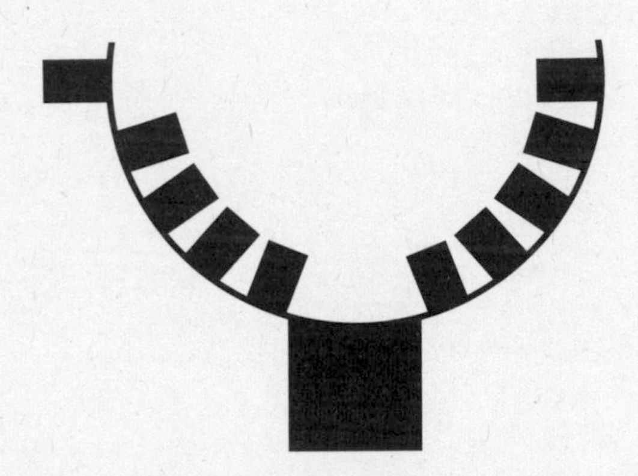

32 773645 -00 065437

— Super, a dit Hi. Encore un indice de taré.

La seconde page était présentée comme une lettre, mais les mots n'avaient aucun sens. La seule partie compréhensible était la signature ornée en bas :

Le Meneur de Jeu.

— Pardon ? a demandé Shelton. Qui c'est ça, le meneur de jeu ?

— Un glandu avec trop de temps libre, a répondu Ben.

Je réfléchissais.

— Le corps de la lettre ne veut rien dire, mais on est manifestement censés la lire.

— C'est un code. Le message doit être caché.

J'ai tourné les deux pages, vérifié l'enveloppe, la boîte. Pas d'autre indice.

— Et comment on est censés le décoder, si on n'a pas la clé ?

Shelton s'est frotté les mains :

— Facile ! On va le casser, ce machin. Et je sais comment on va s'y prendre.

Hi s'est renfoncé dans son fauteuil d'astronaute devant l'ordi :

— Tu es bien sûr de toi aujourd'hui, hein mon grand ? Vas-y, on t'écoute.

— Avec ça.

Shelton montrait une petite suite de caractères juste au-dessus de la signature : Hrmxvivnvmg.

— Trop utile, a commenté Hi. On dirait une position sexuelle.

— En fait, c'est la clé, a expliqué Shelton, l'air content de lui. Regarde où se trouve le mot. Il est tout seul, juste avant la signature, et suivi d'une virgule. Ça crève les yeux.

Mais bien sûr.

J'ai cassé son effet à Shelton :

— « Sincèrement ».

— Eh oui, forcément, hein ? Et à partir de ce mot-clé, on peut mettre le tout dans un programme de décodage.

Hi gloussait :

— Sur Internet, mon pote ! Tu me mets en joie.

— Tu es sûr que ça va marcher ? a demandé Ben.

— Non, mais je pense que c'est un chiffre de substitution élémentaire. Mon père me laissait des notes codées comme ça quand j'étais plus petit.

J'ai ouvert et refermé la bouche. Hi a poussé un grognement. Ben regardait Shelton de côté.

— Tu pourrais peut-être nous en expliquer davantage ?

Shelton a montré le mot-clé :

— Regardez. Nous savons tous comment s'épelle « Sincèrement », non ? Il y a un « e » aux 5e, 7e et 9e lettres. Dans le mot-clé, la 5e, 7e et 9e sont toutes trois des « v ». Donc, il semblerait que le code substitue le « v » au « e ».

D'accord, ça je voyais bien.

— En fait… a avoué Shelton avec un grand sourire, je l'ai déjà déchiffré, ce truc naze.

Ben a joué les sceptiques, comme toujours.

— Tu parles. Prouve-le.

— Avec plaisir.

Shelton a écrit les lettres de l'alphabet sur une feuille.

— Je sais que « e » est la 5e lettre de l'alphabet. Devinez où est « v » ?

— C'est la 22e. (Mes neurones ont connecté.) Elle est la 5e à partir de la fin.

— Exactement. C'est un code à alphabet inversé. « a » et « z » font la paire, puis « b » et « y », « c » et « x » et ainsi de suite en se rapprochant du milieu. Vérifiez.

— D'accord, a reconnu Ben. Je suis officiellement impressionné.

— Pas la peine, cette formule est super facile.

Shelton a commencé à décoder le message :

— J'en ai pour une seconde.

Je me suis penchée pour mieux voir. Shelton a levé les yeux vers moi :

— Je peux avoir une minute, Tor ? C'est plus dur quand on doit tout gérer.

J'ai reculé, un peu vexée, mais je ne voulais pas ralentir le déchiffrage. Je suis allée caresser Coop. Le chien-loup était encore nerveux et agité.

— C'est bon, mon chien. Les clowns sont bêtes, pas vrai ?

Je l'ai encore rassuré puis suis allée jouer à Angry Birds avec Hi.

Cinq minutes se sont écoulées. Puis encore cinq autres.

— Fini.

La voix de Shelton était tendue.

— Je ne vais pas vous mentir : ce message me fait flipper.

Tout au fond, dans son coin, Cooper s'est remis à grogner.

9.

Le message était court.

Quatre phrases. Quarante-deux mots. Il n'a fallu que quelques secondes pour le lire.

Âmes Aventureuses,

Félicitations ! Vous avez réussi L'Épreuve, et vous avez prouvé que vous étiez dignes du Jeu. Mon défi est simple : serez-vous capables d'y jouer ? Suivez les indices et découvrez la surprise ultime.

Sincèrement,

Le Meneur de Jeu

Hi se grattait le menton :

– Hummm… Bon, c'est pas normal.

– Comment ça ? a demandé Ben, agacé. Je croyais que tu connaissais ces histoires débiles de géocache.

– Mais je les connais. Et ça ne marche pas comme ça, d'habitude.

– Explique-nous, alors.

– Il y a des règles précises.

Hi est retourné à l'ordinateur :

– Voilà Geocaching.com, l'un des principaux sites.

Une page d'accueil bleu et vert est apparue à l'écran.

– Elle donne la liste des coordonnées de toutes les caches actives, et de tous les indices.

– Il y en a combien ? a demandé Shelton.

– Actuellement, voyons… plus d'un million et demi. Avec cinq millions de joueurs dans le monde.

— C'est vrai ? s'est exclamé Shelton, incrédule. C'est dingue.

— Le monde est rempli de nazes, a marmonné Ben. Une armée immense de geeks, qui déterrent des boîtes en plastique qu'ils se cachent les uns aux autres.

— Et toi, tout ce que tu fais, c'est génial, a ricané Hi. Tu l'as toujours, le costume de ninja que tu portais à mon douzième anniversaire ?

Leurs vannes me fatiguaient.

— Tu disais quoi tout à l'heure, Hi ? Qu'est-ce que ça a d'anormal ?

— Regarde, a répondu Hi en pianotant sur le clavier. Là, je vais enregistrer notre découverte de la cache à Loggerhead.

On s'est rapprochés de l'écran, avec plus ou moins d'enthousiasme.

— On entre un nom de lieu, une adresse, n'importe, et le site donne une liste. Les caches à proximité apparaissent sur une carte. La semaine dernière, j'ai cherché pour notre code postal, et j'ai eu une surprise.

Une image satellite de Morris Island emplissait l'écran. Hi a montré une icône rouge à l'extrémité sud-ouest.

— Là. Quelqu'un a placé une cache à l'intérieur du phare de Morris. Je l'ai trouvée il y a quelques semaines, dissimulée sous l'escalier.

— C'est illégal, a commenté Ben, qui relisait le message décodé. Le phare est interdit d'accès au public.

— Ça ne nous a jamais arrêtés, a souri Shelton.

— N'importe qui peut entrer une cache dans la base de données, a expliqué Hi. Le site ne contrôle pas l'endroit où se trouve la boîte, ou si le joueur a la permission d'y aller.

— Et qu'est-ce qui t'a conduit à Loggerhead ? ai-je demandé. L'île n'a même pas de code postal.

— Je me suis dit : pourquoi ne pas regarder ? Il y a peut-être des gens au LIRI qui jouent entre eux.

Hi a déplacé la carte vers l'est jusqu'à faire apparaître la silhouette de Loggerhead. Comme pour Morris, une icône rouge brillait, au pied de Tern Point.

— Ce Meneur de Jeu n'a pas ajouté beaucoup d'informations, a continué Hi en cliquant sur l'icône. Il n'y a aucune indication du niveau de difficulté, ni de la taille de l'objet, ni même un nom d'utilisateur – je ne croyais pas que c'était possible, d'ailleurs. Juste des coordonnées GPS précises et un indice : « Grattez bien la surface. »

— Et voilà à quoi ça devrait ressembler, a continué Hi en revenant au phare de Morris Island. Vous voyez ? Celui-ci a des infos complètes. L'utilisateur Danger Mouse a enterré sa cache il y a trois mois, il a noté la difficulté, le terrain et la taille de la cache sur une échelle de un à cinq, avec quatre partout. Il y a aussi une page d'indices. Voilà comment c'est censé fonctionner.

— Qu'est-ce qu'il a caché, Danger Mouse ?

J'étais curieuse.

— Un bateau jouet. Il ne voulait pas faire d'échanges, donc j'ai signé le papier et je l'ai remis où je l'avais trouvé. Ensuite, je me suis rendue sur le site, j'ai signalé ma découverte, et j'ai ajouté un commentaire.

— Pourquoi tout ça ? a lâché Ben – mais je voyais qu'il écoutait avec attention.

— Le site prend tes statistiques. Combien tu en as trouvé, le nombre de fois où une cache est découverte, des trucs comme ça. Allez, jeune débutant, tu vas voir, c'est cool. Bienvenue à bord.

— Et avant nous, est-ce que quelqu'un a trouvé cette boîte sur Loggerhead ? La lettre est peut-être vieille.

— Personne, a répondu Hi. En tout cas, personne ne l'a signalé sur le site, alors que presque tout le monde le fait. C'est une fierté de découvrir une géocache.

— Donc, tu devais la découvrir, hein ? a demandé Shelton – mais ce n'était pas une question.

— Euh, ouais. En fait... (Hi naviguait sur le site) je suis en train d'enregistrer que j'ai été le premier sur ce coup-là.

— Comment tu savais où il serait enterré ?

— L'indice. Et en fait, je voulais surtout utiliser mon détecteur à métaux. Les coordonnées indiquaient cette clairière, donc c'était probable que la boîte y serait enfouie.

— Attends une seconde... a demandé Shelton d'un air sombre. Il te faut un GPS pour ça, non ? Pour vérifier les coordonnées ?

— Oui...

Ben s'est penché vers Hi et l'a regardé d'un air dur :

— Et donc, quand tu joues à cache-cache, tu es suivi à la trace en permanence. Ce programme doit savoir que tu te trouves ici, en ce moment. Dans notre club secret et caché.

J'ai sursauté. Ça me rappelait de mauvais souvenirs. Avec son jeu, Hi risquait de révéler l'emplacement de notre bunker. Cette idée me rendait nerveuse.

— Non, a répondu Hi. Je me déconnecte quand je ne joue pas, donc le GPS ne fonctionne pas. Ne t'en fais pas, je fais attention.

— J'espère bien, a dit Ben. On a beaucoup trop investi ici pour prendre des risques.

Gênée par la tension soudaine qui pesait dans la pièce, j'ai jeté un œil à l'autre papier qui traînait sur la table. L'image souriante restait un mystère, mais les nombres en dessous m'ont sauté aux yeux : 32,773645-00,065437.

Deux neurones ont connecté.

— Hé, les gars, si le Meneur de Jeu s'intéresse aux géocaches, est-ce qu'il ne laisserait pas d'autres coordonnées ?

Hi a bondi du fauteuil :

— Évidemment ! On va rentrer ces nombres dans la base de données.

Je lui ai tendu le papier. Il a tapé les chiffres.

Pas de résultat.

— Zut. Les nombres ne correspondent pas à une cache. Bon, je vais voir ce que donnent les coordonnées sur la carte…

Une mappemonde est apparue, avec un drapeau rouge à l'endroit correspondant.

Dans le nord de l'Algérie.

— Euh… Beuh, a gémi Hi.

— Je dois chercher mon passeport ? a ricané Ben.

— Je ne suis pas fan des expéditions au Sahara, a ajouté Shelton. Donc, à moins que tu connaisses un bon endroit pour apprendre à monter sur un chameau, je pense qu'on peut laisser tomber ce plan.

— Mais pourtant, c'est forcément ça, les coordonnées ! Le nombre de chiffres correspond, pour la latitude et la longitude. Et l'autre nombre est négatif, bon sang ! C'est pas un hasard.

— Je suis d'accord.

Je me méfie des coïncidences.

— Il y a visiblement quelque chose qui nous échappe.

— Ce Meneur de Jeu ne joue même pas correctement, a grommelé Hi. On est censés faire une liste des caches prises séparément, et pas renvoyer les joueurs de l'une à l'autre. C'est un jeu tout à fait différent – et même comme ça, on devrait mettre le papier d'enregistrement dans la dernière boîte, pas la première.

— Le type se fiche de toi, a commenté Shelton. C'est une chasse au dahu.

— J'en doute... a répliqué Hi, en s'ébouriffant les cheveux. Pourquoi il se donnerait ce mal ? Pourquoi monter tout ça sans raison ? Tout l'intérêt du jeu, c'est de découvrir des trucs.

J'ai eu une nouvelle idée.

— Le message du Meneur était codé. Peut-être que les numéros le sont aussi.

— C'est possible, a reconnu Shelton. J'essayerai des codes numériques ce soir.

Ben est intervenu :

— Attendez. On va vraiment continuer ces bêtises ? Tout à coup, on s'intéresse à une boîte que ce taré a cachée quelque part ?

La question de Ben m'a prise au dépourvu. Quand est-ce que j'avais décidé de jouer, moi ?

À partir du moment où tu as lu la lettre.

— Moi, je joue, ai-je déclaré. Je veux résoudre le mystère.

— Moi aussi, a rapidement ajouté Hi. On va lui faire passer un sale quart d'heure, à monsieur le Meneur.

Shelton a haussé les épaules :

— Ça pourrait être rigolo. J'aime bien casser les codes.

— Si vous voulez... a conclu Ben.

J'ai relu le défi du Meneur.

La suite de nombres. L'image mystérieuse.

Donc, on avait réussi l'Épreuve, et on était invités à jouer le Jeu ?

Comme si j'allais laisser passer ça.

— Allez, vas-y, envoie.

10.

Un bourdonnement m'a fait sursauter. Mon portable.

Un texto. Kit. « On mange, dépêche-toi. »

— Faut que j'y aille, les gars. Quelqu'un me scanne et m'envoie l'image, je veux la regarder ce soir. Et Hi, fais attention à bien fermer la porte du bunker. Il ne faut pas que l'humidité rentre.

— Je l'ai fait une seule fois, une seule, a marmonné Hi. J'aurai jamais fini de le payer.

— Ben, tu peux me ramener à la maison ?

— Oui.

Hi et Shelton devraient donc parcourir à pied les deux kilomètres qui nous séparaient du complexe.

— Vous inquiétez pas, les gars, a déclaré Shelton en gonflant un biceps famélique. J'aurai craqué ce truc d'ici demain matin.

— Je n'en doute pas, ai-je répondu en faisant un grand signe de la victoire.

Je suis descendu à la crique avec Coop et Ben. Un quart d'heure plus tard, on amarrait le *Sewee* sur le quai de Morris Island. Ben s'est dirigé vers la maison où il vivait avec son père.

— À plus tard, Tory. Je vais jeter un coup d'œil à ces coordonnées, moi aussi. Shelton n'est pas le seul à avoir des idées. Reste connectée.

— Entendu. Merci pour le taxi.

J'ai fait signe à Coop de me suivre et je me suis dirigée vers notre maison. J'ai marqué un temps d'arrêt.

— Qu'est-ce que tu en penses, mon chien ? Tu crois que Kit nous infligera la compagnie de Whitney encore ce soir ?

Coop inclina la tête, tirant une langue rose.

— Je crains que tu n'aies raison. Allez, on rentre quand même.

Nos instincts canins ne nous avaient pas trompés. Vêtue d'une petite robe jaune, Whitney s'agitait dans le salon, occupée à mettre la table.

Au moins, on mangera bien ce soir.

— Whitney. Contente de te voir.

Je me suis écroulée sur le canapé, Cooper en boule à mes pieds.

— Ça faisait au moins vingt-quatre heures, non ?

Whitney a souri. Son détecteur d'ironie était en panne, comme d'habitude.

Kit, lui, avait bien compris.

— Tory, va te débarbouiller. Tout de suite.

Levant les yeux au ciel, j'ai lentement monté l'escalier. Je me suis arrêtée au beau milieu. Retournée. Sur le mur d'en face se trouvait une grande toile blanche avec un chien bleu aux formes étranges.

— Qu'est-ce que c'est ?

Whitney est apparue en bas de l'escalier.

— Oh, ça ? C'est mon tableau préféré, ma chérie. C'est *Un chien bleu*, par Dan Kessler. Absolument adorable, pas vrai ?

De fait, il me plaisait bien. Mais une question me tournait dans la tête.

Qu'est-ce qu'il fait ici ? Qu'est-ce qu'il fait ici ? Qu'est-ce qu'il fait ici ?

Je suis montée au premier en silence.

Tout en me débarbouillant, j'ai additionné deux et deux. Une addition déplaisante : peinture. Vase. Coussins roses et verts. Whitney, seule à la maison, venue sans prévenir.

La copine de Kit nous envahissait tranquillement, comme une moisissure à la cave.

Ça. Ne. Me. Plaît. Pas.

Je contemplais le miroir de la salle du bas. Mon reflet me regardait aussi. Impasse.

— Tory !

Kit avait l'air agacé.

— Nous t'attendons !

— Beuark.

Je les ai rejoints juste au moment où Whitney nous révélait le menu. Pâté de crabe, épis de maïs, chou vert et tourte à la pêche.

Trop bon.

Les adultes ont essayé de me faire participer à la conversation, mais l'accumulation sournoise des affaires de Whitney m'avait trop fait flipper. Après avoir englouti mon repas, j'ai filé dans ma chambre et verrouillé la porte.

L'écran de mon Mac était allumé. Un nouveau message clignotait. C'était Ben, pour demander une vidéoconférence. J'ai lancé iFollow – et découvert que j'étais la dernière à arriver.

Ben occupait le quart supérieur gauche de mon écran. Comme d'habitude, il était en jogging dans son garage familial, un vrai dépotoir. Des vieux magazines, des pièces détachées de bateau, du matériel de camping et de pêche, tout ça s'empilait autour de Ben, en équilibre précaire.

À droite de Ben, c'était Shelton et ses lunettes, entouré de deux posters d'Avatar sur les murs de sa chambre. Il était à peine 6 heures du soir, mais Shelton était déjà en pyjama.

Hi était en dessous de Shelton, assis à son bureau, avec un T-shirt « Les loups-garous en ont ! », un paquet de nachos à la main.

Ma propre image venait d'apparaître.

— Elle est là, a annoncé Shelton d'un air impatient. Alors, Ben, tu vas nous dire ce qu'il y a de neuf ?

— Je n'avais pas envie de le répéter à chaque fois, a expliqué Ben, une lueur d'excitation dans ses yeux sombres.

— Alors vas-y, a dit Hi. Je suis en train de rater « J'irai manger chez vous ».

Ben est allé droit au but :

— J'ai résolu les coordonnées.

— Hein ! a glapi Shelton stupéfait, et un peu jaloux. Comment ?

— Pour une fois, j'ai eu un éclair d'inspiration, a dit Ben avec un sourire.

J'étais tout ouïe :

— Vas-y.

— J'ai réfléchi à ce que Hi avait dit tout à l'heure.

— Bonne idée, a lancé Hi.

— En général non, mais dans ce cas précis, tu avais raison : les nombres correspondaient forcément à des coordonnées. Le problème, c'est qu'elles ne signifient rien.

— À moins d'aller surfer sur les dunes en Afrique.

— Qu'est-ce que vous savez de ce système, les gars ? a demandé Ben.

— Pas grand-chose, ai-je reconnu. Je sais qu'une longitude et une latitude particulières se croisent à un point sur la carte, mais c'est à peu près tout.

— C'est exact, a dit Ben. Les coordonnées ne sont que des nombres utilisés pour repérer un endroit exact. Le système le plus courant est la longitude, la latitude et la hauteur.

— La latitude va d'est en ouest, a précisé Hi, et la longitude du nord au sud, d'un pôle à l'autre.

— Exact. Maintenant, pour qu'un système marche, il faut qu'il y ait un point de départ convenu. Pour la latitude et la longitude, il s'agit de l'équateur et du méridien de Greenwich.

— Tout le monde sait ça, est intervenu Shelton. L'équateur sépare le nord du sud, et le méridien de Greenwich l'est de l'ouest.

— Greenwich, c'est un observatoire en Angleterre, c'est ça ? a demandé Hi.

— Oui. Longitude zéro. Le point de départ pour mesurer la distance à l'est ou à l'ouest.

— Elle est mesurée en degrés, c'est ça ? L'est est positif et l'ouest est négatif.

— Bravo, a dit Ben. On obtient donc la longitude : le nombre de degrés à l'est ou à l'ouest de Greenwich.

— La latitude est calculée de la même manière, a dit Hi. Le nord est positif, le sud est négatif.

— Mais ce que vous devez comprendre, a repris Ben, c'est que le choix du méridien de départ n'était pas scientifique. Contrairement à l'équateur, qui doit être à égale distance des pôles, et donc forcément en un seul endroit. Pour le méridien, les cartographes ont simplement convenu d'utiliser un vieux télescope anglais comme point de référence universel.

— Vraiment ?

J'étais étonnée.

— Quand ça ?

— Dans les années 1880, a marmonné Hi la bouche pleine. *(Évidemment, il le savait.)* Les États-Unis ont tenu une conférence, et la plupart des pays ont choisi Greenwich. C'est resté comme ça depuis.

— L'important, a repris Ben, c'est que ce choix était complètement arbitraire. Avant cette conférence, les cartographes avaient utilisé des dizaines d'endroits pour la longitude zéro. Rome. Paris. Rio. La Mecque. La plupart des pays choisissaient leur méridien de départ.

— Et ça nous mène où ? a demandé Shelton en étouffant un bâillement. On a déjà essayé les chiffres comme coordonnées. Elles correspondaient à ce fichu désert du Sahara, tu te souviens ?

— Voici les coordonnées, a repris Ben en montrant son papier. Le premier nombre serait la latitude, 32,773645. Le second serait la longitude, – 00,065437.

— Et la ville la plus proche est… (Hi consulta ses notes, le visage barbouillé de miettes orange)… Bou Semghoun. Un village oasis dans la région de Ghardaia, en Algérie. Tu crois qu'ils ont le câble ?

Les yeux de Ben pétillaient.

— Et devine ce qu'il y a d'autre, à la latitude 32,773645…

— Quoi ?

— Le centre-ville de Charleston. Ouais !

— Arrête !! a lâché Hi, les yeux écarquillés. Comment tu sais ça ?

— Parce que je pêche, a répondu Ben avec un sourire satisfait. Quand je trouve un bon coin, je note ses coordonnées sur le GPS du *Sewee*. J'ai lu la latitude 32,77 des centaines de fois. J'aurais dû la reconnaître dès que j'ai vu l'indice, mais le reste des chiffres a détourné mon attention.

— Il nous faut encore une longitude, a fait remarquer Shelton. On ne trouvera rien sans les deux nombres.

— Je l'ai aussi, a rétorqué Ben, souriant de plus belle.

— Allez, lâche tout.

— C'est pour ça que j'ai parlé du méridien zéro. La longitude de zéro degré n'est pas obligatoirement rattachée à Greenwich. Contrairement à la latitude zéro, qui reste fixée à l'équateur.

Je voyais où Ben voulait en venir.

— Donc, ces coordonnées longitudinales pourraient correspondre à un autre méridien. Un point de départ complètement différent !

— Gagné, a conclu Ben en se renversant dans son siège.

— Mais ça pourrait être n'importe où, a gémi Shelton. Partout sur terre !

— Attendez, attendez !

Dans son excitation, Hi a renversé des nachos sur son clavier.

— L'indice était dissimulé dans la géocache. Sur Loggerhead ! Et c'est le seul point de repère que le Meneur de Jeu nous a donné.

— Hi a compris, a grommelé Ben. Parfois, vous êtes tellement malins que vous m'écœurez.

Seul dans sa chambre, Hi faisait la ola.

Je commençais à rassembler les pièces du puzzle.

— Donc, on se sert du premier nombre comme latitude normale. Ensuite, on suppose que le second correspond à la longitude, mais le méridien de départ, c'est l'emplacement de la cache sur Loggerhead.

— Exact. C'est notre nouvelle longitude zéro.

— Mais c'est génial, Ben !

Tout à coup, il est devenu tout rouge :

— C'est vraiment pas grand-chose. C'était facile.

— Donc… où la longitude – 00,065437 nous mène-t-elle ?

— Tu as un mail… a dit Ben en tapotant sa souris.

Le message est arrivé presque aussitôt. J'ai ouvert la pièce jointe et téléchargé l'image sur mon bureau.

Et là, j'ai su.

11.

— Castle Pinckney ? a demandé Shelton, sceptique. Ça fait des années qu'il est abandonné.

— Il correspond exactement aux coordonnées, a insisté Ben. Ça ne peut pas être une coïncidence.

— Mais il n'y a rien, là-bas. Que des vieilles pierres.

— Une partie des bâtiments est encore debout, a corrigé Hi. Attendez, j'ai un livre qui en parle.

— C'est un bon endroit pour y cacher des choses. Qu'est-ce qu'on sait de ce château ?

— Une seconde, a lancé Hi, qui avait disparu de la caméra. Je dois avoir ce bouquin dans un placard.

Le résultat de mes recherches sur Internet n'était pas très engageant.

Castle Pinckney était bel et bien abandonné, et cela se voyait. Le fort en ruine se dressait en un amas hérissé de murs brisés et d'herbes hautes sur un atoll minuscule au milieu du port de Charleston.

Le bâtiment principal était circulaire, avec une grande muraille extérieure tournée vers l'embouchure du port. Des sous-bois denses l'entouraient, pareils à une barbe enchevêtrée. Des plantes grimpantes sombres recouvraient la pierre grise effritée, enserrant la forteresse dans une étreinte ténébreuse et étouffante.

L'île ne se trouvait qu'à quelques centaines de mètres de la péninsule de Charleston, mais la forteresse en ruine semblait engloutie par le temps. Personne n'y allait jamais.

— Au début, les Britanniques y pendaient des pirates. (Hi était revenu, il parcourait une sorte d'encyclopédie militaire.) Puis, en 1781, George Washington a ordonné la construction du fort… et l'armée confédérée s'en est servie comme camp pour prisonniers de guerre. Après, l'île est devenue un fort d'artillerie, puis finalement un phare.

— Et maintenant, un placard à mites. Une ville fantôme.

— J'y suis passé au large des dizaines de fois, a ajouté Ben. Le trou total.

— La cachette rêvée. Bien joué, señor Meneur de Jeu.

— Très bien…

Shelton a poussé un immense soupir :

— On va inscrire une visite sur notre liste des choses à faire.

Je regardais les images sur mon écran. Castle Pinckney, c'était une présence inquiétante, menaçante. Solitaire et impressionnant.

J'étais fascinée.

Coup d'œil à ma montre : 6 h 15. Il restait du temps avant la nuit.

— On se retrouve au quai dans dix minutes.

— Pigé ! a crié Hi, en enfilant ses Adidas.

— Hein ? Quoi ? Ce soir ? Pourquoi ? bégayait Shelton.

— On a encore plus d'une heure avant la nuit.

Je me suis fait une queue de cheval.

— On va montrer à Mr. Meneur de Jeu comme on résout vite ses énigmes, nous les Viraux.

Ben a réfléchi un moment, puis :

— D'accord. Je vais préparer le *Sewee*.

— Il faut vraiment qu'on travaille notre processus décisionnel, a râlé Shelton. Pour l'instant, on se contente de sauter des falaises en suivant Tory.

— Ouin, ouin, allez, bouge-toi !

— On va t'avoir, le clown ! s'enthousiasma Hi. Et, Tory, n'oublie pas l'indice. On ne sait toujours pas quel rôle joue cette image.

— Compris.

J'ai refermé mon ordi.

*

* *

— Je vais faire un tour avec Coop !

Kit a passé la tête par la porte de la cuisine :

— Maintenant ?

J'ai acquiescé – en espérant qu'il ne pose pas d'autres questions.

Kit ne m'a pas déçue :

— OK, mais tu rentres avant la nuit. Il y a école demain.

— Promis. À tout' !

J'ai dévalé l'escalier avec Coop et j'ai filé au quai. J'ai entendu une autre porte s'ouvrir : c'était Shelton qui arrivait au pas de course. Il s'était changé, et arborait un short blanc Nike et un sweat à capuche noir avec des zombies dessus.

— Je ne plaisante pas, Brennan. Sérieusement. Je ne veux plus que tu me réquisitionnes mes soirées au dernier moment.

— Tout ce que tu voudras.

— Crois-moi.

Le sujet était clos. Je n'ai pas pris Shelton trop au sérieux. Bien sûr, aucun des garçons ne l'avouerait jamais, mais je pense que secrètement, ils aimaient que je leur donne des ordres. La plupart du temps. Tous les serpents ont besoin d'une tête.

Hi et Ben étaient déjà à bord. On est partis en mer, contournant Morris Island pour pénétrer dans le port de Charleston.

La soirée était d'une douceur agréable. Les mouettes planaient au-dessus de nous, suivant le *Sewee* à la trace tandis qu'il passait Fort Sumter et se dirigeait vers la ville.

Un minuscule îlot est apparu juste au bout de la péninsule. Il était bas et rocheux, son rivage consistait en une bande de sable sinistre qui courait sur quelques centaines de mètres avant de se fondre dans les vagues. Un bâtiment de pierre fatigué se dressait sur une hauteur, à l'extrémité nord. Castle Pinckney.

Ou ce qu'il en restait, en tout cas.

Le sol inégal était parsemé de pierres déchaussées. Des arbres de bonne taille poussaient sur ce qui restait du mur extérieur. Tout était recouvert de guano de pélican, et semblait prêt à s'effondrer.

— Quelle ruine ! a grogné Ben en se préparant à accoster.

— Comment se fait-il que personne ne l'ait jamais restauré ? Vous n'êtes pas obsédés par la conservation des monuments de la guerre de Sécession, dans le Sud ? ai-je demandé.

— Tu veux dire la guerre de l'agression nordiste, a répliqué Hi d'une voix de sudiste snob. Lorsque les bandes sauvages du Nord ont envahi notre terre sacrée pour arracher sa liberté à ce pauvre Sud. Et comme tu es de Boston, c'est principalement la faute de ton peuple.

J'ai levé les yeux au ciel :

— J'habitais à Westborough. Boston, ce n'est pas toute la Nouvelle-Angleterre, comme tout le monde semble le croire par ici.

— Toutes les villes yankees se ressemblent, a répondu Hi avec un clin d'œil. Que des usines et des mines de charbon.

Je n'ai pas répliqué. Hi ne faisait que s'amuser, et j'essayais de ne pas évoquer de souvenirs en public. En songeant à mon ancien chez-moi, je repensais inévitablement à maman, et ça déclenchait souvent des torrents de larmes. Et qu'on soit meilleurs amis ou pas, j'avais horreur que les garçons me voient pleurer.

— Les gens ont demandé au moins dix fois qu'on restaure Pinckney, mais il n'y a jamais d'argent, a expliqué Shelton en aidant Ben à tirer le *Sewee* à terre. C'est Sumter et d'autres forts extérieurs qui lui font de l'ombre, même s'ils sont moins anciens.

Ben a mouillé l'ancre à quelques mètres de la plage parsemée d'algues. On a pataugé jusqu'au sable, chaussures en main, puis on les a remises pour traverser une petite clairière qui menait aux ruines. Coop a aperçu des mouettes dans leur nid et leur a donné la chasse. Les oiseaux se sont éparpillés en criant d'indignation.

L'enceinte extérieure du château, haute d'environ quatre mètres, était trouée çà et là d'ouvertures rectangulaires, qui avaient jadis été des fenêtres. Une seule entrée était pratiquée dans cette façade de pierre massive qui s'incurvait de chaque côté, sur un diamètre d'une bonne vingtaine de mètres.

Nous sommes restés là à étudier la vieille forteresse, qui semblait nous toiser elle aussi.

Shelton a parlé en premier :

— Je ne mets pas le pied dans ce château de cartes.

J'ai sorti l'indice du Meneur de Jeu, dans l'espoir d'y trouver l'inspiration. Pas de chance. L'image en forme de sourire restait indéchiffrable.

— Réfléchissons. Qu'est-ce qui nous manque ?

La muraille se dressait devant nous, avec ses ouvertures vides tous les cinq mètres, comme une rangée de dents noirâtres. Le château semblait grimacer telle une citrouille de Halloween maléfique et pourrissante.

Non, ce n'est pas une grimace. Plutôt un rictus sinistre.

Soudain, j'ai eu une révélation.

— Mais bien sûr ! Les « dents » de l'image correspondent aux fenêtres !

— Waah, mais t'as raison ! Ce qui veut dire que la dent de travers doit être…

— L'endroit du trésor ! Allez, venez !

En longeant la muraille dans le sens des aiguilles d'une montre, j'ai compté les ouvertures à gauche de l'entrée. En m'arrêtant à cinq.

— Ici.

Je me trouvais devant une embrasure d'un mètre sur un mètre cinquante.

— Celle-ci correspond au rectangle extérieur du dessin.

Un courant d'air frais et sec sortait du château. Le soleil d'avant le crépuscule n'était pas suffisant pour pénétrer dans l'ouverture noire et béante. Même en plissant les yeux, je n'y voyais pas plus loin que quelques mètres.

— Cette partie a l'air moins endommagée, a remarqué Hi.

— La maçonnerie semble plus solide, a reconnu Shelton, mais ça ne veut pas dire que c'est sûr. Ce château est si vieux que la forêt a poussé dessus !

Ben a appuyé sur les murs à deux mains, tiré sur les pierres de l'encadrement, donné des coups de pied à la base, appuyé encore.

— Ça m'a l'air bien solide.

— Super, Ben. Ça devrait suffire, comme examen, a lancé Hi.

— Tu as une meilleure idée ? Ou alors, on rentre tous en vitesse ?

— En fait, oui, j'ai une idée.

Là-dessus, Hi a baissé la tête… une seconde, puis des frissons l'ont secoué. Il a grogné. Toussé. Craché.

Il s'est redressé. Un feu doré brûlait dans ses yeux.

J'ai acquiescé :

— Bonne idée.

J'ai fermé les yeux, plongé en moi.

SNAP.

12.

Pression douloureuse.

Un millier d'épingles dansaient sur ma peau ; j'avais les veines en feu. La sueur jaillissait par tous mes pores. Des décharges d'énergie me parcouraient. Mes mains tremblaient comme des feuilles dans la tempête.

Quelques secondes plus tard, c'était fini, j'étais en flambée.

Je suis tombée à genoux, haletante. J'attendais que le monde cesse de tourbillonner. Tout à coup, une grosse limace de mer rose m'a attaqué la joue.

— Pouah !

J'ai écarté la truffe de Coop.

— Merci, mon chien.

Inspirant profondément, je me suis relevée. J'ai titubé, essayant de maîtriser l'adrénaline qui s'accumulait à mes extrémités.

Vraiment dur, cette fois.

À côté de moi, Shelton avait ôté ses lunettes et se frottait les tempes, les yeux entourés d'une lueur dorée. Ben me tournait le dos. Il serrait les poings en s'efforçant de contrôler son ADN canin. Hi s'était avancé vers l'ouverture de la muraille et regardait à l'intérieur.

— Je l'ai. Contact.

Ben s'est redressé en faisant rouler ses épaules puissantes. Il s'est retourné vers moi. Une lueur jaune dansait dans ses yeux sombres. Il était déjà séduisant, mais en flambée, c'était encore mieux. Sa peau cuivrée luisait presque dans la lueur du soir. Je me suis détournée rapidement, étonnée de sentir la chaleur me monter aux joues.

Soudain, j'ai perçu une pulsion dans mon esprit. Un décalage subtil, comme des mécanismes en train de s'enclencher, reliant ma conscience à un système plus vaste.

J'ai fermé les yeux. Je sentais les autres Viraux, je pouvais me tourner vers chacun d'eux sans devoir ouvrir une barrière. Même Coop.

Des cordes enflammées sont apparues, nous reliant tous les cinq.

Ma meute.

En me concentrant de toutes mes forces, j'ai *poussé* légèrement, sans comprendre comment, ouvrant ma conscience vers l'extérieur. Mon esprit a effleuré la barrière invisible qui séparait mes pensées des leurs. Hi. Coop. Shelton. Ben.

Au début, c'était un faible bourdonnement. Puis des sensations éparses, trop chaotiques pour que je les suive.

J'ai essayé de me retirer, pour ne pas envahir l'esprit des autres Viraux. Je ne leur avais pas demandé la permission de tenter une liaison.

Tout à coup, mon champ de vision est parti en zoom avant, comme une comète aspirée par un trou noir. J'ai perdu le contrôle. Mon esprit semblait se détacher de mon corps. Soudain, mes pensées se sont catapultées sur la corde embrasée la plus proche.

Des éclairs de couleur. Rouge. Orange. Jaune. Noir. Puis, une image floue s'est découpée dans le brouillard.

Moi. Debout dans l'herbe, devant Castle Pinckney. Les yeux fermés. Le teint verdâtre. Titubante.

— Arrête ! a crié une voix irritée. Nerveuse. Sors !

Les mots durs ont brisé le lien fragile.

D'un coup, l'univers est reparti en arrière.

SNUP.

J'ai aussitôt ouvert les yeux. Ben me serrait l'épaule de toutes ses forces. Beaucoup plus fort que moi, il aurait pu me briser les os.

À voir sa tête, il y pensait.

— Ne t'approche pas de ma tête, grognait-il. Tu n'as même pas demandé la permission.

— Désolée… Je ne sais même pas ce que j'ai fait.

Coop s'est faufilé entre nous, les yeux rivés sur Ben – qui a poussé un soupir : il venait de comprendre à quel point il me serrait fort. Il m'a lâché d'un coup, comme si sa main le brûlait. Il s'est écarté, le visage écarlate, le front mouillé de sueur.

J'ai posé la main sur la tête de Coop. Le chien-loup s'est assis, mais il suivait les moindres gestes de Ben. Moi, je n'osais pas le regarder en face.

— C'était un accident, Ben. Je ne voulais pas me connecter, mais mon esprit… a été attiré. Je ne me l'explique pas bien.

Silence gêné – puis Hi a poussé un rire nerveux pour détendre la situation :

— Hé, pas de problème, Tory. La prochaine fois, préviens-nous, c'est tout, OK ? On pourrait te prendre pour un kidnappeur extraterrestre, ou un agent de la CIA. On va éviter, hein ?

— Tout va bien, a ajouté Shelton en se tripotant l'oreille. On ne sait pas ce que t'as fait, mais on sait que c'était un accident. Pas vrai, Ben ?

— Nos esprits ne sont pas des jouets, Tory.

Ben avait dit ça d'un ton conciliant, mais lui aussi détournait son regard.

— Tu ne peux pas débarquer dans nos têtes comme ça, sans prévenir. Et sans permission.

Il avait raison. Je le lui ai dit :

— Je sais. Je ferai plus attention la prochaine fois, juré. Il n'y aura plus d'infiltration de vos consciences sans votre accord explicite. Promis.

— Bon, c'est dit alors ! a lancé Hi en tapotant la muraille. Allez, ne gâchons pas le temps qui nous reste avant la nuit. Revenons au jeu.

— On fait quoi ? a demandé Shelton.

— Hé, on entre, Einstein !

Hi nous a regardés l'un après l'autre :

— Tout le monde est toujours en flambée ?

Tout le monde l'était. Hi nous a montré l'entrée sombre du fort :

— Alors, à l'action, soldats !

— Pourquoi on ne jetterait pas un œil avant de se lancer dans l'inconnu ? ai-je suggéré.

— Bonne idée, a approuvé Shelton. Un peu cliché, mais bonne idée.

Je me suis concentrée sur mes hypersens et j'ai repéré un réseau de fissures minuscules dans l'encadrement de la fenêtre. Mon nez a détecté des odeurs de moisissure terreuse émanant de l'obscurité. Des feuilles pourrissantes. De la mousse. De l'eau stagnante.

— On passe vraiment du temps dans ce genre d'endroit, a remarqué Shelton. Trop de temps, diraient certains.

— Ça forge le caractère, a lancé Hi en examinant le plafond. Ça t'endurcit. Ça te rend viril.

J'ai répondu sans y penser, en scrutant les ténèbres :

— La virilité ? C'est exactement ce que je cherche.

— Vous entendez ça, les gars ? a demandé Ben.

Shelton a tendu l'oreille :

— De l'eau qui goutte ? Non. Un tapotement, peut-être ?

— Non, a dit Ben. Si toi, tu ne peux pas l'entendre, tu sais que nous autres, encore moins.

Hi plissait les yeux dans ce noir d'encre.

— C'est une petite pièce, avec un passage dans le fond.

J'attendais, faisant confiance à la vision supérieure de Hi.

— La première pièce semble vide, a-t-il finalement dit. Il faut qu'on s'enfonce davantage.

— Qu'on s'enfonce davantage. Génial, a grincé Shelton.

— Allez, Shel-dogue ! Après tout ce qu'on a fait, tu ne devrais plus avoir peur du noir !

— Et pourtant si.

Au bout d'un moment, Shelton s'est décidé à contrecœur :

— En tout cas, je te jure que je ne passe pas en premier.

— Juste une seconde, je vais chercher des lampes dans le bateau, a dit Ben avant de s'éclipser.

— Hé, le clown, ton trésor est à moi ! a crié Hi dans le noir. Je viens te chercher ! Oncle Hiram est sur ta piste !

Laissant ses mots résonner dans l'obscurité, il s'est faufilé par l'ouverture.

— Ferme-la ! a sifflé Shelton. Les murs ont déjà du mal à supporter tes soixante-dix kilos. Ne nous fais pas dégringoler le toit sur la tête en poussant la chansonnette !

— J'ai le pied léger, a répliqué Hi des profondeurs du château. J'aurais dû être un danseur.

Pendant un moment, Shelton et moi sommes restés seuls.

— Hé, Tory, a-t-il chuchoté, qu'est-ce qui s'est passé avec Ben ? Il a failli péter les plombs.

— Je ne sais pas. C'était vraiment bizarre. Pendant une seconde, j'ai cru que…

Je me suis arrêtée : Ben venait de réapparaître. Je n'aimais pas parler dans son dos, même si ce n'était pas pour dire du mal.

Et je ne savais pas trop quoi penser. Qu'est-ce que j'avais vu, en fait ? Comment est-ce que c'était arrivé ? Cette dernière expérience de télépathie m'avait laissée plus perplexe que jamais. Est-ce que j'avais vraiment vu ma propre image, par les yeux de Ben ?

J'ai décidé de me taire. Je savais que ça ne plairait pas à Ben.

— Allez, on y va, a dit Ben en passant par l'ouverture, avant de me tendre la main.

Je l'ai écartée et me suis hissée à l'intérieur. Shelton m'a suivie en dernier.

Deux pattes sont apparues sur l'embrasure, suivies d'un gémissement.

J'ai caressé mon chien.

— Reste dehors, Coop. L'endroit n'est pas sûr.

Un autre gémissement, puis les pattes ont disparu.

— On fait quoi, maintenant ? a chuchoté Shelton dans la pénombre.

— Déployez-vous, a ordonné Hi en prenant une lampe à Ben. Cherchez une boîte comme celle qu'on a trouvée sur Loggerhead.

Comme on n'avait que deux lampes, on a dû se mettre par deux. Hi et moi à droite, Ben et Shelton à gauche. Quelques minutes plus tard, on s'est retrouvés au fond de la pièce.

— Alors ?

— Rien.

La voix de Ben était tendue. En flambée, je percevais la nervosité dans son regard.

Hi examinait un passage délabré devant nous.

— Essayons par là.

La deuxième pièce était deux fois plus petite que la première, à peu près de la taille d'un court de tennis. Elle était vide elle aussi.

Hi l'a éclairée un instant. Quelque chose a scintillé dans le rond de lumière pâle. J'ai senti Shelton tressaillir à côté de moi.

Hi est lentement revenu sur l'objet. La lumière était suffisante pour que je puisse distinguer quelque chose.

Un autre scintillement.

— Là ! ai-je crié. Par terre !

Ben a tourné sa torche dans la même direction que Hi. Une boîte de métal sombre était posée au milieu de la pièce.

— Dans le mille.

Hi a couru vers sa trouvaille, les yeux luisants d'un éclat doré.

— Attends ! s'est écrié Shelton. Le bruit est plus fort à l'intérieur. Et régulier, genre tic-tac. Ça vient de la boîte.

Sans l'écouter, Hi s'est emparé de notre trouvaille et a commencé à forcer le couvercle.

— Deux sur deux ! Prends ça, le clown !

— Hi, attends.

Mon sixième sens. Alerte rouge.

— Ça fait tic-tac ! a glapi Shelton. C'est le paquet ?

— Tic-tac ? a demandé Hi, toujours occupé à forcer la boîte. Comme une montre ?

J'ai ouvert la bouche pour crier. Trop tard. Hi a fait sauter le couvercle.

— Ça s'est arrêté, a dit Shelton d'une voix tremblante.

À l'intérieur, quelque chose s'est mis à bourdonner, puis on a entendu un déclic.

Bip ! Bip ! Bip !

Hi a braqué la lumière à l'intérieur de la boîte et s'est approché. Je l'ai entendu déglutir.

— C'est pas bon, ça.

— Quoi ?

Je me suis précipitée vers lui.

J'avais assez de lumière pour mon hypervision. J'ai vu un récipient de plastique violet entouré d'adhésif noir, avec une montre à écran numérique attachée sur le dessus.

Un message s'est affiché sous mes yeux : « Ouverture Incorrecte. Perdu ! »

— Qu'est-ce que ça veut dire ? a demandé Shelton.

Il s'est approché si près que je sentais sa transpiration.

— On n'avait pas d'instructions, pour l'ouverture !

— Mais qu'est-ce que c'est que ce truc ? a murmuré Ben, si bas que je ne l'aurais pas entendu sans mes pouvoirs.

— Les gars ?

— Oui ?

Je n'aimais pas le ton de Hi.

— Cette montre indique trente secondes. En compte à rebours.

— Jusqu'à combien ?

— Comment je le saurais ?

— Éteins-la ! a glapi Shelton.

Bip ! Bip ! Bip !

— Comment ? On ne sait même pas ce que c'est !

— Quinze secondes.

— C'est rien, a grogné Ben. Un truc débile pour nous faire peur.

— Dix.

Hi venait à peine de parler que le premier message a disparu, remplacé par un nouveau : « Vous êtes Morts ! »

— Oh, non ! a gémi Shelton en reculant. Non, non, non, non !

Bip ! Bip ! Bip !

J'ai hurlé :

— Courez ! Hi, jette-la !

Hi a balancé le paquet dans un coin et piqué un sprint vers la porte, juste derrière Shelton, Ben et moi un mètre derrière.

Il restait combien de temps ? J'avais perdu le compte. Sept secondes ? Trois ?

Un éclair de fourrure a filé devant moi, droit vers le paquet qui sonnait toujours.

J'étais pétrifiée d'horreur.

— Cooper !

Comment est-il entré ?

J'ai braqué la torche dans sa direction. Coop avait pris le paquet entre ses dents et l'agitait comme un rat géant.

La boîte a émis un sifflement strident, qui a viré au suraigu.

Coop s'est arrêté, le paquet toujours serré entre les dents.

Terrifiée, je me suis précipitée vers mon chien-loup.

Un bras m'a saisie à la taille et tirée au sol.

— À terre, a crié Ben.

— Coop !

Je luttais pour me libérer.

— Cooper, non !

Clic.

BANG.

13.

Une lumière aveuglante a éclaté dans le noir d'encre.

Une. Deux.

Coop a lâché le paquet dans un jappement, puis a précipitamment battu en retraite.

En flambée, j'ai vu des éclairs de couleur jaillir du paquet. Rouge. Bleu. Jaune. Vert. Des bouts de papier tourbillonnaient à la lueur des torches. La pièce résonnait de sirènes, klaxons et sifflets, dans un vacarme incroyable.

— Mais c'est quoi ça ? a hoqueté Hi, crachant de la poussière. Qu'est-ce qui s'est passé ? C'est quoi ce bruit ?

— Coop !

Je me suis précipitée vers mon chien. Coop s'était recroquevillé dans un coin.

— Ça va, mon chien.

Il haletait. Du sang coulait de sa mâchoire. Le cœur battant, je l'ai tâté pour voir s'il était blessé. N'ayant rien trouvé, je lui ai pris le museau avec précaution. Coop a voulu se dégager, mais je l'ai tenu fermement.

— Tout va bien, l'ai-je rassuré en examinant sa gueule. Laisse-moi jeter un œil, c'est tout.

Coop avait une entaille rouge à la langue et le palais noirci de suie. Du sang suintait à la base d'une incisive inférieure. C'était tout, semblait-il. Heureusement, rien de trop grave.

J'ai pu enfin respirer.

— Des confetti, a annoncé Hi. Une pluie de cochonneries de confetti !

— Et la boîte joue de la musique de carnaval ! a dit Shelton, le visage et le T-shirt couverts de poussière. Une fausse bombe. Quelle blague débile !

Je me suis rendu compte que personne n'était plus en flambée.

— Pas si fausse : Coop est blessé à la langue, et il s'est brûlé le palais.

— Chut ! a sifflé Ben.

La musique s'était arrêtée. Une faible sonnerie a résonné dans la pièce.

— Génial. Deuxième round, a gémi Shelton en reculant vers la porte.

Furieuse, j'ai foncé sur la boîte et j'ai donné un coup de pied dedans. Les garçons ont tressailli. L'objet a ricoché contre le mur et s'est brisé en morceaux.

Une chose plate, noire et rectangulaire se trouvait parmi les débris.

— Tu es folle ! a hurlé Shelton. Ça a déjà explosé une fois !

— Cette horreur a blessé mon chien !

Je tremblais presque de rage.

— Quand je trouverai qui c'est…

— Ça ne nous avancera à rien de casser ce truc, a coupé Hi. Bon, si on mettait la main dessus, hein ?

J'ai acquiescé, toujours furieuse.

Meneur de Jeu, tu t'es fait un ennemi.

— Un iPad, a annoncé Ben qui examinait les débris. C'est ça qui sonne.

— Sérieux ? Ce dingue a laissé un iPad ? C'est normal ?

— Absolument pas, a répondu Hi. Un iPad, ça vaut bien trop d'argent pour qu'on le mette dans le jeu. Le premier qui le trouverait le volerait, c'est sûr.

Ben a tapoté l'écran. Trois mots violets, soigneusement calligraphiés, sont apparus sur un fond jaune. « Bienvenue dans le Jeu. »

Shelton a poussé un gémissement. J'ai lu le message par-dessus l'épaule de Ben :

— Encore le Jeu ? Là, c'est vraiment trop.

Une barre est apparue en dessous du message.

— Je la débloque ? a demandé Ben.

— Ah non, alors ! a dit Shelton. Je ne sais pas de quel jeu il s'agit, mais je n'y joue pas.

— Si, vas-y, ai-je ordonné. Il faut qu'on retrouve ce fou.

— Je suis d'accord avec Tory, a ajouté Hi. Il nous faut des indices, et l'iPad est notre seule piste.

— Allons-y, a conclu Ben en passant le doigt sur l'écran.

Un parchemin médiéval est apparu, couvert de lettres d'un violet incandescent. Une signature familière s'étalait en bas de la page.

Vaillants Joueurs,

Je suis déçu. Vous avez échoué dans cette tâche. Heureusement, cette première manche n'était qu'un simple entraînement. Mais à présent, le Jeu commence pour de bon ! Désormais, les enjeux seront plus élevés, et il est impossible de reculer.

Sachez que j'ai caché une bombe dans Charleston. Contrairement à la première, celle-ci est tout à fait réelle. Pour désamorcer cet engin, vous devez suivre mes indices et réussir vos quêtes.

Si vous échouez, la bombe explosera. Si vous enfreignez une règle, la bombe explosera. Si vous refusez de continuer, la bombe explosera. Si vous parlez du Jeu à quiconque, la bombe explosera.

Relevez mon défi et terminez le Jeu, ou des innocents mourront. Des vies sont entre vos mains. L'heure tourne !

Sincèrement,

Le Meneur de Jeu

— Lorsqu'on retrouvera ce fou furieux, je vais lui casser son…

— C'est une blague, pas vrai ? a demandé Shelton, la main rivée à son oreille. Une très mauvaise blague…

— Bien sûr… a dit Hi, mais d'un air peu assuré. Désolé de nous avoir plongés dans ce délire.

— Une bombe ? Ça n'a aucun sens, a grogné Ben.

J'ai montré l'écran du doigt :

— Regardez !

Le parchemin a disparu, remplacé par une image floue et verdâtre.

Quatre silhouettes rapprochées, dans une pièce vide.

— C'est débile.

Shelton a filé vers la sortie.

— Allez, on s'en va. On n'a qu'à jeter cet iPad dans le port, bon Dieu.

— Attendez !

Mon cœur s'est mis à battre follement. L'une des silhouettes sur l'écran bougeait vers la droite.

— Shelton, reviens vers nous.

En grognant, il s'est rapproché du groupe. Sur l'écran, la silhouette a fait de même.

Chair de poule. Partout.

— C'est une caméra ! a crié Hi en levant les yeux au plafond.

J'avais observé l'écran – et bien sûr, on pouvait voir la silhouette de Hi se déplacer, dans ce vert inquiétant.

— C'est en direct, a chuchoté Ben. Si ça se trouve, le Meneur de Jeu nous observe à cet instant même.

— Là !

Hi braquait le rayon de sa torche vers le coin le plus éloigné. Une minuscule lumière rouge clignotait à l'angle du mur et du plafond.

— C'est ce truc… !

— Ça doit être une caméra à vision nocturne, a expliqué Shelton. C'est pour ça que l'image est si claire.

Ben m'a tendu l'iPad, puis il a pris un caillou et tiré.

La lumière rouge continuait de clignoter. Ben a pris une poignée de pierres et les a projetées comme des chevrotines. Cette pluie de projectiles a dû toucher sa cible : j'ai entendu un tintement de verre brisé, et l'écran de l'iPad s'est éteint.

— On peut sortir d'ici, s'il vous plaît ? a répété Shelton. C'est vraiment trop flippant.

Sans attendre de réponse, il s'est faufilé dans la première pièce. On l'a tous suivi en vitesse, se regroupant devant la fenêtre par où on était entrés.

La lumière du crépuscule se déversait par l'ouverture. La brise salée du port nous changeait agréablement de l'air fétide et moisi à l'intérieur.

— Les dames d'abord, a dit Hi.

J'allais me hisser à la fenêtre quand j'ai jeté un œil à l'iPad.

— Oh non…

— Quoi ?

En chœur.

Une nouvelle image emplissait l'écran – un grand cercle rouge sur fond blanc, avec des lettres jaunes dessus.

Un mot. « Appuyez. »

Shelton ne s'y intéressait pas.

— Il nous prend pour des abrutis, ce clown, ou…

D'un geste, Hi a touché le bouton.

— Hi ! ai-je crié.

Ça allait trop vite.

— Mais quel idiot ! a hurlé Shelton.

— Pas pu m'empêcher, a dit Hi. Comment ne pas appuyer sur un bouton pareil ?

— On ne sait même pas…

BOUM.

L'explosion, plus puissante que la première, a fait trembler les murs du château. Une pluie de terre et de gravats nous a dégringolé sur la tête. Un bloc de pierre est tombé derrière nous.

— Dehors !

Ben a lancé Coop par la fenêtre. On l'a suivi à toute allure, puis on a foncé vers le rivage, en s'éloignant du bâtiment aussi vite que possible.

J'ai entendu un grondement, suivi d'une série d'explosions. En me retournant, j'ai vu un nuage de gravats sortir des fenêtres.

— Mon Dieu ! a crié Shelton. Hi a fait sauter le château ?

— Non, a répondu Ben d'une voix tendue. Les murs sont encore debout. Il a dû se passer autre chose.

— Oh, mon Dieu… a balbutié Hi. Regardez par là.

J'ai suivi la direction qu'il indiquait. C'était de l'autre côté du port. *En ville.*

Une colonne de fumée s'élevait de Battery Park. En dessous, les arbres brûlaient comme des torches trempées dans du goudron. Je contemplais la scène, horrifiée, quand des sirènes ont commencé à gémir.

— Vous ne pensez pas que…

Personne n'a répondu à Hi.

Mais je savais. J'ai regardé l'écran de l'iPad. J'attendais.

L'instant d'après, un nouveau message est apparu : « Compris ? »

Deux options sont apparues en dessous de la question : un cercle blanc avec des lettres dorées, et un carré noir avec des lettres rouges.

Le cercle blanc disait : « Oui. Maintenant, je participe au Jeu. »

Le carré noir disait : « Non. Il me faut une autre démonstration. »

Un chronomètre est apparu – et le compte à rebours a commencé. À partir de dix.

J'ai senti une sensation déplaisante au creux de l'estomac.

Neuf. Huit. Sept.

— Les gars… je crois que ce n'est pas une plaisanterie.

J'ai regardé l'iPad.

Six. Cinq. Quatre…

Hi est devenu tout pâle. Shelton aussi. Ben serrait les poings.

L'avertissement du Meneur de Jeu m'est revenu à l'esprit.

Relevez mon défi et terminez le Jeu, ou des innocents mourront.

— Nous n'avons pas le choix.

Les garçons ont acquiescé.

Trois. Deux…

Impuissante, j'ai appuyé sur le bouton blanc.

L'arc-en-ciel a défilé sur l'écran, avant de perdre toute couleur. Des trompettes ont résonné. Puis le visage d'un clown ricanant est apparu.

Des caractères noirs se sont inscrits sous nos yeux, dans ce style que nous connaissions à présent : « Indices à Suivre ! »

J'aurais hurlé de rage.

Ce Meneur de Jeu, quel qu'il soit, jouait avec nous. Il se servait de nous comme de ses marionnettes.

Le clown me défiait du regard. Ricanant. Railleur.

Nous étions devenus des pions dans le jeu d'un fou.

Deuxième partie

INDICES

14.

J'étais debout, adossée à l'un des lions en granit de Bolton.

Dans la cour, en face de moi, une foule de lycéens se détendait sur les bancs alignés le long de l'allée centrale. C'était une matinée douce et ensoleillée, il faisait presque vingt degrés. Personne n'était pressé de rentrer.

Autour de moi, les garçons pianotaient sur leurs téléphones, cherchant des infos sur l'explosion d'hier soir, à Battery Park.

Je leur avais laissé cette tâche de routine. Tout ce que je voulais, c'était des réponses.

— Personne n'a été blessé ! a annoncé Hi avec un soulagement manifeste. Mais le kiosque des mariages est parti comme une fusée.

— Quelle chance ! a commenté Shelton. En général, ce truc attire plein de gens. C'est presque un monument.

— Quelqu'un aurait pu être tué. Ce Meneur de Jeu s'en fiche clairement.

— La police sait ce qui s'est passé ? a demandé Ben, soucieux.

Hi continuait de consulter son iPhone :

— C'était bien une bombe. L'article dit que cette explosion est un acte de terrorisme.

Du terrorisme. Magnifique. Maintenant, on est coincés avec un fanatique taré.

— Et on fait quoi ? a demandé Hi en consultant sa montre.

La première sonnerie allait retentir d'un instant à l'autre.

— Les flics ? a suggéré Shelton.

J'ai fait signe que non :

— C'est interdit par la règle du Jeu, tu te souviens ?

— Depuis quand se soucie-t-on des règles ? a grogné Shelton. Hi vient de faire sauter Battery Park.

— C'était un accident ! a protesté Hi. Je n'avais aucune idée de ce qui allait arriver ! Tu vois un bouton, tu appuies dessus. C'est quasiment une loi naturelle.

Regards sceptiques.

— De toute façon, le Meneur de Jeu aurait déclenché cette explosion, a conclu Hi avec un geste décidé.

Là-dessus, j'étais d'accord.

— Cette bombe était un avertissement : jouez le Jeu ou des gens mourront.

— D'accord, pas de police, a dit Ben fermement. Et on n'en parle à personne non plus.

J'y réfléchissais :

— Peut-être… ou peut-être pas.

— Les règles étaient claires.

— On ne peut pas aller voir la police, révéler les indices, ni parler du Jeu. Mais on n'est pas obligés de se laisser mener par le bout du nez.

— Ce qui veut dire ? a soupiré Shelton.

— On va retourner la situation.

J'ai saisi mon sac, qui contenait l'iPad du Meneur de Jeu et ce qui restait de notre seconde trouvaille.

Hier, en regardant la fumée qui s'élevait du fort, j'avais pris une décision. Nous devions riposter. Prendre l'avantage sur notre adversaire, par surprise. Il nous fallait des preuves.

J'étais donc retournée à l'intérieur. Les garçons n'avaient pas eu le temps de m'arrêter. C'était risqué, mais ça valait le coup : j'avais récupéré le récipient abîmé et j'étais sortie saine et sauve. Sur le chemin du retour, je les avais écoutés me sermonner, souriante.

— La règle du Jeu nous interdit d'en parler… mais elle ne mentionne pas le Meneur de Jeu. On va se servir de son propre matériel pour le retrouver.

— Et comment ? a demandé Ben. Tout ce qu'on a, c'est la boîte à secret, la lettre de deux pages, et un « trésor » abîmé par l'explosion.

— N'oubliez pas l'iPad. Pour l'instant, il ne montre que l'indice qui est apparu hier soir, mais peut-être qu'on pourra en découvrir d'autres.

La nuit précédente, à minuit, un pictogramme était tout à coup apparu en plein écran. J'avais passé une heure à essayer d'y comprendre quelque chose, puis j'avais laissé tomber et pris une photo que j'avais envoyée aux garçons. Le lendemain matin, je n'étais pas plus inspirée.

— Cette image est incompréhensible.

Hi l'examinait d'un œil dubitatif.

— Je l'ai étudiée toute la matinée, et ça ne me dit toujours rien. On n'arrivera jamais à la déchiffrer à temps.

Hi ne plaisantait pas. Je n'avais pas la moindre idée non plus.

L'image était d'une simplicité trompeuse – le nombre 18, entouré d'une longue chaîne de caractères : CH3OHHBR CH3BRH2O, le tout dans un cercle noir, lui-même entouré d'un cercle bleu, l'ensemble surmonté de la lettre K.

Sous l'image se trouvait un chronomètre numérique. Soixante-quatre heures – encore un compte à rebours.

— Brrr… je n'aimerais pas savoir ce qui se passera à zéro.

— Moi non plus. C'est pour ça qu'on doit trouver le Meneur de Jeu. On peut travailler sur l'indice et essayer de l'attraper en même temps.

— Ça a l'air fantastique, a lâché Hi, mais comment ?

— Il faut tout analyser, le moindre élément. Et espérer que le Meneur ait commis une erreur.

La sonnerie a retenti. Les élèves se sont dirigés vers les bâtiments.

— On y va ?

Les lycéens se pressaient pour entrer. Tout à coup, je me suis retrouvée côte à côte avec Madison.

Surprise, je lui ai souri, comme si la saluer était la chose la plus naturelle du monde.

Madison, les yeux écarquillés, a fait un petit saut de lapin dans un tintement de joaillerie coûteuse, se cognant dans d'autres personnes. Baissant les yeux, elle s'est aussitôt enfoncée dans la foule, avec toute la dignité d'un ver. Le visage rouge, elle m'a jeté un dernier regard nerveux par-dessus son épaule, puis ses boucles brunes ont disparu dans une marée d'uniformes.

J'ai réprimé un soupir. Peut-être était-ce mieux ainsi.

— Elle n'a toujours pas digéré sa défaite, a chuchoté une voix à mon oreille.

Cette fois-ci, j'ai bel et bien soupiré :

— Salut, Jason.

Je me suis tournée vers la gauche. Jason s'est dépêché de se mettre à ma hauteur – et s'est cogné dans Ben, qui occupait le même endroit.

Les deux garçons se sont toisés comme deux chiens sauvages se rencontrant au fond d'une ruelle. Shelton et Hi sont passés sans nous voir – ou peu désireux d'assister à cette scène gênante.

— Regarde où tu vas, a lancé Ben.

— C'est ce que je fais, a répliqué sèchement Jason. J'allais parler à Tory.

— Je suis sûr que ça va ensoleiller sa journée, a ricané Ben.

Jason m'a jeté un regard, l'air un peu hésitant.

— Ça suffit, tous les deux.

Mais qu'est-ce qu'ils ont, ces deux-là ? Chien et chat.

— Jason, j'ai des choses à prendre dans mon casier avant les cours. On se voit tout à l'heure ?

— Bien sûr, Tory. Mais je pensais juste que tu voudrais le savoir la première.

Je me suis arrêtée net :

— Savoir quoi ?

— Que Chance va revenir au lycée cette semaine, a expliqué Jason. Sans doute demain matin.

— Ah. *Oh, mon Dieu*. Merci.

— Pas de souci. À tout' !

Jason a resserré son nœud de cravate, puis fait mine de refaire celui de Ben – qui a sursauté et est devenu écarlate, le regard dur.

Jason s'est éloigné avec un petit rictus, sans prêter attention au coup d'œil glacial de Ben.

Mes jambes se sont remises en marche, mais j'avais l'esprit ailleurs. *Chance. Il revient demain.* Il me fallait un plan.

Ben m'a rejoint lourdement, l'air furibond. Je savais que cette petite passe d'armes le tourmentait. Il avait perdu cette manche-là. *Quels lourdauds !*

Shelton et Hi nous attendaient devant la classe.

— Tout va bien ? a demandé Hi en regardant Ben.

— Très bien, ai-je répondu, mais en rentrant du lycée, on devra s'arrêter quelque part.

Ben s'est aussitôt tourné vers moi :

— Tu plaisantes ?

— À quel sujet ? a demandé Shelton.

— Au manoir Claybourne.

Sans écouter leurs protestations, j'ai expliqué :

— Il est largement temps de régler nos dettes.

— Il faudra qu'on passe à la banque avant, a gémi Hi, et qu'on tape dans la caisse.

— Hé, c'est sa part, les gars. On n'y serait jamais arrivés sans lui. En plus, Chance en a beaucoup trop vu, l'été dernier. Il faut qu'on le teste pour savoir de quoi il se souvient.

Cette fois, personne n'a pris la peine de protester. On en avait déjà parlé. J'ai ajouté avec espoir :

— Qui sait, peut-être qu'il pourra nous aider à identifier le Meneur de Jeu ?

Trois visages incrédules.

— Pas directement, bien sûr ! Mais il nous faut une analyse scientifique des objets qu'on a trouvés. Chance a de bons contacts. Il pourrait nous aider.

Dire que les garçons étaient peu enthousiastes serait un euphémisme.

— Nous aider… à nous rouler encore une fois ? a ricané Shelton.

— T'as pris un coup sur la tête ? m'a demandé Hi.

— Débile de chez débile, a marmonné Ben.

Agacée, j'ai conclu :

— Peu importe. On y va, alors haut les cœurs !

La deuxième sonnerie a retenti. On est entrés en classe. Je me suis plongée dans mon manuel de maths, pour cacher mes propres doutes.

La dernière fois, j'avais failli ne pas ressortir vivante du manoir Claybourne.

Est-ce que je ne commettais pas une énorme erreur ?

15.

On s'est retrouvés à la grille après les cours.

Les garçons avaient accepté à contrecœur, mais sans discuter davantage. Ils savaient que, une fois que j'avais pris ma décision, c'était inutile. Après avoir laissé nos vestes dans les casiers, on est partis vers l'est, en descendant Broad Street.

On a fait un court arrêt à la banque. Les gars faisaient la tête.

On a tourné à gauche dans Meeting Street. La demeure des Claybourne se trouvait à quelques rues de là, dans le quartier snob et prestigieux de Charleston appelé South of Broad. Cet endroit privilégié dégoulinait d'argent bien né et de tradition. Une richesse ostentatoire. Le dernier endroit où l'on aurait dû être.

— Regardez ça à droite, a indiqué Hi avec un sifflement. Quel palais ! Trois étages, peut-être quatre.

— C'est dingue, ces maisons. Mon père ne pourrait même pas se payer une place de parking, par ici.

— Tant mieux pour lui, a dit Ben, sans se dérider une seconde. Moins de temps on passe chez ces imbéciles d'aristocrates, mieux on se porte.

Même au milieu de ses voisins élégants, la demeure ancestrale de Chance se faisait remarquer. Monument historique classé, le manoir Claybourne est la plus grande résidence particulière de Caroline du Sud. Bâtie sur le modèle d'un château italien du XIXe siècle, la partie principale possédait quarante pièces, vingt-quatre cheminées et soixante salles d'eau, sur presque un hectare de terrain en plein centre-ville. Un lieu digne d'un roi.

On s'est arrêtés devant un mur d'enceinte haut de trois mètres et surmonté de piques, coupé par une grille en fer forgé, portant le blason des Claybourne : un bouclier gris avec trois renards noirs, entouré de plantes grimpantes rouges et noires.

— Ma famille aurait bien besoin d'un blason, a déclaré Hi, pour exprimer l'identité des Stolowitski.

— Genre une pizza extra large ? a gloussé Shelton.

J'ai levé la main :

— Tout le monde est prêt ?

Pas de réponse. Au moins, ils ne recommençaient pas à se plaindre.

Qui ne dit mot consent. J'ai donc frappé à une lourde porte métallique à côté de la grille. Au bout de quelques secondes, un verrou a glissé et le battant s'est ouvert.

— Oui ?

Le gardien était mince, la quarantaine, avec des cheveux poivre et sel et l'allure d'un ancien flic. Pas de badge d'identification. Il n'avait pas l'air content de nous voir.

J'ai décoché mon plus beau sourire :

— Bonjour ! Nous sommes venus voir Chance.

L'autre, sévère :

— Vous avez rendez-vous ?

— Non, mais nous sommes des camarades de Bolton.

Il est temps d'en faire des tonnes…

— Nous avons appris que Chance revenait au lycée, et nous voulions lui souhaiter un bon retour, au nom de Bolton !

Hi s'est à moitié étranglé. Je souriais toujours, imperturbable.

— Monsieur Claybourne ne reçoit pas de visiteurs, a déclaré le garde, d'une voix où pointait l'ennui. Laissez votre nom si vous voulez, mais ne vous attardez pas dans la rue.

— Mais nous connaissons Chance depuis longtemps, tous les quatre. Vous êtes sûr de ne pas pouvoir…

— Sûr et certain. Prenez rendez-vous.

Grrr.

— S'il vous plaît, dites à Chance que Tory Brennan est passée, avec Hi Stolowitski, Ben Blue et Shelton Devers.

J'hésitais. Est-ce qu'il y avait quelque chose à ajouter ?

— Dites à Chance que nous aimerions lui parler quand cela lui conviendra. Nous avons quelque chose pour lui.

— Merci.

Là-dessus, il a claqué la porte.

— Tu aurais dû lui offrir un autre Prix de l'Intellect de l'Année, a lancé Hi. Ça a marché la dernière fois.

— Tais-toi.

J'ai horreur quand il y a un accroc dans mes plans. Je me creusais la tête, mais en vain. On ne pouvait rien faire d'autre : la balle était dans le camp de Chance, à présent.

— Allez, on s'en va.

Ben partait déjà.

— On devrait être en train de travailler sur les indices du Meneur de Jeu, pas de perdre notre temps...

La porte s'est ouverte d'un coup. Le vigile a passé la tête et m'a repérée. Poussant un soupir de soulagement, il s'est dépêché de me rejoindre.

— Terriblement désolé, Miss Brennan ! Je m'appelle Saltman. Je suis nouveau ici, et je n'ai pas encore mémorisé les registres. Bien sûr que vous pouvez entrer. Je vais dire à Mr. Claybourne que vous êtes arrivés.

Saltman triturait nerveusement sa casquette.

— Nous n'avons pas besoin de faire allusion à cette petite erreur, n'est-ce pas, mademoiselle ? J'étais de bonne foi.

J'ai caché ma surprise derrière un air désinvolte :

— Aucun problème.

Mais de quoi il parlait ? J'ai pris un risque calculé :

— Je suis sur la liste ?

Saltman hochait la tête comme Oui-Oui :

— Oh, oui, madame ! Les instructions sont tout à fait claires : pas de visiteurs sauf sur rendez-vous, sauf Miss Brennan, à n'importe quelle heure du jour ou de la nuit. (Sourire obséquieux.) Vous devez vraiment être quelqu'un de très spécial pour le jeune Monsieur Chance.

De quoi ?

Chance avait laissé des instructions à mon sujet ? Il avait donc supposé que je viendrais ? Parfois, le monde semblait absurde. J'ai voulu gagner un peu de temps.

— Chance est chez lui ?

— Dans le bureau de son père.

Saltman s'est repris, comme si on l'avait giflé :

— Dans son bureau, devrais-je dire. Si vous voulez bien attendre à la réception, je vais l'appeler immédiatement.

Son regard s'est posé sur mes compagnons :

— Les instructions ne parlent que de vous, Miss Brennan. Je ne suis pas sûr…

— Chance voudra certainement voir tout le monde, ai-je déclaré d'une voix inflexible. Assez perdu de temps à bavarder dehors.

C'en était assez pour Saltman.

— Bien sûr. Par ici, je vous prie.

On a remonté une petite allée bordée de fleurs, jusqu'à l'entrée principale. Saltman a ouvert en grand une porte en chêne massif, révélant un vestibule de belle taille. La pièce principale du manoir s'étendait en face de nous : un grand hall de quinze mètres, dans le style d'avant la guerre de Sécession.

Des souvenirs m'ont assaillie. Je les ai repoussés.

Garde la tête froide. Il ne faut pas prendre Chance à la légère.

Saltman nous a conduits dans une pièce plus petite, sur la droite : un salon spacieux, décoré de moulures sophistiquées, de frises peintes, avec un panneau de cheminée en bois et un lustre géant en cristal. Au centre, six fauteuils en cuir entouraient une table basse en acajou.

— Si vous souhaitez vous asseoir…

Saltman a appuyé sur un faux panneau, révélant un interphone.

— Informez Mr. Claybourne qu'il a quatre invités à la réception. Tory Brennan et… d'autres personnes.

Un majordome en livrée est apparu. Saltman est parti par où il était venu. Après avoir décliné la proposition de rafraîchissements, nous sommes restés là à attendre, en contemplant la luxueuse décoration.

— Tu as un plan, j'imagine, a chuchoté Shelton. On ne va pas se contenter de lui jeter le butin, non ?

Il tapotait un sac contenant deux piles de doublons d'or.

— On doit découvrir ce qu'il sait… et s'il se doute de quelque chose.

— Comment ? a murmuré Ben.

— Regardez-moi faire.

En clair : je n'en ai aucune idée.

— Hé, regardez l'autre gugusse.

Hi examinait un buste sur la cheminée.

— C’est quatre-vingt-dix pour cent de sourcils, sa figure. On parie sur le nombre d’esclaves ?

Prenant la même expression renfrognée que la statue, Hi a déclamé d’une voix de rogomme :

— « De mon temps, on mangeait les pauvres. On avait un barbecue géant dans le jardin, et on faisait des steaks de paysans tous les dimanches. »

— C’est le général Clemmons Brutus Claybourne, abruti, a dit une voix sèche. Il commandait deux compagnies pendant la Révolution, avant de mourir à Yorktown. Tu pourrais lui témoigner un peu de respect.

Chance se tenait dans l’entrée, négligemment appuyé contre l’embrasure de la porte.

Waow.

Chance était l’incarnation du crépuscule. Peau mate, yeux sombres, et humour noir. Ses épais cheveux bruns encadraient ses traits virils, avec un menton hollywoodien parfait. Grand, mince et musclé sans être épais. En un mot, superbe.

La dernière fois que j’avais vu Chance, il était fatigué et dépenaillé, avec des cernes mauves sous les yeux et un tic nerveux. Épuisé, hagard et inquiet pour sa santé mentale, il s’était peu après fait de nouveau admettre dans un hôpital psychiatrique.

Ce garçon-là avait disparu.

— Donc, le gang est au complet.

Chance souriait, comme à une plaisanterie

— La fin de l’été a été bonne pour tout le monde ?

— Bonjour, Chance.

Maintenant qu’il était là, ma langue était paralysée.

— J’espère que tu vas bien, ai-je conclu, pitoyable.

— Et vous ?

Chance s’est avancé d’un pas nonchalant et a posé les mains sur le dossier du fauteuil le plus proche, d’un geste fluide qui évoquait ses anciennes prouesses athlétiques. Il souriait toujours.

— Hé, salut Chancy, a lancé Hi.

Hi ne percevait jamais les situations gênantes. Cette fois n’a pas fait exception.

— Quand es-tu sorti de chez les fous ?

J’ai retenu un cri.

Chance a émis un petit rire sec.

— Hiram, on n'est jamais déçu avec toi. Arrête d'ennuyer oncle Clemmons et vient nous rejoindre.

Hi s'est jeté dans un fauteuil tandis que Chance nous regardait.

— Vous avez de beaux uniformes.

— Bientôt, tu devras en porter un toi aussi, a répliqué Ben. T'as pas eu toutes tes matières, c'est ça ?

Le sourire de Chance s'est effacé une demi-seconde.

— Bonjour à toi aussi, Ben. Oui, je reviendrai quelques semaines. J'ai manqué deux ou trois examens l'année dernière. Mais j'en aurai bientôt fini avec Bolton.

— Tu as dix-huit ans maintenant, c'est ça ? a demandé Shelton en désignant la pièce. Ce qui veut dire que tout ça est à toi ?

— Oui, j'ai reçu mon héritage le mois dernier. Et en… l'absence de Père, je suis désormais *le* Claybourne de Claybourne Manor.

Chance a cligné de l'œil à l'attention de Hi :

— C'est là qu'ils m'ont laissé sortir. Curieusement, il s'est avéré que je suis bel et bien le propriétaire de l'hôpital. Amusant, n'est-ce pas ?

Chance n'avait ni frère ni sœur, et sa mère était morte en lui donnant naissance. Son père était en prison. Cela faisait de Chance peut-être l'homme le plus riche de Charleston.

— Alors, tu as acheté ta libération ? a ricané Ben.

— Ridicule. Je suis guéri. (Chance m'a regardée dans les yeux.) J'ai réglé quelques problèmes lors de mon second séjour. J'ai mis de l'ordre dans mes pensées. J'ai repris pied. De plus, il était grand temps que j'assume la direction de l'empire Claybourne.

— Et les chefs d'accusation qui pesaient sur toi ?

Je n'avais pas oublié.

— Ils t'ont relaxé, comme ça ?

— Le procureur a pensé que j'avais assez souffert comme ça, a dit Chance en s'asseyant. J'étais d'accord avec lui.

J'ai explosé.

— C'est impensable ! Tu nous as agressés ! Menacés d'une arme à feu !

— Je n'étais pas dans mon état normal, a répondu Chance, l'image même de l'innocent injustement accusé. Demande à mes avocats, si tu ne me crois pas.

Sa suffisance m'a mise hors de moi.

— Et le tribunal a cru ces absurdités ?

— C'est agréable d'avoir des amis haut placés, a répondu Chance en me gratifiant de son clin d'œil inimitable. On te prête une oreille complaisante.

J'ai rengainé une réponse incendiaire. Chance n'avait pas été directement impliqué dans le meurtre de Katherine Heaton, mais il en avait fait largement assez pour mériter un châtiment. Cela dit, inutile d'en discuter. Il avait réussi à s'en tirer.

Chance semblait s'amuser de notre visite. Son ancienne arrogance était de retour, accompagnée de son humour pince-sans-rire.

Cependant ce n'était pas exactement le même.

L'humour était là, mais plus affûté, plus caustique, une sorte de cynisme mordant. Si Chance conservait son regard pétillant, il avait perdu de sa chaleur.

Il semblait plus dur, plus désabusé. Il nous faudrait être prudents.

— Donne-lui le sac, qu'on s'en aille, a lancé Ben en se tortillant dans son fauteuil trop grand, mal à l'aise. J'en ai assez de ces salades de copain-copain bidon.

— Un sac ?

Pour la première fois, Chance semblait hésiter.

— Quel sac ?

Shelton m'a tendu la poche. Je l'ai ouverte et j'en ai sorti une poignée de pièces d'or.

— Tu dois savoir que nous avons trouvé le trésor d'Anne Bonny. Voici ta part.

Chance, l'air un peu soufflé, a répété :

— Ma part ?

— Oui. On n'y serait pas arrivés sans ton aide. Ce n'est que justice.

— Justice. (Chance a serré les mâchoires.) Justice, a répété Chance, dont le regard noir s'est encore assombri. Et tu ne te montrerais jamais injuste avec moi, n'est-ce pas, Tory ?

Mon cœur s'est emballé.

— Qu'est-ce que tu veux dire ? Je te donne les pièces tout de suite.

Je lui ai tendu le sac, mais Chance n'a pas fait mine de le prendre. Il m'a dévisagée, une expression indéchiffrable sur le visage.

Tout à coup, il s'est levé :

— Gardez vos babioles. Je suis multimillionnaire. Je n'ai pas besoin d'une part de votre trésor pitoyable.

— Non... Chance, ceci t'appartient. Nous te sommes redevables.

Chance m'a refait son sourire désabusé :

— Oui, c'est vrai. Mais je préférerais être payé dans une autre monnaie.

Il s'est levé :

— Si vous voulez bien m'excuser, il faut que je me prépare pour demain. Encore quelques semaines de lycée, et j'en aurai terminé avec ces bêtises enfantines.

— Tu ne veux pas prendre les pièces ? ai-je insisté.

— Non. Après tout, je n'étais pas là pour les trouver, non ?

Je ne savais pas quoi penser. Chance estimait lui aussi qu'on lui devait quelque chose, mais refusait sa part du butin. Pourquoi ?

— Au lieu de marchander des babioles, nous parlerons. (Chance me fixa à nouveau du regard.) De bien des choses. J'ai des questions qui exigent une réponse.

J'ai senti mon estomac se nouer.

Chance savait-il que je l'avais manipulé ? Que j'avais menti pour protéger nos secrets ? Et quelles affaires avait-il « réglées » à l'hôpital ?

Tout à coup, je n'avais plus envie de parler du Meneur de Jeu à Chance, de la boîte cachée, ni de rien, en fait. J'avais l'impression déplaisante que Chance allait me compliquer grandement l'existence.

— Parfait.

Je me suis levée, et les autres aussi.

— Alors, on te voit demain au lycée, sans doute.

— Je vais vous raccompagner.

Chance nous a conduits vers la porte. On est sortis sous le soleil.

— Attends.

Je me suis retournée. Chance m'a rattrapée.

— J'ai changé d'avis. J'aimerais avoir une pièce, s'il te plaît.

— Une seule ? Pourquoi ?

Je lui ai tendu un doublon.

— L'or me fait penser à toi, Tory. (Sourire glacial.) Avec cette pièce, j'aurai les yeux qui brillent…

Chance a lancé le doublon à pile ou face, l'a attrapé d'un geste adroit, puis a disparu à l'intérieur sans se retourner.

16.

— On fait quoi, maintenant ? a demandé Shelton.

Je n'avais aucune réponse. Les dernières paroles de Chance résonnaient dans ma tête.

— On garde les pièces, a grogné Hi. Voilà ce qu'on fait, maintenant.

On était presque arrivés à la marina. Ben a envoyé un SMS à son père, qui attendait pour nous ramener à Morris Island. Mais pour moi, la journée n'était pas finie.

— Je vais sur Loggerhead, ai-je annoncé.

— Pourquoi ? T'as un truc à faire au LIRI ?

— Il faut qu'on examine notre seconde découverte, mais on n'a pas le matériel. Si j'invente une excuse plausible, Kit me prêtera un labo.

Je n'en étais pas aussi sûre que j'en avais l'air, mais je n'avais pas d'autre idée. Et j'espérais pouvoir peut-être oublier Chance si je me plongeais dans mes recherches.

Shelton a ruiné mes efforts.

— Et si on discutait de ce qu'a dit Chance ? Sa dernière blague sur l'or et les yeux qui brillent… C'était un peu trop perso, non ?

J'étais parfaitement d'accord. La dernière réplique de Chance ressemblait à un défi. Une bravade. Ou pire : un avertissement.

Qu'est-ce qu'il savait ? Soupçonnait ? De quoi se souvenait-il ?

On est descendus sur le quai. Tom Blue attendait, le moteur du *Hugo* ronronnant déjà.

— Résolvons un problème à la fois, ai-je dit. Le LIRI. L'analyse.

— Sans moi, a coupé Ben fermement. J'ai un tas de devoirs, et je ne peux pas me permettre de suivre tes caprices jusqu'à Loggerhead. Perte de temps.

Merci.

— Et comment est-on censés aller là-bas sans le *Sewee* ? a demandé Hi. À la nage ?

— Mon père va au LIRI juste après Morris Island. Partez avec lui, et puis vous prendrez la navette du soir pour rentrer.

— Moi non plus je n'y vais pas, a annoncé Shelton. Ma mère a pas mal insisté pour que je range ma chambre ces derniers temps. Il faut que je règle ça avant le dîner.

J'ai regardé Hi les yeux pleins d'espoir.

— Et toi, tu veux bien, s'il te plaît ? On sait tous que tu es le roi du labo.

Hi s'est gratté le menton d'un air méditatif.

— Pourquoi est-ce que j'ai l'impression qu'on me manipule ?... Allez, d'accord. Pourquoi pas ? Mais c'est moi qui m'occupe des machines.

— Entendu.

*
* *

J'ai passé les portes vitrées du bâtiment 1 avec Hi.

— Oh, super.

Le chef de la sécurité Hudson occupait le bureau d'accueil.

Le front de Hudson s'est creusé de rides profondes. Il s'est levé, en rajustant soigneusement son uniforme bleu ciel immaculé.

— Motif de votre visite ?

— Voir mon père. (Un temps.) Pour info, c'est généralement le motif de ma visite.

Hudson n'a pas souri.

— Le directeur Howard vous attend-il ?

Agacée par ce rituel, j'ai tenté le coup :

— Plus que ça. On est en retard, en fait.

Hudson s'est tourné vers Hi :

— Tous les deux ?

— Tous les deux, a aussitôt répondu Hi. C'est notre entraîneur de balle au prisonnier, et on doit travailler de nouvelles manœuvres défensives.

— De balle au prisonnier ? a répété Hudson d'un air sceptique.

— On est champions de district, a déclaré Hi fièrement. Je suis tireur. L'essentiel, c'est d'atteindre les balles en premier, puis de les lancer avec un tout petit peu d'effet, de telle sorte que...

Je me suis précipitée sur le registre :

— Je nous note ?

Hi n'avait pas pu s'en empêcher, il jouait avec le feu. La dernière chose dont on avait besoin, c'était que Robocop passe un coup de fil à l'étage.

Hudson nous a regardés méchamment ; il craignait peut-être qu'on soit des membres d'al-Qaida déguisés.

— Signez ici. Et pas d'arrêt en chemin.

Quelques minutes plus tard, on a pénétré dans la suite directoriale au troisième étage. Le Dragon était absent, sans doute en train de tirer sur une Marlboro derrière un bâtiment. J'ai filé vers la porte de Kit et frappé.

— Entrez.

Kit était assis derrière un bureau de bois sculpté, le téléphone à l'oreille. Surpris de notre apparition, il nous a fait signe de nous asseoir, le temps de terminer son appel.

— Mais je n'ai aucune intention d'arrêter le financement, Pete, disait Kit en se frottant les yeux. L'institut a toujours co-sponsorisé l'expert en dauphins de l'aquarium, et je ne vois aucune raison de changer. (Un temps.) Oui, je comprends que ça coûte de l'argent. Ce que je vous dis, c'est que le LIRI va le budgéter.

Kit a posé la main sur le combiné :

— Une minute, les jeunes. Cette andouille n'arrête pas de parler.

Le bureau n'avait pas beaucoup changé depuis l'époque de Karsten. Il y avait un portemanteau dans un coin, entre deux étagères surchargées. Derrière le bureau, une grande baie vitrée surplombait l'océan. Plus loin, une commode et deux classeurs en bois.

La contribution principale de Kit était une collection d'illustrations vétérinaires anciennes, encadrées sur le mur. Elles en jetaient pas mal, je dois dire.

Le bureau était dégagé, à l'exception d'un ordinateur portable et deux photos. L'une de Kit et moi en train de déjeuner sur notre toit terrasse. L'autre de Kit et Whitney partageant une glace.

— Ah, bon Dieu, a chuchoté Hi en montrant la seconde photo. Ton père, c'est le professeur Tournesol, hein ?

— Les preuves sont accablantes…

Kit a raccroché dans un gros soupir :

— Ces types en costard ne pensent qu'à l'argent. Au budget. Au rapport coût-revenus. Ils ne comprennent donc pas qu'on est une organisation à but non lucratif ? Que les animaux ont la priorité.

— Oui. Continue à te battre, c'est pour la bonne cause.

— J'en ai bien l'intention. Et heureusement, le LIRI a les ressources suffisantes. (Kit m'a souri.) Merci encore pour ça.

— Pas de problème, avons-nous répondu en chœur.

— Et maintenant, qu'est-ce que je peux faire pour vous ? Pourquoi êtes-vous ici ?

C'était l'heure d'arnaquer mon vieux papa. Une fois de plus.

— Un projet pour l'école. On doit faire des tests pour un TP de chimie. On espérait que tu pourrais nous prêter un labo quelques heures.

Kit nous a regardés d'un air soupçonneux :

— Un projet pour l'école, hein ? Je l'ai déjà entendue, celle-là.

— Sérieusement ! Il faut qu'on examine un objet pour retrouver certaines traces. C'est totalement vrai.

Hi se taisait, un sourire plaqué sur les lèvres. À mon avis, ça ne nous aidait pas beaucoup.

— Vous pouvez prendre le labo 2 s'il est ouvert. (Kit s'est penché vers nous.) Mais si vous mijotez quelque chose, sachez que je suis prêt. Fini Kit le Largué. Je vous surveille, les jeunes, comme, euh, comme… comme un excellent surveillant. Euh, un hibou, peut-être ?

— Nous, mijoter quelque chose ? Pfutt ! Détends-toi.

*

* *

Je nettoyais la paillasse d'acier du labo.

– Kit n'est pas très doué pour les comparaisons. Moi, j'aurais parlé d'un aigle, ou du télescope Hubble, peut-être. Bon, hibou ça marche aussi.

On était en train de préparer le labo 2, le plus petit du bâtiment principal, tout au bout du deuxième étage. Un lieu de travail discret, parfait pour éviter d'être repéré. Et surtout, on avait la pièce pour nous tout seuls.

– Kit a tendance à se déconcentrer, pour les blagues, a opiné Hi. C'est plutôt sa façon de le dire…

– Exact.

Tout en parlant, Hi disposait méthodiquement les éléments à étudier : iPad, boîte, lettre de Loggerhead, récipient abîmé de Castle Pinckney. Pas grand-chose, mais c'était tout ce qu'on avait. Une fois son œuvre achevée, Hi a demandé :

– Et maintenant ?

– Je ne sais pas trop. J'aurais aimé que Ben et Shelton nous accompagnent.

– Ben a dit que c'était une perte de temps, tu te souviens ?

– Comment pourrais-je l'oublier ?

Ça ne ressemblait vraiment pas à Ben.

– En général, Ben adore ce genre de truc. Pour ce qu'on en sait, ce « Jeu » est d'un sérieux mortel, et il y a un fou meurtrier qui a réellement l'intention de tuer des gens. Donc, je ne comprends pas pourquoi…

La porte s'est ouverte. Je me suis retournée : Anders Sundberg passait la tête dans la pièce.

– Salut, vous deux.

Anders s'est approché tranquillement, dans la blouse de labo qu'il portait par-dessus une tenue hospitalière.

– Tout va bien ? Je peux vous aider ?

– Non, c'est bon, merci. *(Tory, ne te passe pas la main dans les cheveux.)* Je pense qu'on a tout.

Anders était trop séduisant pour son bien. Ou le bien de n'importe qui, d'ailleurs.

Du coin de l'œil, j'ai vu Hi glisser la lettre du Meneur de Jeu dans un tiroir.

Suivre les règles.

— On a besoin du labo quelques heures, ai-je expliqué. Kit pensait que celui-ci était libre ?

— Iglehart est parti pour la journée, donc il est disponible, a répondu Anders avec un sourire gêné. Je vais être honnête avec vous : Kit m'a envoyé vous espionner.

Ah, tiens !

Peut-être que je n'avais pas si bien joué la comédie. Mais peut-être aussi que je pourrais tourner la situation à notre avantage.

— Désolé de vous décevoir, a dit Hi, mais c'est seulement pour des devoirs.

Anders a jeté un œil à l'assortiment d'objets sur la paillasse :

— Intéressant, ce projet.

— On peut dire. (*Allez, on y va.*) On doit examiner ces objets pour relever des preuves.

— Comme une expertise judiciaire ?

Anders semblait intrigué.

— Ça a l'air amusant.

— Vous pouvez le dire.

Hi s'adaptait rapidement :

— Un élément a été introduit dans l'un de ces articles. Nous devons le localiser et l'identifier.

— Je vais vous aider.

Sundberg a sorti une boîte de gants en latex d'un placard.

— La première règle d'une expertise judiciaire, c'est d'éviter de contaminer vous-même les objets. Il ne faut introduire aucun corps étranger.

J'ai tressailli. J'avais trimballé ces trucs n'importe comment dans mon sac à dos.

Tant pis. Ce qui est fait est fait.

— Alors, que doit-on chercher, au juste ? a demandé Hi en enfilant ses gants.

— Tout, en fait. Tout élément transféré d'un objet à l'autre, lors d'un contact. Ce transfert est souvent facilité par la chaleur, lors d'un processus que nous appelons la « friction de contact ». Une empreinte digitale, par exemple.

Il a soulevé l'iPad avec précaution.

— Cet écran tactile serait le support parfait pour en recevoir une.

J'ai jeté un coup d'œil à Hi, qui faisait la tête. On avait tous manipulé l'iPad. S'il y avait eu des empreintes avant, c'était mort.

— Ça ne doit pas être ça, ai-je annoncé. On s'est servis de cette tablette pour notre travail, donc elle doit être couverte de nos propres empreintes.

Sundberg a reposé l'Ipad et s'est intéressé à la boîte puzzle.

— Qu'est-ce que c'est ?

— Un Himitsu-Bako, a dit Hi. C'est du japonais, eh ouais.

— Est-ce que ça s'ouvre ?

— J'espère.

J'ai essayé de reproduire les gestes de Shelton, mais je n'ai pas pu me rappeler la série. J'ai laissé tomber au bout de trois tentatives. Hi n'a pas eu plus de chance.

— On a trouvé des papiers à l'intérieur, ai-je expliqué en dissimulant ma déception. Mais il faudra sans doute attendre pour l'inspecter plus en détail, j'en ai peur.

— Lorsque vous l'aurez ouverte, cherchez des éléments comme des cheveux, des traces de cosmétique, de verre ou de fibres… et aussi de terre et de végétaux. Du pollen. Peut-être des pigments de peinture. Bon, vous voyez. Et sortez-les avec de l'adhésif.

— Et ça ?

J'avais réparé la boîte de Castle Pinckney avec de l'adhésif. Bien qu'écrasée et brûlée, elle était encore en un seul morceau. C'était sur elle que reposaient la plupart de mes espoirs.

— Alors là, on va pouvoir travailler, a annoncé Sundberg en étudiant une partie calcinée. On a utilisé un accélérateur de combustion – une huile, peut-être, ou un autre combustible.

— Qu'est-ce que ça nous apprend ? a demandé Hi.

— La combustion d'un accélérateur n'est pas totalement propre. Ils laissent un résidu. Alors bon, un chimiste pur et dur dira que les vrais accélérateurs ne sont que des composés et des gaz qui favorisent la combustion – comme un gaz contenant de l'oxygène – et non le combustible lui-même. Ce qui exclurait l'essence, l'acétone, le kérosène, etc. Mais dans le domaine de l'expertise, tout combustible chimique qui rend le feu plus chaud, plus rapide ou difficile à éteindre est considéré comme un accélérateur.

— Et en identifiant le résidu, on trouvera l'accélérateur.

J'avais compris.

— Et on saura ce qui a provoqué le feu.

— Et en sachant ça, on pourrait avoir une idée du suspect, a achevé Hi. Si une bombe était pleine de butane, on pourrait commencer par chercher chez les fumeurs, à cause des briquets.

— Exactement.

Anders a sorti du matériel des tiroirs.

— Le meilleur exemple, c'est la poudre. Même si elle est invisible, elle tache la main du tireur. C'est bien utile quand on veut savoir qui a tué qui.

— Ouais, trop fort, a fait Hi. Ensuite, on fait quoi ?

Anders a observé la boîte de près.

— Regardons ça…

Il a passé un long bâtonnet sur la zone calcinée ; l'extrémité en coton s'est recouverte d'une couche graisseuse et noirâtre.

— Gagné, a dit Anders, l'air content de lui. Cette saleté a entretenu le feu qui a abîmé la boîte. C'est le jackpot.

— Excellent.

Mon optimisme revenait. Peut-être que ça marcherait, après tout ?

— Comment identifier cette substance ?

— Il faut la faire passer dans un spectromètre de masse, ou un microscope électronique à balayage. Les enquêteurs sur les incendies peuvent utiliser une technique de chromatographie dite « de l'espace de tête », qui dissocie les mélanges gazeux pour trouver leurs composants individuels. Ou encore, si vous aviez une idée du type d'accélérateur utilisé, vous pourriez essayer une analyse chimique, avec des réactifs.

— Génial ! On commence par quoi ?

— C'est une analyse compliquée, Tory. Ces machines sont extrêmement coûteuses. Nous consacrons rarement du temps à des projets annexes. Votre professeur ne peut raisonnablement pas attendre de vous que vous meniez une étude microscopique complète. Comment pourriez-vous ? Je pense qu'un simple prélèvement devrait suffire.

— Mais bien sûr !

Hi m'a décoché un coup de coude.

— Quelle blagueuse, cette Tory : « Allez, on va lancer un spectromètre de masse. » Elle est impayable !

— Tu as raison, ai-je reconnu avec un rire forcé. Le prélèvement devrait largement suffire.

Mais comment est-ce que j'allais l'identifier ?

J'en aurais gémi de frustration. Et d'inquiétude. J'avais encore en tête les menaces sinistres du Meneur de Jeu. Je ne pouvais pas en parler à Anders, mais nous devions absolument faire ces tests.

Hi a commencé à ranger nos affaires, en prenant tout son temps.

— Je pense qu'on a vraiment fait des progrès. C'est de la dynamite. On aura la première place pour le... euh... concours de devoirs de chimie. Du coup, on aura des vestes assorties, peut-être avec un brassard sympa représentant le tableau périodique des éléments...

Je lui ai fait signe de se taire.

L'analyse chimique, c'était une grosse affaire. Je n'avais qu'une seule idée.

Malgré la richesse de sa famille, le père de Jason avait tourné le dos à la tradition familiale quand il était jeune : il avait décidé de protéger et de servir, suivant la devise de la police. Après des années de travail comme enquêteur aux homicides, il avait finalement été promu directeur de ces services à la police de Charleston.

Est-ce que je devais essayer de ce côté ? La dernière fois, ça ne s'était pas bien passé, et qu'est-ce qu'il faudrait raconter à Jason pour qu'il me croie ? Pour les demandes bizarres, je n'étais plus très crédible. Même aux yeux de mon propre père.

— Vous savez qui se spécialise dans ce genre d'analyse ? ai-je demandé d'un ton désinvolte.

— La police, a répondu Sundberg. On a un meilleur matériel, mais ils ont le savoir-faire.

Il m'a regardée d'un air étrange.

— Pourquoi tu me demandes ça ?

— C'est pour le projet. On est censés... il faut qu'on réponde à une série de questions judiciaires. Je pense qu'on doit interroger un expert.

— Pas de problème. Voyons voir… Il y a un type de la police scientifique en ville. Il s'appelle Eric Marchant. En fait, Hudson le connaît bien – si vous arrivez à lui parler. D'après ce que je sais, Marchant est l'un des principaux experts de Charleston. Un caïd de la balistique.

Hum. C'est un début.

— Merci infiniment pour votre aide, a dit Hi en donnant une petite bourrade à un Anders étonné. Bien sûr, on vous remerciera vraiment lorsque notre devoir remportera le prix Nobel de la recherche la plus géniale. On vous mettra même en note.

— Trop aimable. (Sèchement.) Je peux dire à Kit que vous avez terminé ici ?

— Ouais ! Prête à décoller, Tory ?

— Oui. Merci, Anders.

— C'est toujours un plaisir.

Anders est parti avec un petit salut.

— Au moins, on a trouvé quelque chose, non ? a dit Hi en récupérant la lettre du Meneur. On a pas tout à fait perdu notre temps.

— Pas du tout. Allez, on rentre en parler aux autres.

Je me suis dirigée vers la sortie d'un pas un peu plus léger. On n'avait pas encore de réponse, mais au moins un point de départ. Un progrès.

Pour la première fois depuis que Coop s'était blessé, je me sentais plus calme. L'impression humiliante de me faire manipuler s'était atténuée. Elle n'avait pas disparu – on était toujours les marionnettes du Meneur – mais la blessure d'amour-propre était moins douloureuse.

Prends garde à toi, le Meneur.

J'en souriais presque en attendant l'ascenseur.

Tu as choisi le mauvais adversaire.

17.

Le chef de la sécurité alluma les lumières.

Les halogènes inondèrent le labo 2 d'une lumière irréelle, faisant luire la montre et la plaque d'identification de Hudson.

L'homme se dirigea vers le centre de la pièce, effectua lentement un tour complet et s'arrêta, grattant son menton bien rasé.

C'est inutile.

Pourtant, ses instructions étaient claires. Surveiller la fille Brennan. Suivre ses déplacements sur l'île. Découvrir si elle fouinait là où cela ne la regardait pas.

Il se tenait donc là, à inspecter un laboratoire vide. Une quête vaine.

Cette fille ne laisse pas derrière elle une traînée de fumée magique.

Hudson fit rapidement le tour des lieux, cherchant un indice de ce que Brennan et le gros gosse avaient pu faire. Rien. Ils avaient nettoyé derrière eux.

Hudson avait bien appris deux ou trois choses. Brennan travaillait avec le Dr. Sundberg. D'après son localisateur, il n'avait pas bougé du labo 2 tant que la fille s'y trouvait.

Quel lien y avait-il ?

Hudson se promena dans le labo, faisant glisser un doigt sur la paillasse vissée au mur. Il inspecta une fois encore les placards, tiroirs et récipients, les gadgets divers et les machines – cherchant du désordre, une bizarrerie, une trace d'utilisation.

Rien. Comme s'ils n'avaient jamais été là.

Peut-être que leur visite était innocente.

Cette gamine traînait toujours dans les parages, elle et ses copains. Ils étaient partout, à grouiller sur l'île comme ces fichus singes. Certains chuchotaient qu'ils avaient fait ami avec une meute de chiens sauvages ! Hudson n'arrivait pas à imaginer pourquoi le directeur Howard laissait ces animaux en liberté.

Ou sa fille, d'ailleurs.

Hudson soupira. Il ferait simplement son rapport. Et franchement, il ne savait rien. Mais il valait mieux un rapport insuffisant que pas de rapport du tout. Dans cette affaire, il n'avait pas droit à l'échec.

Sur un dernier regard, Hudson éteignit les lumières d'un geste sec et se dirigea vers la sortie.

18.

Au menu, on nous proposait des hamburgers avec un mélange de légumes en dés.

Même les meilleurs établissements ont leurs mauvais jours de cantine, et Bolton ne faisait pas exception. Voilà pourquoi j'emportais un pique-nique, d'habitude. Ce jour-là, c'était un sandwich concombre-fromage à tartiner, des chips et un Coca Light. Je n'ai jamais prétendu être une obsédée de la diététique.

— Je vous dis qu'on n'a pas besoin de lui.

Ben n'en démordait pas.

— Et qu'il ne voudra pas nous aider, de toute façon.

On était assis dans notre coin habituel. Autour de nous, la cafétéria résonnait du bruit des assiettes, des couverts et des bavardages. Je l'entendais à peine. J'étais concentrée sur les trois paires d'yeux sceptiques en face de moi.

— Le père de Jason est policier. (Je le répétais pour la troisième fois.) On essaye de contacter un expert de la police. Pourquoi on refuserait d'utiliser ce contact, hein ?

— Les règles du Meneur, a répondu Ben en baissant la voix. On ne doit parler à personne. Des gens pourraient en souffrir.

Hi et Shelton étaient assis de chaque côté de Ben. On s'était installés comme ça pour que Jason puisse s'asseoir à côté de moi, mais pour l'instant, ça ressemblait surtout à un peloton d'exécution.

— Ben a peut-être raison, a dit Hi en ôtant péniblement sa veste à l'envers. Les règles du Meneur ne parlent pas de ce point en particulier, mais je doute que cela lui plaise.

Ma patience s'épuisait :

— Tout ce qu'il nous faut, c'est une introduction. Jason peut transmettre un message à cet Eric Marchant, et ensuite on lui donnera le prélèvement. Simple.

— Qu'est-ce qui te fait croire que Marchant nous aidera ? a demandé Shelton. On ne le connaît pas. En plus, je croyais que ces labos ne s'occupaient pas de projets annexes ?

— C'est pour ça qu'on a besoin de Jason, ai-je répondu, exaspérée. C'est lui notre contact.

— Il arrive, a annoncé Hi.

Un temps.

— Vous avez déjà remarqué comment Jason porte ses cravates courtes ? On dirait un vendeur d'assurances. Il pourrait déjà apprendre à faire un nœud Windsor.

Shelton a explosé de rire, Jason s'est assis à côté de moi.

— Il y a quelque chose de drôle ?

— Le hoquet, a expectoré Shelton.

— D'accord. (Jason semblait de bonne humeur.) Désolé pour le retard. Je n'ai pas ouvert mon casier avant la fin de la troisième heure, et je viens juste de lire ton message. Qu'est-ce qui se passe ?

Avec un doux sourire – plein d'espoir – j'ai expliqué :

— On a un service à te demander.

— Enfin, elle a un service à te demander, a corrigé Ben.

Bon sang, Ben ! J'avais besoin de tout sauf de ça.

Jason, pour mon plus grand soulagement, a fait semblant de ne pas avoir entendu.

— Je vis pour servir. Dis-moi.

— Il faut que je contacte quelqu'un au labo de la police de Charleston.

J'ai poursuivi, comme si c'était la chose la plus normale du monde :

— Un expert nommé Eric Marchant.

— Et tu espères que je puisse te faire entrer en contact avec lui, a conclu Jason avec un sourire amusé. Qu'est-ce que tu as fait, cette fois ? Tu as tué quelqu'un ?

Ben a poussé un gros soupir :

— Tu peux aider Tory ou pas ?

Jason s'est un peu raidi :

— Si toi, tu n'as besoin de rien, qu'est-ce que tu fais ici ?

— J'étudie les idiots dans leur habitat naturel, a répondu sèchement Ben. Ça m'a semblé une bonne occasion d'en observer un de près.

Jason s'est penché vers lui.

— Tu veux de la proximité ? On peut aller dehors, tu verras ça de plus près.

Hi et Shelton ont posé la main sur les épaules de Ben. J'ai aboyé :

— Ça suffit ! Ben, arrête et excuse-toi.

Ben m'a fusillée du regard. Puis il s'est rassis, bras croisés, et a lâché un « Désolé » qui n'aurait pas pu être moins sincère.

Jason a observé Ben tranquillement.

— Pas de souci, mon pote. Les malentendus, ça arrive.

Ben a rougi, mais tenu sa langue.

— Je prévois un cadeau pour l'anniversaire de mon père, ai-je expliqué aussitôt. Un scientifique du LIRI a dit que je devrais parler à Marchant.

— Pour quel projet ?

— Je ne peux pas te le dire.

D'un air gêné, j'ai ajouté :

— Ça gâcherait la surprise.

Jason a fait la tête :

— Mais la surprise, elle n'est pas pour moi.

Les garçons avaient raison. C'était un lamentable prétexte.

Malheureusement, malgré tous mes efforts, je n'avais trouvé aucune raison plausible d'avoir besoin d'un expert de la police. Une raison qui n'entraînerait pas d'autres questions. Des questions auxquelles je ne pouvais pas répondre.

J'ai donc continué bille en tête, espérant que cela allait avoir l'air moins faux que je ne croyais.

— Mon père adore l'histoire. La semaine dernière, j'ai trouvé une vieille caisse enregistreuse au marché des antiquités. J'étais sûre qu'il adorerait.

J'évitais le regard de Jason. *Une vieille caisse enregistreuse ?*

— C'est de la bombe, a ajouté Hi. Des boutons partout. Trop bien pour faire des additions.

— Le problème, ai-je continué, c'est que le mécanisme a besoin d'une huile particulière pour fonctionner correctement. Je ne sais pas laquelle, mais on m'a dit que Marchant pourrait identifier ce genre de chose si on lui donnait un échantillon.

Jason me regardait de travers :

— Tu as besoin d'un expert de la police scientifique pour identifier l'huile d'une vieille caisse enregistreuse ?

— Humm moui.

J'essayais de ne pas trop gigoter sur ma chaise. C'était grotesque.

— Tu te mets vraiment dans les trucs les plus bizarres.

— Tu m'aideras, alors ?

Sourire à mille watts.

— Oui, pourquoi pas ? Je peux appeler et me renseigner, pour Marchant.

— Oh, merci !

J'ai sorti le prélèvement de mon sac et l'ai tendu à Jason. Il l'a pris et brandi comme une matraque :

— À une condition.

— Bien sûr.

— Il faut que je voie cette incroyable caisse enregistreuse.

Oups...

Hi et Shelton ont frémi. Ben s'est subitement intéressé à la conversation.

Jason n'y a prêté aucune attention.

— Tu me montreras cette machine... entre quatre yeux.

— Entre quatre yeux, gna gna gna... a répété Ben.

Il s'est levé :

— Allez, je m'en vais, ça me fait trop mal au bide de voir ça.

Jason s'est levé d'un bond, narines palpitantes. Ben s'est arrêté net.

Silence de mort dans la cafétéria. Tout le monde regardait les deux qui se faisaient face.

— Je ne suis pas du genre violent, Blue, a craché Jason. Mais j'en ai assez de ta grande gueule. Je vais te la démolir, et tout de suite.

— Tu crois ça, fils à papa ?

— Tu m'as très bien entendu.

Une veine palpitait dans le cou de Jason.

La respiration de Ben s'est accélérée, et une minuscule étincelle dorée est apparue dans ses yeux.

J'ai senti mon estomac se nouer.

Oh, mon Dieu ! Il va partir en flambée !

— Sortez-le de là ! ai-je sifflé à Hi et Shelton. Vite !

Conscient du danger, Hi s'est levé aussitôt et a poussé Ben vers la sortie, en lui murmurant :

— Réfléchis, réfléchis, réfléchis !

Ben a voulu résister, mais Shelton s'est joint à Hi :

— Reprends-toi ! Il y a des gens qui nous regardent. Contrôle-toi !

Hi et Shelton ont peu à peu réussi à éloigner Ben, qui ne quittait pas Jason des yeux. À la sortie, Ben s'est dégagé et s'est éloigné seul dans le couloir.

J'ai enfin pu respirer.

Crise évitée. De justesse.

La cantine s'est remplie de rumeurs agitées. Des élèves regardaient dans notre direction, dans l'espoir d'assister à une nouvelle scène. Jason s'est rassis. Je ne savais pas quoi dire.

— C'était… Jason, je suis vraiment désolée. Je ne sais vraiment pas pourquoi…

— C'est vrai, tu n'en as aucune idée, hein ? a lancé Jason. Tout le monde a compris, sauf toi.

— Compris quoi ?

— Laisse tomber. Je vais contacter Marchant. Ça prendra peut-être quelques jours avant qu'il t'appelle. C'est bon ?

— Oui. *(Bien obligée.)* Et merci encore.

Mais le commentaire de Jason me troublait.

— Lorsque tu as dit que tout le monde sauf moi…

— Faut que j'y aille. À bientôt.

Jason est sorti d'un pas vif, faisant un petit salut à Shelton et Hi, qui se hâtaient vers nous. On a tenu une conférence à voix basse, oubliant le déjeuner.

— Mais c'était quoi, ça ? a demandé Hi, l'air aussi inquiet que moi.

— J'ai vu la tête que tu faisais, Tory.

Shelton regardait autour de lui, à l'affût des oreilles indiscrètes.

— Ben a failli craquer, hein ? Il a presque… changé ?

J'ai fait signe que oui. Je n'osais même pas parler.

— C'est pas bon. Pas bon du tout.

— Il faut qu'on les sépare un moment, ces deux-là, a dit Shelton en évitant mon regard. Le temps qu'ils se calment.

Je me massais les tempes, hébétée.

— Ils ne sont jamais allés aussi loin.

Le regard de Ben quand Jason l'avait défié… c'était dangereux. À la limite de l'irrationnel. Se mettre dans une fureur telle qu'il avait failli partir en flambée *devant tout le monde*… Comment avait-il pu perdre le contrôle à un point pareil ? Est-ce que ça pouvait se reproduire ?

— Ben a toujours eu le sang chaud, mais ces derniers temps, c'est encore pire. Pourquoi, vous avez une idée ?

Hi semblait gêné.

— Hum ! Euh… Euh… Écoute, je suis sûr qu'il le surmontera. Ce sont des choses qui arrivent. Il faut juste qu'on lui laisse un peu d'espace.

— Oui… de l'espace, dit Shelton qui inspectait ses ongles. C'est sans doute le mieux.

Je les ai regardés d'un air soupçonneux. Est-ce que ces deux-là me cachaient quelque chose ?

J'allais les interroger quand Hi m'a devancée :

— Jason a dit qu'on risquait d'attendre plusieurs jours avant que Marchant n'appelle. Il nous reste combien de temps ?

Le Jeu. J'avais presque oublié.

J'ai ouvert mon sac, pour consulter l'iPad mais sans le sortir.

— Trente-six heures. Jusqu'à demain minuit.

— Alors, impossible d'attendre. Il faut qu'on résolve ce mystère.

— Tu as raison. J'en ai assez d'être promenée comme un yo-yo !

— Moi aussi je déteste ça, a dit Hi, mais pour l'instant, on doit respecter le scénario. On n'a pas le choix.

— Il nous faut une idée. Un plan d'attaque.

Shelton avait raison.

Mais je n'en avais pas.

Et le temps filait.

Tic-tac, tic-tac…

19.

— Tory ! Descends dîner !

Beuark.

J'ai fourré l'iPad dans un tiroir. Aucun progrès. J'avais seulement scanné et envoyé l'image aux autres. Shelton cherchait une image équivalente sur Internet.

— Tory !

La voix de Kit avait atteint le niveau deux.

— J'arrive !

Je me suis mis quelques barrettes dans les cheveux et j'ai filé en bas. Whitney était là, bien sûr. Je n'avais pas été informée qu'elle dînerait avec nous. Bien sûr.

Coop est venu me renifler la main.

— Bon chien. Couché au coin.

Coop s'est retiré dans son panier du salon, sous le regard inquiet de Whitney, qui craignait une attaque sournoise du chien-loup. *Pitié.*

Ces derniers temps, j'avais rappelé à Coop qu'on ne mendiait pas pendant le dîner. Kit avait insisté : pas d'animaux à table lors des repas. Sans exception.

Coop m'obéissait la plupart du temps. Enfin, quand ça lui convenait.

Moi, ça ne me dérangeait pas qu'il agace Whitney – cette pleurnicharde imbue d'elle-même qui détestait les chiens. Mais ça mettait Kit dans une situation délicate. Il valait mieux ne pas faire de vagues.

Encore une concession pour elle.

Kit était rentré tôt ce soir, nous surprenant toutes les deux. Son gros sac de courses entre les bras, il avait annoncé qu'il allait faire un barbecue. Whitney en avait presque pleuré de joie.

Le menu était évident : Kit savait faire des cheeseburgers délicieux, et c'était à peu près tout.

Il était parti vers le barbecue commun, traînant son sac de charbon. Mr. Devers l'avait rejoint avec trois steaks, suivi du père de Hi, avec du poulet mariné.

Il faisait doux, presque vingt-cinq degrés ; c'était l'une de ces soirées d'octobre parfaites du bord de mer. Les trois hommes avaient pris quelques bières, le temps que la viande cuise.

J'était heureuse que Kit puisse encore se détendre avec ses voisins. C'était lui leur patron désormais, mais ça n'avait rien changé sur Morris Island. Ils s'étaient raconté des histoires en riant : trois pères autour d'un barbecue improvisé, à l'aise les uns avec les autres.

C'est l'œuvre de Kit. Il ne se met pas au-dessus du lot, et les autres le sentent.

— Le dîner est prêt, a annoncé mon père en posant trois assiettes sur la table.

Whitney poussait des petits cris émerveillés, comme une oie. Je me suis jetée sur la nourriture.

Kit cuisinait ses burgers presque saignants. Ils étaient moins cuits que ceux de maman, mais je m'y habituais : je dévorais à belles dents, du jus dégoulinant sur le menton.

— Tory, tu as pris une décision, ma chérie ? a demandé Whitney en sirotant son pinot gris dans un verre à vin en cristal qu'elle avait sans doute rapporté de chez elle. Qui seront les heureux élus ?

— De quoi ?

— Tes cavaliers, Tory, a expliqué Whitney. Ce n'est jamais que la troisième fois que je te le demande. Le bal est vendredi prochain.

Oh, flûte ! J'avais réussi à l'oublier, lui.

Ces derniers jours, j'étais allée deux fois sur Loggerhead, j'avais accidentellement fait exploser une bombe dans Battery Park, j'étais passée par Claybourne Manor, et j'avais vu Ben imploser comme un volcan indonésien.

Mais Whitney voulait que je la tienne au courant de mes projets pour le bal. Quelle enquiquineuse !

— J'y réfléchis encore, ai-je répondu entre deux bouchées. Y'a des tas de facteurs à prendre en compte. Faut pas se tromper, pas vrai ?

— Ne parle pas la bouche pleine, championne. Whitney a besoin de ces noms le plus vite possible, et tu le sais.

— Et ce gentil Taylor, de Mount Pleasant ? a proposé Whitney en se tapotant les lèvres d'un ongle rouge cerise. James ? Non, Jason ! Le joueur de lacrosse avec les cheveux blonds.

Clin d'œil complice :

— Il est carrément mignon.

Ah, bah ! Whitney qui parlait de mes amis. Trop flippant.

Cela dit, il est carrément mignon. Impossible de dire le contraire.

— Ouais, chaipas, peut-être…

— Est-ce que tu voudrais que j'en parle à sa mère ? m'a murmuré Whitney. Si l'idée d'inviter un garçon te met mal à l'aise, on pourrait s'arranger pour que ce soit lui qui te le demande.

Je l'aurais cognée.

Il m'a déjà invitée, abrutie. Tout n'est pas aussi simple que toi.

— Je saurai me débrouiller toute seule. Je peux me lever de table ? J'ai un gros exam de chimie demain.

— Très bien, a dit Kit, mais Whitney a besoin d'une réponse pour demain soir. Plus d'atermoiements. D'accord ?

— D'accord.

J'ai fait signe à Coop de me suivre et j'ai filé à l'étage. Je me suis jetée sur mon lit, luttant contre une crise de panique. Depuis que je savais qu'il me fallait prendre cette décision, je l'évitais.

Qui inviter ? À quel valeureux jeune homme ferai-je l'honneur de traverser trois fois la salle de bal en ma compagnie ?

Non, parce qu'avec une star comme toi, ça va être l'émeute.

J'ai décidé de faire une liste. J'aime les listes. Elles m'aident à établir un cadre, à élaborer une stratégie, à trier le possible et l'impossible.

Prenant papier et crayon, j'ai écrit « Chance Claybourne ». Et je l'ai aussitôt barré.

Atterris. Mon subconscient était vraiment étrange.

D'abord, après ce que j'avais fait, Chance ne m'appréciait pas. Ensuite, il en savait beaucoup trop sur les Viraux, et il en soupçonnait d'autres. Enfin, il fallait que j'évite d'attirer l'attention, pas que je me pavane sur le devant de la scène. Chance était le pire choix possible.

Et pourtant, ça en jetterait grave, non ?

J'ai continué, notant le trio par défaut : Hi, Shelton et Ben.

J'ai entouré le troisième nom, avec un point d'interrogation à côté.

Ces derniers temps, Ben était à vif. J'adorais passer du temps avec lui, mais la dernière chose dont j'avais envie, c'était une scène pour mon bal des débutantes. Ces temps-ci, Ben démarrait au quart de tour. Saurait-il se contrôler ?

Ensuite, Jason. C'était parfaitement injuste, mais l'approbation de Whitney jouait beaucoup contre lui. Je me suis creusé la tête pour trouver d'autres choix, écœurée de ma propre stupidité.

Quels autres choix, au juste ? Tu n'as jamais eu d'autre liste.

Il existait une solution de facilité : emmener les autres Viraux et me cacher dans un coin toute la soirée. Whitney et Kit seraient là, mais ils ne pourraient pas m'obliger à aller voir des gens. Quelques heures à tuer le temps avec mes amis, puis un petit tour sur la piste et hop, terminé.

Alors, pourquoi est-ce si difficile ?

Parce que Jason, c'est vraiment le choix parfait.

Jason avait participé à des bals de débutante. Il était rodé. Mes copains, eux, seraient obligés de faire des recherches sur YouTube. Jason était apprécié dans ce genre de soirée. Mes amis n'existaient même pas. Si je demandais à Jason, Whitney me laisserait tranquille. En n'invitant que des garçons de Morris Island, je la ferais sombrer dans la dépression.

C'était sûr que Jason donnerait de la crédibilité à l'introduction de Tory Brennan au bal des débutantes. En plus, il m'avait déjà demandé, à moi.

Et en plus ça pourrait être, eh bien, comme si on sortait ensemble. Pour de bon.

J'ai tressailli. Où est-ce que j'avais bien pu pêcher cette idée ?

Mon œil est tombé sur le nom de Ben, encerclé.

Au moins là-dessus, je ne me faisais aucune illusion : Ben serait blessé si je choisissais Jason plutôt que lui. Il ne le montrerait jamais, mais je connaissais Ben Blue bien assez pour en être certaine.

Retour à la case départ.

Agacée, j'ai allumé mon Mac. J'avais besoin que Google me donne un coup de main. Quelques recherches plus tard, j'avais pris ma décision.

Ma liste contenait quatre noms.

D'après Internet, quatre était un nombre acceptable.

— Jason et Ben comme chaperons.

Ils étaient plus âgés, l'honneur leur revenait.

— Riri et Fifi comme accompagnateurs.

Je voulais que Shelton et Hi soient là. Comme toujours, plus on était nombreux, plus on était en sécurité.

En y réfléchissant, ça paraissait un bon choix. Whitney serait si contente que j'aie choisi « un garçon d'une bonne famille sudiste » qu'elle accepterait la présence des Viraux. Gagnant-gagnant, non ?

Alors, pourquoi est-ce que j'étais tendue comme une corde de banjo ?

Maman me manque.

Les larmes sont sorties sans que je m'en rende compte. Les sanglots menaçaient. J'ai tout de même réussi à tenir la douleur en respect.

Elle jaillissait de nulle part. Ça arrivait parfois.

— Assez.

Je me suis essuyé les yeux.

Maman aurait détesté la frivolité d'un bal des débutantes, mais elle aurait adoré m'aider à choisir mes cavaliers. On en aurait ri. Ensemble.

J'ai scruté mon cœur, là où se trouvait mon amour pour elle. Je n'ai trouvé qu'un vide. Et j'ai failli m'effondrer de nouveau.

Tu me manques, maman. Tous les jours.

Coop s'est collé à moi comme une peluche velcro. Les pattes plantées sur mes genoux, il a bondi sur moi. J'ai failli tomber de ma chaise.

— Couché ! Tu vas nous tuer !

J'ai roulé à terre et l'ai serré de toutes mes forces.

Coop a posé la tête sur ma poitrine. J'ai fermé les yeux et lui ai caressé le museau.

— Merci, mon chien. J'en avais bien besoin.

20.

Le lendemain matin, j'attendais devant mon casier.

Je n'avais pas pris la navette. Rendez-vous chez le dentiste. Six heures du matin. Kit m'avait amenée en voiture.

Après quarante minutes éprouvantes de grattage, polissage et curetage, j'avais finalement été remise en liberté conditionnelle. Je n'arrêtais pas de me toucher les dents avec la langue, pour vérifier qu'elles étaient encore là.

J'avais un plan. Inviter Jason en premier, juste pour être sûre qu'il était toujours partant. S'il disait oui, alors je déroulerais la liste. Ben. Puis Shelton et Hi.

Si Jason disait non, je mourrais de honte. Après ça, je demanderais à Ben d'être mon seul cavalier. Peut-être qu'il se sentirait mieux ainsi. Mais je ne voulais pas parler de Jason à Ben s'il n'y en avait aucune nécessité.

La chance était avec moi. Jason est apparu dans le hall, avant les autres.

Je lui ai adressé un salut maladroit :

— T'as une seconde ?

— Ouaip.

Jason s'est tranquillement dirigé vers moi.

— Ouaip ?

— J'essayais.

Jason s'est adossé au casier voisin. Il portait l'uniforme standard de Bolton, mais avec l'une des nouvelles cravates récemment autorisées : bleu nuit, parsemée de tout petits griffons blancs.

— Je voulais voir ce que ça donnait quand je disais « ouaip ».

— Moi, j'essaierais autre chose.

— Je suis d'accord.

J'ai ouvert la bouche, prête à débiter le discours que j'avais préparé.

Mais Jason ne m'en a pas laissé le temps. D'un air sérieux, il m'a déclaré :

— Je voulais m'excuser pour mon comportement à la cafétéria. Je ne sais pas ce que Ben a contre moi, mais c'est allé trop loin. Il faut qu'on règle la question. C'est ridicule de se disputer comme ça.

— Tu n'as aucun besoin de t'excuser. Ben a été stupide.

— Oui, mais je me suis laissé appâter.

— C'est lui qui a préparé l'hameçon. Je lui parlerai. Ben est quelqu'un de bien, je ne sais pas trop ce qu'il a.

— Tu ne sais pas trop ce qu'il a, a soufflé Jason. C'est ça.

Encore ce regard. Mais quoi ?

Jason a changé de sujet.

— J'ai laissé un message au type de la police, en lui donnant ton numéro de portable. C'est bon ?

— Oui, c'est parfait. Merci encore.

— Comme je te l'ai dit, ça peut prendre quelques jours avant qu'il ne t'appelle. (Jason a regardé sa montre.) Ça va bientôt sonner. Qu'est-ce que tu voulais ?

Mince ! Avec Jason qui sautait d'un sujet à l'autre, je n'avais eu aucune ouverture.

J'ai réprimé un gros soupir. Malheureusement, mon cerveau a choisi ce moment pour court-circuiter. J'ai bégayé :

— Le bal des débutantes.

Bien joué, Einstein !

— Je sais, oui. C'est vraiment bientôt. On va s'éclater.

D'un air suprêmement détaché, Jason m'a demandé :

— Avec qui tu y vas ? Quelqu'un que je connais ?

Non monsieur ! Tu ne m'arracheras pas la primeur de l'invitation.

— J'espérais que ton offre tenait toujours.

Jason a cligné des yeux, l'air ahuri. Un temps.

— Ben oui. Oui, bien sûr.

Sa réaction m'inquiétait. Est-ce qu'il était toujours prêt à y aller ?

J'ai senti la moitié de mon sang me monter aux joues. J'ai bafouillé :

— T'es pas obligé, je veux dire, si tu ne préfères pas, ou si tu as prévu d'escorter quelqu'un d'autre, alors…

— Non, non ! Je suis juste… étonné. Quand je te l'ai proposé, tu n'avais pas l'air trop… enthousiaste. Mais je serai ravi, a-t-il conclu avec un large sourire simiesque.

Waow.

— Super ! Tu seras mon cavalier, bien sûr. Ben sera l'autre, et Shelton et Hi feront les chœurs. Je veux dire, ils seront mes accompagnateurs, ai-je précisé, lamentable.

— Ben, hein ?

Le sourire de Jason s'est un peu crispé.

— Ça devrait être intéressant.

— Ce sont mes meilleurs amis, Jason. Je ne peux pas y aller sans eux.

— Tout à fait, et d'ailleurs tu ne devrais pas y aller sans eux. On va s'arranger pour que ça se passe bien. Promis.

— Merci.

Pleine de maturité, la réaction de Jason me rassurait. Ça allait bien se passer. Pas vrai ?

La première sonnerie a retenti. Cinq minutes avant les cours. J'ai dit au revoir à Jason et chacun est parti de son côté. Je me suis assise juste en même temps que Shelton et Hi.

Le cours de mathématiques s'étirait. De sa voix nasillarde et pointue, Mr. Terenzoni rabâchait les équations griffonnées sur le tableau blanc. J'essayais d'y prêter attention, mais mon esprit était ailleurs.

L'indice du Meneur de Jeu restait un mystère. Quelle que soit la méthode utilisée, je n'y comprenais rien. Shelton tentait différents codes, mais en vain pour l'instant. Hi était tout aussi perplexe, et Ben ne semblait même pas essayer.

Le compte à rebours continuait jusqu'à minuit. Pour la première fois, j'ai commencé à douter qu'on réussisse.

Que se passerait-il si on échouait ? Qui en payerait le prix ?

— Mademoiselle Brennan ?

J'ai levé les yeux brusquement. Mr. Terenzoni caressait son collier de barbe noir, l'air visiblement agacé.

— Nous attendons.

— Douze ?

La réponse standard. Je n'avais aucune idée de la question.

— Non, mademoiselle Brennan. La réponse n'est pas douze. La réponse est le théorème de Green.

Quelques ricanements ont flotté dans la salle. Mr. Terenzoni hochait tristement la tête.

Le visage écarlate, j'ai évacué mes problèmes et je me suis concentrée pour ne pas avoir l'air stupide deux fois de suite.

*
* *

J'ai foncé sur ma proie suivante juste avant le déjeuner.
— Ben ? Il faut que je te demande quelque chose.
— OK.
— Mon bal des débutantes est vendredi soir prochain.
Aucune réaction. Parfois, Ben ne facilitait pas la conversation.
— Je suis censée inviter des garçons. Des cavaliers pour la cérémonie, et des accompagnateurs, aussi.
Toujours rien.
— Est-ce que tu voudrais bien en faire partie ? Des cavaliers, je veux dire. Pour m'escorter.
Pendant une seconde, Ben m'a regardée sans rien dire. Ça m'a un peu irritée :
— Il ne faut pas que ça te demande un trop gros effort. Tu auras besoin d'un smoking, et il faudra bien te tenir avec des dizaines de mécènes de Bolton. Tu y arriveras ?
Ce n'était pas l'approche prévue, mais son apathie m'avait agacée.
Ben resta silencieux pendant un long moment, puis :
— Bien sûr.
— Très bien, alors. Affaire réglée, ai-je conclu comme si on venait de signer un traité.
— Qui d'autre vient ?
— Shelton et Hi seront mes accompagnateurs. Et Jason, aussi. Il sera mon cavalier avec toi.
Ben s'est arrêté net :
— Jason ?
Je me suis empressée d'expliquer :
— La copine de Kit apprécie sa famille. Et c'est elle qui s'occupe de moi, pour le bal. En plus, Jason connaît les ficelles, et il avait déjà demandé s'il pouvait m'accompagner, alors…
— Attends.
Le regard de Ben s'est assombri.
— Jason t'a demandé s'il pouvait venir ? Quand ça ?
— Pendant un brunch, cet été.

Quelle importance !

— Je n'ai jamais répondu, mais Whitney insiste, donc j'ai dû choisir.

J'ai pris un air exaspéré :

— Tu sais, j'ai même pas envie d'y aller, à ce truc débile !

Ben a ouvert la bouche, mais il a changé d'avis et, sans dire un mot, s'est éloigné à grands pas.

— Ben, attends !

Il s'est arrêté, mais sans se retourner.

— Tu m'accompagneras ou pas ?

— Oui.

Puis je me suis retrouvée seule, devant la cafétéria.

— Fantastique. Absolument fantastique.

*
* *

— Il me faut un smoking ? m'a demandé Shelton, les yeux écarquillés derrière ses verres épais. Et si on danse ? Je ne serai pas obligé de danser, non ?

On était assis à notre table habituelle, dans un coin, près de la sortie de secours. La table la plus proche était vide, ce qui nous convenait très bien. Hi et Shelton mangeaient des sandwichs et moi une bisque de crabe. Whitney avait commencé à me préparer des pique-niques, proposition humiliante que je n'avais pas eu le courage de refuser.

Maudite soit-elle de m'acheter ainsi ! Et ça marchait. Que je sois maudite.

Aucune trace de Ben.

— Bien sûr que non, tu ne seras pas obligé. Vous n'aurez aucune fonction officielle, tous les deux. Il s'agit juste d'y aller et d'y passer la soirée. Et je vous serais vraiment reconnaissante d'accepter.

— Oui, oui, mille fois oui ! (Hi s'est essuyé la bouche.) Petits fours gratuits, fête gratuite. Que demande le peuple ? Je peux faire ma danse du robot.

Il nous a gratifiés d'une démonstration, toujours assis à table.

— Très sympa. Je ne savais pas que le break dance revenait à la mode.

— Maintenant, tu le sais, a répondu Hi en ouvrant un paquet de chips. Je fais aussi des mimes qui tuent.

— Ben et Jason viennent aussi, alors ?

Shelton a ôté ses lunettes. Ses grands yeux semblaient nus.

— Ça pourrait tourner au… vilain.

— Jason n'a pas l'air gêné, mais Ben…

Je n'ai rien ajouté. Que dire de plus ?

— On va arrondir les angles, avec lui. En plus, Ben ne se permettrait jamais de te faire honte à la plus grande soirée de toute ta vie – ta seule chance de faire un beau mariage.

— Qu'est-ce que t'es drôle !

Je lui ai lancé un bout de carotte, mais Hi l'a esquivé.

— Combien de temps il nous reste ? a demandé Shelton.

J'ai jeté un œil à l'iPad. Moins de douze heures. Et le temps passait.

— Si on ne résout pas ce problème d'ici minuit, on perd. Et Dieu sait ce qui arrivera.

— Le Meneur nous l'a bien dit, ce qui arrivera. Boum ! Quelque part. N'importe où. Avec des victimes innocentes.

Les paroles de Shelton m'ont glacée. J'avais oublié le danger. Ce que l'échec signifiait.

Il faut qu'on prenne cette affaire au sérieux. Il faut qu'on gagne.

— On se retrouve après les cours ? a proposé Hi. Sauf si vous voulez sécher l'anglais et partir plus tôt. Moi, ça ne me dérange pas de rater la vieille Mrs. Mixon et son interprétation théâtrale de Shakespeare.

— Le risque n'en vaut pas la peine. Il ne faut pas qu'on attire l'attention. On a tout l'après-midi. Ça devrait suffire.

— Je ne sais pas, Tor, a répondu Shelton d'un air inquiet. J'ai essayé une dizaine de codes. Aucun n'a marché, et je n'ai plus d'idées. Il serait peut-être temps d'en parler à la police, puisqu'on n'arrive pas à déchiffrer le message ?

— Il a raison, a reconnu Hi à contrecœur. On ne peut pas rester là à se tourner les pouces en attendant que l'horloge sonne. Et si c'était l'iPad lui-même, la bombe ?

— D'accord.

J'en étais arrivée à la même conclusion.

— On va faire un dernier essai au bunker. Si ça ne marche pas, on appellera la police.

J'ai jeté un œil à l'écran.

12 :01 :57, 12 :01 :56, 12 :01 :55…

21.

— Livre-moi tes secrets, bon sang !

Hi, écœuré, a donné une claque à l'iPad. Cooper a dressé les oreilles, puis est retourné à son jouet.

Deux heures de travail pour rien. Le temps filait.

— Fini pour nous. Allez, appelons les limiers avant qu'il ne soit trop tard, a dit Shelton.

Ben, lui, n'était pas convaincu.

— On ne peut pas violer les règles. Si on parle, le Meneur de Jeu fera exploser la bombe.

— Depuis quand tu te soucies autant des règles ? a grogné Shelton. Et si on ne résout pas l'énigme, la bombe explosera, de toute façon. Cette image, ça pourrait être n'importe quoi !

J'ai contemplé l'image en question. Le chiffre 18, entouré de lettres et de chiffres, à l'intérieur d'un cercle noir. Le tout dans un cercle bleu, surmonté d'un K.

Qu'est-ce que ça veut dire ? Qu'est-ce qu'on a raté ?

— Il faut essayer autre chose. Une autre manière d'étudier le problème.

— J'ai tout essayé, a dit Shelton. Il n'y a aucune structure. Comment on est censés décoder des mots s'il n'y a aucune structure ?

— Ça me tue ! a gémi Hi.

Ben s'est remis devant l'ordinateur pour poursuivre ses recherches.

Une idée m'est venue :

— Et s'il n'y avait pas de structure, en effet ?

— Hein ?

Shelton semblait perdu.

— Dans ce cas, laisse tomber pour le décodage.

J'hésitais.

— Peut-être que ce n'est pas un message. En tout cas, pas un message direct, comme la dernière fois.

J'ai griffonné les chiffres et les lettres sur une feuille. CH3OHHBRCH3BRH2O. Rien. L'inspiration ne venait pas.

— On aurait mieux fait de sécher les cours.

Hiram s'est levé d'un bond.

— La chimie !

— Du calme, a dit Shelton. Le devoir n'est pas à rendre avant lundi.

— Non ! Non ! Regardez les trois dernières lettres ! H2O ! On est débiles, ou quoi ? C'est la formule chimique de l'eau !

— T'as raison ! Ce n'est pas un message, c'est une formule chimique !

— Alors résolvons-la.

J'ai récupéré mon manuel de chimie.

— Ça doit être une liste de différents composés chimiques. Il faut qu'on les identifie.

— Enfin des progrès.

— Seize caractères.

Je les ai séparés en deux groupes de huit.

— En coupant la série au milieu, les deux moitiés commencent avec CH3.

— Le méthyle, a dit Hi, sûr de lui. Mais en général, il est lié à un autre.

— O c'est l'oxygène, H l'hydrogène. Et un H de plus. Ça doit marquer le début d'un nouveau composé, sinon on aurait H2.

J'ai tracé une autre ligne dans le premier groupe, divisant CH3OH et HBR.

— L'équation doit être équilibrée, a ajouté Hi en montrant le second groupe : CH3BRH2O. Rien ne se perd dans une réaction chimique.

— Et on sait que la dernière partie, c'est l'eau. H2O.

J'ai tracé un troisième trait.

— Alors on y est. CH3OH. HBR. CH3BR. H2O. Les deux premiers composés doivent réagir pour former les deux seconds.

— Pour s'équilibrer. Sur le papier, ça fonctionne.

— Le premier, c'est CH3OH.

J'ai consulté le manuel. Gagné.

— Le méthanol. Un alcool simple ; léger, incolore et inflammable. Utilisé comme antigel, solvant et carburant.

Shelton prenait des notes.

— Ensuite ?

— HBR. Ah, ce n'est pas indiqué.

— C'est de l'hydrogène et du brome.

Hi cherchait sur l'ordinateur.

— Ensemble, ils produisent du bromure d'hydrogène, un gaz non inflammable. Dans l'eau, ça forme de l'acide bromhydrique. Ça sert à fabriquer des tas de trucs.

— Méthanol. Bromure d'hydrogène… Ces composés-là doivent résulter de leur combinaison.

— Exactement. Sinon, l'équation ne marche pas.

— CH3BR et H2O. Ce sont les mêmes éléments, mais organisés différemment.

— Ces deux-là sont les produits, a dit Ben.

— H2O, c'est facile. On sait que c'est de l'eau.

— Donc, le troisième composé doit être le produit de la réaction, a conclu Hi. C'est ce que tu crées en ajoutant du méthanol à du bromure d'hydrogène, avec l'eau comme sous-produit.

— CH3BR. C'est ça la réponse.

— BR, c'est toujours le brome, et je sais que CH3, c'est le méthane. Qu'est-ce que ça donne, ensemble ? Du méthabromine ? Du bromométhane ?

J'ai de nouveau consulté le manuel. Gagné !

— Du bromométhane.

— Pas mal, le nom, a gloussé Hi.

J'ai lu à haute voix :

— Le bromométhane, ou bromure de méthyle, est un gaz inodore, de forme tétraédrique, incolore et non inflammable, autrefois utilisé comme pesticide. Reconnu comme nocif pour la couche d'ozone, son usage a largement disparu dans la plupart des pays développés à partir des années 2000.

— Un truc contre les insectes ? C'est tout ?

— Il n'y a rien de plus dans le livre. Regardez sur Internet.

— J'y suis !

Quelques instants plus tard, Hi nous a lu :

— Le bromométhane était utilisé pour stériliser les sols, principalement pour la production de semences... et pour des cultures comme les fraises et les amandes. Les amandes, c'est un fruit. Eh ben, j'y connais rien...

J'ai réfléchi un instant.

— Je ne suis pas sûre que ça nous aide beaucoup. Autre chose ?

Un instant, puis :

— Pendant un moment, on a utilisé le bromométhane pour des extincteurs spécialisés destinés aux centrales électriques. Et sur les avions, aussi... Voilà, c'est tout.

— Il nous manque encore quelque chose, a dit Shelton.

— N'oubliez pas que l'équation entoure le nombre dix-huit, a rappelé Ben en montrant cette image exaspérante sur l'iPad. Ça doit jouer un rôle aussi. Sans parler de la lettre K en haut.

J'ai interrogé Hi du regard, perdue.

— Rien d'autre, a-t-il déclaré tristement. Je ne sais pas.

Shelton s'agitait, agacé.

Tout à coup, j'ai eu une idée.

*

* *

« Pour taper le nom de la personne que vous souhaitez joindre, appuyez sur la touche un ; sinon, restez en ligne... »

Bip.

J'ai commencé à taper le nom. S.U.N.D.B.... Zut, c'était un E ou un U ?

La messagerie m'a évité de deviner.

« Pour joindre le Dr. Anders Sundberg, appuyez sur 1. »

Bip.

« Un instant, je vous prie. »

Tut... tut...

— On n'a pas le droit de demander de l'aide, a protesté Ben. Ça va à l'encontre des règles.

— C'est différent. On ne révèle rien du jeu.

Shelton semblait mal à l'aise, mais Hi était d'accord.

— Je vais juste lui demander pour le produit chimique.

— Et de quel produit chimique s'agirait-il ? a demandé une voix à l'autre bout du fil.

J'ai failli crier.

— Dr. Sundberg ! Je suis si contente de vous joindre à votre bureau.

— C'est rare, mais c'est bien ce qui s'est passé. (Un temps.) Vous êtes…

— Tory Brennan. Désolée.

— Tory ?

Un peu étonné :

— Que puis-je faire pour toi ?

— Juste une petite question. Pour notre projet au lycée.

Je ne m'y prenais pas très bien.

— Est-ce que vous avez déjà entendu parler d'un produit chimique appelé « bromométhane » ?

— C'est ce que vous avez trouvé ?

La surprise de Sundberg s'est muée en inquiétude.

— Tory, le bromure de méthyle est une substance extrêmement toxique. Vous devez jeter le prélèvement, puis laver absolument tout ce que…

— Oh, non, encore désolée ! Ce n'était pas la substance que nous avons prélevée. Nous y travaillons encore.

— Bon, Dieu merci. Le bromométhane, c'est une saleté. Que devez-vous faire, alors ?

— Une étude de cas. (J'ai improvisé :) On nous a demandé d'évaluer les éventuelles sources d'une contamination localisée.

— Ah, je vois. Intéressant. Mon lycée ne nous donnait jamais des devoirs sympas comme celui-là.

— Allez, Bolton, ai-je lancé, pitoyable. Vous avez une idée, alors ?

— Mieux, je crois que j'ai la réponse. Le bromométhane a été largement utilisé dans la zone de Charleston il y a quinze ans, mais restreint à un seul usage ou presque : l'entretien des terrains de golf.

— Du golf ? Vraiment ?

— Tout à fait. C'était très efficace pour contrôler les mauvaises herbes. En particulier sur les greens. Mais le pesticide s'est infiltré dans la nappe phréatique, les criques, les cours d'eau et les estuaires, en provoquant d'importants dégâts environnementaux. Le bromométhane est désormais interdit – ses effets secondaires sont trop dangereux.

Un lointain souvenir remontait à la surface. Quelque chose m'échappait, mais quoi ?

— Comment savez-vous tout cela ? ai-je demandé.

— Je suis biologiste marin, tu te rappelles ? En 1998, nous avons repéré une destruction massive des poissons par pollution au bromure de méthyle. Ce n'est pas pour me tresser des lauriers, mais j'ai contribué à son interdiction, a expliqué Anders, d'une voix satisfaite.

J'ai pris le temps d'assimiler l'information.

— Autre chose ?

— Au débotté, non. Mais s'il s'agit bien de ce produit, je serais étonné que vos travaux débouchent sur un autre résultat.

J'ai remercié Sundberg avant de raccrocher. Trois visages rayonnants me regardaient. Même Coop semblait sentir notre enthousiasme. Il s'est levé pour venir me voir.

— Dans la région, le bromométhane a été utilisé pour traiter les greens.

Les garçons avaient tout écouté. En fait, Hi avait l'air excité au point de se faire pipi dessus.

Il a écarté les bras dans un geste de victoire :

— Et combien de trous il y a dans un parcours de golf ?

— Dix-huit !

Bien sûr. 18. La partie centrale de l'image.

Ben a cogné du poing sur la table.

— On se rapproche.

— Il doit y avoir le golf dans la réponse !

— Chut ! Laissez-moi réfléchir.

Les garçons ont échangé un regard, mais ils m'ont obéi. J'avais besoin de me concentrer.

Un pesticide. Le nombre dix-huit. Un terrain de golf. Ces pièces s'emboîtaient bien. Je me suis efforcée d'en ajouter d'autres, en regardant le puzzle d'un œil nouveau.

— Le 18 se trouve à l'intérieur d'un cercle… Noir, comme un trou.

— Le golf, encore ! Le dix-huitième trou.

J'ai fait signe à Hi de se taire. Shelton a commencé à s'agiter. Ben se contentait de me regarder.

— Le dix-huitième trou d'un terrain de golf. Alors, que veut dire le K, au dessus ?

— Une balle dehors ? a proposé Hi. Ou le symbole du Ku Klux Klan… ou peut-être une céréale « très spéciale » de petit déjeuner ?

Shelton réfléchissait dur, lui aussi. Je faisais tourner les données dans mon cerveau, mais rien n'en ressortait. Un K ? Seul ? Quel sens avait-il ?

— Pourquoi pas Kiawah ? a murmuré Ben.

— C'est possible. Kiawah Island possède des terrains de golf incroyables.

— Peut-être.

Mais je n'en étais pas sûre. Est-ce que c'était aussi simple ?

— Il nous en faut plus pour continuer.

Shelton tapait nerveusement dans ses mains.

— On n'a plus beaucoup de temps.

— Le golf de l'Océan, sur Kiawah, est censé être le meilleur. Il accueillera bientôt le championnat pro PGA. Ce tournoi est très dur à avoir.

Un déclic.

J'ai regardé l'écran de l'iPad. Il restait un élément.

Autour du cercle noir. Un autre, plus grand. Bleu.

— Comme l'océan.

— Hein ? Tu dis ?

Ben a souri pour la première fois de tout l'après-midi. Ça faisait plaisir à voir. Lorsqu'il daigne montrer ses perles blanches, Ben passe de l'ado maussade au charmant jeune homme. Je préférais le second – et de loin.

— C'est bon, les gars, on a réussi.

J'ai levé les bras au ciel, triomphante. Même Coop, impressionné, a fait un pas de danse.

On avait cassé le code du Meneur de Jeu. On pouvait encore gagner.

— Kiawah Island ! Et je sais exactement où aller voir !

22.

Le *Sewee* fendait les flots, son étrave projetant de l'écume.

Dix heures du soir. On avait attendu le plus longtemps possible.

Impossible de traîner sur le terrain de golf le plus réputé de la ville tant qu'il y aurait des gens dans le coin. Mais le temps ne jouait pas en notre faveur.

Le compte à rebours expirait dans deux heures. Il fallait donc faire ce qu'il y avait à faire avant.

Nous avions tous revêtu des vêtements de sport de couleur sombre. Rien de trop sinistre non plus : le golf de l'Océan était célèbre, et même tard le soir, on pouvait nous voir. Inutile d'avoir l'air de délinquants alors que nous nous préparions à commettre un délit…

J'étais assise à la proue, un bras passé autour du cou de Coop. Le chien-loup n'était pas sur la liste des invités, mais il avait poussé des gémissements, mettant mon évasion en péril. Kit avait continué de ronfler, mais j'avais décidé de ne plus risquer de bruits canins.

Ben pilotait, bien sûr. Il avait choisi de passer par l'océan plutôt que de s'aventurer de nuit dans les méandres compliqués du canal littoral. Notre objectif était proche, à deux îles au sud.

Hi et Shelton se tenaient côte à côte, à la poupe. Personne ne parlait. C'était plus risqué de faire le mur en début de soirée qu'après minuit, comme on le faisait d'habitude, et les garçons semblaient nerveux.

Un croissant de lune éclairait notre chemin depuis la côte. La brise était légère mais fraîche. J'avais mis un K-way bleu du LIRI que je laisserai dans le bateau.

On est passés au large de Folly Beach. On arrivait à Stono Inlet quand une ombre noire s'est dressée à l'horizon, juste devant nous.

Kiawah est une île barrière longue et étroite, qui sert principalement de complexe balnéaire haut de gamme. Exclusive et privée, avec un millier de résidents permanents, cette bande de terre reste relativement calme. Cinq parcours de golf de niveau international s'étendent de l'Atlantique jusqu'à l'intérieur des terres, à la végétation dense.

Le parcours de l'Océan est le plus réputé.

Ben a longé la plage, passant devant une série de trous impeccablement entretenus. Quelques minutes plus tard, on a aperçu un grand bâtiment qui se dressait juste derrière la première rangée de dunes.

— Je vais m'approcher le plus possible, a soufflé Ben.

— Le dix-huit est juste sur la plage. Près du club-house. À cette heure-ci, il ne devrait y avoir personne, donc on ne risque pas de se faire repérer.

Le club-house était une bâtisse à deux étages en forme de U, avec d'imposantes fenêtres surplombant l'océan. Les lumières extérieures éclairaient un green au pied de l'immeuble. Avec ces halogènes et la lune, la visibilité était excellente.

— Il faut espérer que personne ne soit là, a dit Shelton. On y voit comme en plein jour.

Ben a coupé le moteur et jeté l'ancre. On a ôté nos chaussures et pataugé jusqu'à la rive avec Coop. Je suis montée en haut d'une petite dune et j'ai constaté avec soulagement qu'aucun résident n'habitait aux alentours. Tant que le club-house était vide, on ne risquait rien.

Le green était plat, de forme ovale, et entretenu à la perfection. Un bunker se trouvait à l'autre bout. L'endroit n'était séparé du club-house que par une petite haie, tout au bout.

Hi est allé directement vers le trou et a fourré la main à l'intérieur.

— Rien ! Quelle déception !

J'ai vérifié : peut-être qu'il s'était trompé ? Bien sûr, c'était ridicule, mais j'étais tellement sûre que c'était là.

— Bon, ça n'a pas pris longtemps, a dit Shelton. Filons avant que la sécurité ne rapplique.

Si Hi était d'accord, Ben et moi n'avions pas bougé d'un pouce.

— C'est forcément là, ai-je insisté. L'indice conduisait directement ici.

— À condition qu'on ait bien lu, a protesté Shelton. Et qui sait ? Peut-être que tout ce jeu est une plaisanterie, et que le Meneur raconte des bêtises.

Non. Et je ne me trompe pas. On est au bon endroit. Je le sens au plus profond de moi.

Quelque chose ne collait pas. Mais quoi ?

Ben m'observait.

— À quoi penses-tu, Tory ?

— Le compteur nous donnait soixante-douze heures… Mais on aurait pu résoudre cette énigme n'importe quand. Et si on l'avait résolue bien avant, et qu'on était venus pendant la journée ? Le Meneur de Jeu ne pouvait pas laisser quelque chose dans le trou : les gens jouent toute la journée et tous les jours.

— C'est vrai. Tu penses à quoi ?

— On est au bon endroit. Mais il faut juste creuser un peu plus.

— Ne me dis pas que tu veux creuser dans ce green ! s'est écrié Shelton. Pitié, ne me le dis pas !

— Waow. (Hi hésitait.) Tory, c'est du sacré vandalisme. Il faut des années à ces greens pour être au point. Ils valent des dizaines de milliers de dollars.

Ben restait silencieux, imperturbable, mais tendu comme une peau de tambour.

— L'indice indique le trou. On n'a pas besoin de creuser ailleurs.

Le visage de Hi s'est éclairé.

— Attendez ! Mon détecteur à métaux est resté dans le bateau !

— File le chercher. On le passera au-dessus du gazon avant de faire des dégâts.

Hi est parti lourdement du côté des dunes. Ben a filé au club-house pour jeter un œil à l'intérieur, Coop à ses côtés.

N'ayant rien d'autre à faire, je me suis assise sur le green avec Shelton. Pendant quelques minutes, on n'a entendu que le grondement des vagues sur la plage et le gémissement des moustiques.

Shelton s'est donné une claque sur le bras.

— Si Hi ne trouve rien avec son détecteur…

— Alors on ne touchera à rien. Promis.

— Promesse notée. Inutile de massacrer cet endroit juste parce qu'on n'a rien trouvé.

Ben et Coop sont réapparus les premiers.

— La voie est libre, et le chien a l'air d'accord, a annoncé Ben. En tout cas, il ne semblait pas sentir de présence.

Quelques instants plus tard, c'était au tour de Hi d'arriver, détecteur à la main.

— Passe-le autour du trou. Si ça ne marche pas, on fera tout le green. Et si ça ne marche pas non plus, on s'en ira.

— Ça me va.

Hi a tripoté les cadrans et mis l'engin en position.

— S'il y a quelque chose là-dessous, cette merveille va…

Ding ! Ding ! Ding !

Tout le monde a sursauté. Coop a même aboyé.

— C'était facile.

Hi a reculé de quelques pas et le bruit s'est arrêté.

J'ai senti une bouffée d'excitation :

— C'est juste en dessous du trou !

— Merci, madame l'Évidence.

Hi a éteint son détecteur.

Shelton a poussé un soupir royal.

— Donc, on va vraiment creuser ?

— Juste à l'intérieur du trou, promis. Si on fait attention, on n'abîmera rien.

— Alors faisons bien attention.

Shelton a regardé aux alentours.

— Coop vient peut-être de nous faire repérer.

— Je vais aller chercher les pelles, a dit Ben en filant au *Sewee*.

Coop voulait le suivre, mais je l'ai rappelé. Shelton avait raison : en aboyant, le chien ne nous avait pas aidés…

Ben est revenu avec mon sac. J'ai sorti une pelle, mais j'ai remis le sac sur mon dos, prête à m'enfuir le cas échéant.

— Évite d'élargir le trou, a demandé Ben. Si c'est possible.

J'ai tâtonné avec précaution et j'ai enlevé le petit bol, révélant la terre en dessous. Puis j'ai gratté, dans l'espoir de trouver un objet affleurant à la surface. Pas de chance.

— C'est trop étroit. Il va falloir que je l'élargisse un tout petit peu.

Shelton a gémi, Ben s'est agité, Hi a fait un geste de désespoir.

— Il n'y a pas d'autre moyen ? a demandé Shelton.

— Non. Mais je vais me faciliter la tâche.

Yeux fermés.

Esprit clair.

Je me suis concentrée.

SNAP.

23.

La douleur a frappé la première.

Piqûres. Épingles. Jets de feu grésillant sous ma peau.

La puissance est arrivée.

Ma vision, claire comme un laser. Les senteurs marécageuses de l'île se sont séparées en odeurs reconnaissables, bien triées. J'entendais le vent agiter l'herbe impeccable du green. Je sentais le moindre grain de sable entre mes orteils. Je goûtais l'air salin, savourant mon hypersensibilité.

Coop m'a sauté dessus et léché le visage. Il savait déjà.

Hi s'est lancé allègrement en flambée, Shelton l'a imité avec un peu moins d'enthousiasme. Des feux dorés brillaient dans leurs yeux. Ils surveillaient le golf en silence, aux aguets.

Ben s'est tendu. Il se fermait hermétiquement. Pourtant, sa transformation a eu lieu avec une rapidité étonnante.

— Faites attention, nous a-t-il prévenus, les iris incandescents. Le Meneur de Jeu est peut-être fou. Sa dernière cachette a explosé, et c'était seulement un test.

— C'est pour ça que je me suis mise en flambée. Il faut que l'on ait l'initiative.

— Fais vite.

Ben gardait les yeux rivés sur le club-house.

— Si on se fait prendre à abîmer ce parcours, on nous fera brûler sur le bûcher.

J'ai inspecté le sol. Pas de failles. S'il y avait quelque chose, l'enfouissement était récent. L'herbe semblait d'une couleur, d'une hauteur, d'une densité et d'une épaisseur uniformes. La couche d'humus paraissait intacte.

Comment pouvait-on y avoir enterré quelque chose sans laisser aucune trace ?

J'ai élargi le cercle autour du premier, doublant la taille du trou. La terre était douce et meuble, facile à dégager.

— Eh, ça devrait être plus facile d'y mettre la balle maintenant. Peut-être qu'ils nous remercieront.

— Oui, sûrement. Juste après nous avoir fait condamner au tribunal.

Millimètre par millimètre, je grattais le sol, élargissant et creusant l'ouverture, obsédée par les mêmes questions.

Le Jeu.

Qu'est-ce que cela signifiait ? Qui était le Meneur de Jeu ? Pourquoi prenait-il toute cette peine ?

Des cachettes compliquées. Des indices sophistiqués. Du matériel coûteux – iPad, boîte japonaise, et même des caméras à visée nocturne.

Et la bombe télécommandée. Ne l'oublie pas.

Des heures de préparation. Quel genre d'individu y consacrerait tout ce temps ?

On était tombés dans un piège compliqué. On était devenus des jouets humains.

Quatre lycéens qui faisaient les andouilles. Pourtant, le Meneur de Jeu ne se souciait manifestement pas de qui avait mordu à l'hameçon. C'était ça, le plus terrifiant.

Tandis que mes pensées vagabondaient, j'ai éprouvé une nouvelle forme de conscience.

Nous étions tout près les uns des autres, tous les quatre, assez proches pour se toucher. Mais cette proximité n'était pas seulement physique. Je *sentais* les autres Viraux, d'une manière inexplicable.

Cela s'était déjà produit. Mais cette fois-ci, nous étions cinq, pas quatre.

Je sentais aussi la présence de Coop. Le chien-loup modifiait l'équilibre.

— Vous avez déjà remarqué tout le temps qu'on passe à creuser ? a demandé soudain Hi. On devrait monter une entreprise de travaux publics. Avec des casques de chantier assortis. Des bleus.

— Tais-toi, a sifflé Shelton. Tout le monde peut nous voir, ici. Il y a bien trop de lumière, avec leurs foutus projecteurs.

J'ai continué à creuser… physiquement, et mentalement. Ma vue s'est brouillée tandis que je fouillais les recoins de mon esprit ; j'avais presque oublié le trou qui s'élargissait à mes pieds.

Les liens enflammés sont apparus : des cordes noueuses et incandescentes qui reliaient les esprits de ma meute, formant un réseau mental fragile.

Même Coop. Oui ! La proximité du chien-loup renforçait l'effet.

Fais attention. Contrôle.

J'aurais dû parler. J'aurais dû dire aux autres ce que j'essayais de faire. Mais le lien était fragile comme du papier. Je savais qu'en parlant, je l'aurais brisé.

Pardonnez-moi, les gars.

D'un geste mécanique, j'ai cédé à mon instinct et saisi une corde au hasard.

Un éclair a éclaté dans ma tête. Mon esprit a foncé le long du câble.

Ma conscience a vacillé. Mes perceptions se sont coupées en deux.

Deux images distinctes se sont formées dans mon cerveau.

L'une de mes mains, qui continuaient à creuser la terre.

L'autre d'une fille rousse en vêtements sombres, qui creusait aussi.

C'est moi. Je suis en train de me regarder. Et Coop est le seul dans mon dos.

J'ai arrêté de respirer. La sueur a jailli par tous mes pores.

Je voyais par les yeux de Coop.

J'ai senti le chien-loup dresser les oreilles, se lever d'un coup, craintif et hésitant un instant. Puis, me reconnaissant, il s'est calmé, acceptant ma présence dans son esprit.

C'est tellement facile, pour lui. Pourquoi ?

Mes mains suivaient le rythme. Je suis rentrée en moi-même, pour préserver le lien.

Coop s'est remis à renifler le green. Des odeurs puissantes ont envahi mon cerveau. Herbe des marais. Criquets. Sel. Boue séchée.

Et quelque chose de… différent. Dur. Métallique. Une senteur non organique, déplacée.

Curieuse, j'ai poussé Coop vers la haie qui délimitait le green. Je le sentais hésiter, mais il a obéi.

Il y avait quelque chose dans la haie. J'ai voulu que Coop aille voir, mais le chien-loup m'a résisté. Tout à coup, il a été attiré par une lueur au pied des buissons.

Le chien-loup ne comprenait pas. Mais moi si.

Un fil, peut-être de pêche. Qui partait du sol et s'enfonçait dans les buissons.

Ting.

Ma truelle a heurté quelque chose. La connexion mentale s'est coupée.

Le chien-loup a poussé un jappement. Toute ma conscience m'est revenue. La double perception a éclaté. Ma tête tournait, mon estomac s'est presque retourné.

L'épisode n'avait duré que quelques secondes. Les garçons, trop occupés à me regarder creuser, n'avaient rien remarqué.

— On dirait du métal ! Sors-le.

— Deux secondes.

Ben a mis la main dans le trou.

— Ça a l'air attaché.

J'ai essayé de ressaisir l'image dans le cerveau de Coop. On avait vu quelque chose d'important. Mais quoi ? Qu'est-ce que ça signifiait ?

Mon esprit était engourdi. Je n'arrivais pas à me réveiller.

— Je vais te donner un coup de main.

Hi s'est accroupi à côté de Ben, le dos tourné à la haie.

Quelque chose clochait.

— Allez, à trois, on tire.

Attendez. Non. Stop !

— Prêts ?

— Oui.

— OK. Un, deux, tr…

Mon esprit s'est enfin remis en marche.

Je me suis jetée sur Hi. On est tombés en tas. Ben, surpris, a glissé sur le dos.

PAN ! PAN !

De la fumée dans l'air. Pourvu que j'aie réagi à temps.

Shelton était accroupi, aux aguets. Ben gisait sur le dos. Moi, j'étais vautrée sur Hi, haletante comme un chien de traîneau.

— Eh, mais quoi ? a gémi Hi. Pourquoi tu m'as sauté dessus ?

— Un piège. Le fil.

L'esprit brouillé, j'arrivais à peine à parler.

— Quelqu'un est touché ?

— Pas moi, a dit Shelton. Il s'est passé quoi ?

— Un rugbyman femelle taré m'a heurté en pleine poitrine, a grogné Hi. Et elle me plaque toujours au sol. Et elle n'est pas aussi légère qu'elle l'imagine.

Je me suis dégagée et redressée.

— Ben ?

— Ça… ça va.

Il avait l'air secoué.

— Oh, mon Dieu, a bafouillé Shelton.

Coop tirait un long objet noir des buissons. Du métal. De la fumée sortait d'une extrémité.

Ben a couru vers le chien.

— Un flingue !

Il a levé l'arme.

— Jamais rien vu de tel. Deux canons, tous les deux à un coup, avec deux détentes.

Un fil gris était attaché à chaque détente. Ben l'a suivi du doigt jusqu'aux buissons.

— Waow.

Mon cœur battait la chamade.

— Où est le butin ?

— Je l'avais, mais quelque chose me l'a arraché des mains. Une balle, je pense, a dit Ben d'une voix étranglée.

Une boîte en plastique se trouvait à côté du trou, avec une perforation de la taille d'une petite pièce sur le côté. Elle était fermée avec de l'adhésif. Deux fils fixés à sa base s'enfonçaient dans le sol.

— Oh, nom de Dieu, a fait Shelton en se triturant l'oreille.

J'ai ôté mon sac à dos pour y prendre mon couteau suisse. Puis, avec d'infinies précautions, j'ai coupé les deux fils.

— On prend le flingue aussi.

— Euh, Tory…

Hi s'est agenouillé à côté de moi.

— Oui ?

Sans dire un mot, il m'a montré une petite déchirure sur mon sac. Les fibres étaient noircies.

J'ai senti mon estomac se nouer.

C'est passé tout près. À un cheveu.

N'y pense pas. « Hi, regarde combien de temps il reste. » *Ne pense pas à la balle.* « Ben, vérifie que le pistolet est déchargé. » *Ne pense pas à ce bout de métal brûlant dans ton dos.* « Shelton, prends Cooper. Il est énervé. Je ne veux pas qu'il aboie. »

— Vous n'allez pas y croire, les gars.

Hi a sorti l'iPad. Il y avait un petit trou rond au milieu.

Shelton l'a regardé, hébété.

— Il marche toujours ? a demandé Ben.

— Le compteur, oui. Il nous reste vingt minutes.

— Il faut qu'on ouvre la boîte tout de suite.

J'ai coupé l'adhésif.

— Je parie qu'on ne trouvera rien…

Je ne m'attendais pas vraiment à ça. Ni dessin, ni image, ni message. Il n'y avait qu'une lourde statuette de bronze – un homme barbu dans une robe flottante, le bras gauche tendu vers l'horizon. Cette étrange figurine, noircie et ébréchée, était entourée d'un tissu noir et blanc.

Avec des bouts de métal déformés d'un côté.

— T'as vu ça ? a sifflé Hi. Micro-man s'est pris la balle.

L'iPad a émis un bip soudain. Hi a failli le lâcher de peur.

Le pictogramme a disparu, ne laissant que le compteur. Puis, un gros cercle violet s'est affiché.

Le texte au-dessus disait : « Tâche achevée ? Tapez le code et appuyez sur le bouton. »

— Le code ? a grogné Ben. Quel code ?

— Là…

Hi désignait les chiffres inscrits sur le couvercle de la boîte : 654321.

Je ne les avais pas remarqués.

— Bien vu, Hiram.

— N'appuie pas ! a crié Shelton. On s'est déjà fait avoir une fois.

— Il le faut. La bombe risque d'exploser à la fin du compte à rebours.

Pourtant, quelque chose me gênait. Pourquoi ce bouton était apparu ? Et comment l'iPad savait qu'on avait trouvé la boîte ?

Un frisson m'a parcourue. À Castle Pinckney, une caméra cachée surveillait la boîte du Meneur de Jeu. Est-ce qu'on nous surveillait ici aussi ?

— Tory a raison, dit Ben. Appuie sur le bouton.

Hi et Shelton semblaient d'accord.

Prenant une profonde inspiration, j'ai tapé les chiffres, puis le cercle.

L'écran a viré au noir, puis s'est subitement éclairé, dans un fracas de trompettes. Des balles de couleur ont rebondi partout sur l'écran abîmé, toutes décorées d'un visage de clown ricanant.

— Quel taré ! a soupiré Hi.

Presque aussitôt, ce spectacle insolite a disparu, remplacé par une grosse boule étrangement située juste sous l'impact de balle.

Le compteur a réapparu : 48 :00 :00. Et le compte à rebours a commencé.

Un message s'est affiché au-dessus : « Le Jeu continue ! Attelez-vous à votre prochaine tâche ! »

— Oh, non ! a gémi Shelton, désespéré. C'est pas fini.

Tout à coup, des rayons de lumière ont percé l'obscurité du parking, suivis d'éclairs rouges et bleus.

— Mince ! Les flics !

Hi a foncé vers la plage.

— Courez !

Ben et moi avons rassemblé nos affaires en vitesse, puis on a bondi dans les dunes et pataugé dans l'eau. Devant nous, Hi et Shelton embarquaient Coop sur le bateau.

Le grésillement d'une radio a brisé le silence. Deux rayons de lampes torches sillonnaient le green.

— Vite ! a sifflé Shelton tandis que je hissais l'ancre.

Ben ne se l'est pas fait répéter. Il a démarré le moteur en vitesse, a décrit un arc de cercle avec le *Sewee* et a foncé dans les vagues.

24.

Mon téléphone a vibré et craché du Coldplay.

J'ai reposé la statuette en soupirant et consulté la pendule sur le mur de ma chambre. Des heures de recherches, et ça ne menait nulle part. Et pourtant, le vendredi était déjà à moitié entamé.

J'ai jeté un œil à l'iPad, stupéfaite de le voir encore fonctionner avec un trou dans le ventre. Le compteur indiquait 33 :01:06. Un quart du temps écoulé, et toujours aucune piste.

J'ai pris mon téléphone. Appel masqué. J'ai hésité à le transférer sur la messagerie, mais j'ai cédé à la curiosité.

— Tory à l'appareil.

— Tory Brennan ? a demandé une voix masculine.

— Oui.

Prudence. On m'avait déjà fait des blagues, et je n'avais aucune intention de me laisser avoir une fois de plus par les gamins de Bolton.

— Je suis Eric Marchant, du labo scientifique de la police de Charleston. Quelqu'un nommé… (bruits de papiers) Jason Taylor m'a laissé un message. Je ne sais pas comment il a obtenu mon numéro professionnel, mais cela n'a pas d'importance. Il m'a envoyé un prélèvement pour analyse.

— Mr. Marchant ! Merci beaucoup de m'appeler.

— Pas de problème, même si je dois dire que la demande est un peu curieuse. J'ai reçu un bâtonnet recouvert d'une substance inconnue. Ce n'était que du gas-oil.

Du gas-oil ? Zut, aucun intérêt. On pouvait en acheter partout.

La voix de Marchant semblait métallique ; elle sortait sans doute d'un haut-parleur de téléphone. Il détachait ses mots et articulait bien. J'imaginais un petit homme studieux, avec une veste en tweed et des coudières.

– Il y avait une histoire de caisse enregistreuse ? a demandé Marchant.

Tout à coup, j'ai eu une idée.

Marchant était expert en balistique. La nuit dernière, un engin infernal nous avait tiré dessus. Quelqu'un aurait pu être tué. C'était une chance incroyable d'avoir accès aux connaissances de Marchant.

Un plan s'est formé dans ma tête.

– Jason a dû se tromper, monsieur. Non, en fait, j'ai un grave problème. (Voix tremblante.) Quelqu'un a essayé de tuer mon chien.

– Mon Dieu !

J'ai entendu un petit déclic, comme si Marchant avait décroché le combiné.

– Vous avez porté plainte ?

– Je n'en ai parlé à personne.

J'avais décidé de la jouer demoiselle en détresse.

– Mon quartier est très isolé, et les policiers d'ici ont horreur de se déplacer jusqu'à chez nous. Ça leur est complètement égal.

– C'est une honte, a dit Marchant d'une voix irritée. Ceci étant, cela ne me surprend guère. Dans des zones excentrées, certains de nos shérifs n'enquêteraient même pas sur un incendie dans leur propre poste de police. Mais pourquoi pensez-vous que quelqu'un veut du mal à votre animal ?

– Mon chien est à moitié loup, et il y a quelques semaines, des idiots du coin ont menacé de le descendre. (J'improvisais.) La nuit dernière, mes amis et moi avons trouvé un objet enfoui dans les dunes. Un engin métallique, avec deux canons courts. Nous l'avons accidentellement déclenché, et j'ai failli être touchée.

– L'engin vous a tiré dessus ? a demandé Marchant, incrédule. C'était une arme à feu ?

– Oui, monsieur. Je pense que c'est un pistolet, mais je n'en suis pas sûre.

– Quelle irresponsabilité !

Je pouvais presque voir Marchant se lever de son siège, indigné.

— Pourriez-vous retrouver un projectile tiré par cette arme ?

— Oh, oui, monsieur ! J'ai l'arme et deux projectiles.

— Parfait. Avez-vous récupéré des douilles ?

Pourquoi n'y avais-je pas pensé ?

— Non, monsieur, mais je peux toujours regarder.

— Ce ne sera pas nécessaire. Voyons… je suis pris aujourd'hui, mais si vous m'apportez ces objets demain, je peux retourner voir.

Jackpot !

— Bien sûr. Pourriez-vous me donner l'adresse du labo ?

— Certainement. Envoyez-moi un mail à emarchant @cpd.gov et je vous donnerai les indications. Comme ça, j'aurai votre adresse aussi.

— Tout à fait.

Quelle chance incroyable ! Je venais d'engager un expert en balistique pour nous aider contre le Meneur de Jeu. Pas trop minable, hein ?

— Merci infiniment !

— Avec plaisir. J'aimerais bien retrouver celui qui a installé cette arme. C'est un acte incroyablement stupide et dangereux.

Je l'ai remercié encore, j'ai raccroché et lui ai envoyé l'e-mail.

Marchant a répondu quelques minutes plus tard :

« J'ai oublié. Le labo est fermé samedi. Est-ce qu'on pourrait se retrouver au stand de tir de Twin Ponds ? C'est juste au nord de Mount Pleasant, sur la 17, pas loin de chez moi. Vers 10 h ? »

Hmm… Plus compliqué. Il fallait une voiture. Mais je n'allais pas gâcher cette chance. J'ai répondu :

« Entendu. Je vous verrai là-bas. »

Puis j'ai envoyé un SMS aux Viraux.

On avait un coup de chance.

À présent, il fallait prendre l'avantage.

*
* *

Mon plan magistral a duré moins de dix minutes.

Je filais vers la porte quand Kit m'a arrêtée net :

— On dîne avec Whitney ce soir. Pas de discussion.

Argh ! Au moins, cette fois, il m'avait prévenue.

— Quand ça ?

— À 6 heures, a répondu Kit avec une lueur suppliante dans ses yeux noisette.

Il s'est passé la main dans les cheveux bruns bouclés.

— Et, euh, elle apporte un pique-nique et on mange sur la plage.

— La plage. Avec le sable. Et le vent. Et les insectes.

Kit a pris son expression de martyr :

— Allez, Tor, sois fair play. Ce sera sympa.

— Sympa. C'est ça.

Je suis remontée envoyer un autre texto. Je serai en retard à mon propre rendez-vous.

Les garçons ont un peu plaisanté, mais ils ont accepté d'attendre au bunker. J'y serais dès que je pourrais.

À 6 heures précises, Kit a crié dans l'escalier :

— On y va !

Implorant divers dieux de me donner la force, je me suis traînée au rez-de-chaussée et j'ai suivi Kit à l'extérieur. Coop a fait mine de nous rejoindre, mais je l'ai repoussé doucement dans la maison. Malheureusement, les chiens étaient interdits.

Un dais blanc frissonnait sur la plage. Dessous, des coussins moelleux entouraient une nappe bleu ciel. Le couvert était mis pour trois.

La météo souriait à Whitney : une brise légère, un beau coucher de soleil, et vingt-cinq degrés. Oui, la chance souriait vraiment à certaines femmes.

Notre hôtesse était en train de sortir des plats couverts d'une glacière. Elle portait une robe moulante légère, couleur mandarine, qui mettait ses formes en valeur. Elle avait relevé ses cheveux en chignon, l'une des rares fois où je l'avais vue comme ça. Elle sourit à notre arrivée.

— J'attends un comportement impeccable, m'a soufflé Kit.

— On dirait une pub pour les îles exotiques.

— Bonjour, bonjour ! Vous aimez ? a demandé Whitney.

— C'est magnifique, ai-je dit avec un enthousiasme feint. Quelle idée sympa.

Whitney nous a gratifiés d'une révérence ; elle préparait sans doute son audition pour une téléréalité – la Parfaite maîtresse de maison. Je me suis assise en tailleur sur le coussin qu'elle m'a indiqué. Le soleil était bas, et je l'avais dans les yeux. *Naturellement.*

— Est-ce que ce n'est pas fabuleux ? a demandé Whitney en sortant des plats de divers récipients.

Gâteau de maïs. Gombo, choux. Salade *caprese*. Sa cuisine sudiste habituelle. Ça, au moins, ça me convenait.

On est arrivés jusqu'aux crevettes bouillies – et là, Whitney a commencé à m'agacer.

— Tory, ma chérie. Es-tu sûre que les garçons que tu as choisis conviennent pour le bal ?

Rendue indulgente par la bonne chère, j'ai répondu :

— Oui, Whitney. Ils conviendront.

— C'est juste... (Elle s'est tapoté la bouche d'une serviette vichy à carreaux bleus...) Jason est un excellent choix, bien sûr. Mais les trois autres... ils ne vont même pas aux rallyes.

J'ai posé ma fourchette.

— Ils n'en ont pas besoin. Je peux inviter qui je veux.

— Mais tu ne penses pas que tu serais mieux avec des accompagnateurs qui connaissent cet événement ? Des garçons au fait du protocole. Ou tu pourrais juste prendre Jason, et ainsi...

— Ça suffit.

J'ai regardé Whitney droit dans les yeux.

— Ben, Hi et Shelton sont mes meilleurs amis. Quand je fais la fête, ils sont invités. Toujours. C'est mon choix. Tu comprends ?

— Bien sûr.

Kit a enlacé sa copine, qui avait l'air prête à discuter encore.

— C'est tout à fait ta décision, ma grande.

— Certainement, a ajouté Whitney, en tâchant d'avoir l'air enjoué. Je suis sûre que tout se passera au mieux.

Ce problème réglé, nous sommes retournés à notre assiette. À l'ouest, le soleil fondait à l'horizon, projetant une palette d'artiste, rouge et orange, sur le port. J'étais obligée de reconnaître que ce pique-nique n'était pas une idée horrible.

J'étais en train de me féliciter d'avoir géré cette situation avec beaucoup de maturité, quand le désastre est arrivé.

— Tory.

Kit et Whitney avaient posé leurs couverts. Il lui tenait la main.

— Hmmoui ? ai-je demandé, la bouche pleine de crevettes.

— Nous voudrions te parler de quelque chose.

J'ai failli m'étrangler. *Nous ? Pas bon, ça.*

— Whitney et moi avons discuté de notre avenir. L'été dernier, quand nous avons pensé quitter Charleston, Whitney avait pris la difficile décision de venir avec nous. Heureusement, nous avons tous pu rester.

J'étais aussi immobile qu'un lapin dans la lumière des phares.

Une souris à découvert, avec les rapaces qui tournaient dans le ciel.

— Cette expérience nous a tous rapprochés.

Kit semblait incapable de lâcher le morceau. J'étais très près de me sentir mal.

— Nous pensons qu'il est temps pour notre relation de franchir une nouvelle étape. Donc, avec ta permission, j'aimerais demander à Whitney de…

— Oh, mon Dieu !

— … venir vivre avec nous, s'est hâté de conclure Kit.

Première réaction : il n'a pas dit « m'épouser ». Un poids en moins sur la poitrine.

Seconde réaction : oh, non ! Oh, mon Dieu, non !

— Ce sera super, non ? s'est écrié Whitney en battant des mains comme une gamine de maternelle. On pourra enfin passer du temps ensemble, se rapprocher. Je sais que ta mère n'est plus avec nous, mais j'aimerais…

Quelque chose a craqué en moi.

— Comment oses-tu parler de ma mère ? (Calmement, froidement.) Quoi, tu t'imagines que tu pourras la remplacer ? Que le poste est libre, comme si c'était cuisinier chez MacDo ?

Whitney me regardait, les yeux écarquillés.

— Non, ma chérie ! Je voulais juste dire…

— Dire quoi ? j'ai crié. Que tu allais débarquer et régler mes problèmes en un clin d'œil ? Devenir ma meilleure amie ? T'occuper de moi quand je suis malade, ou que je vais mal ?

Whitney me regardait, hébétée. Je savais que j'étais injuste, même cruelle, mais je n'avais jamais été plus en colère de ma vie. Je n'arrivais pas à m'arrêter.

— Tu n'es pas ma mère, et tu ne le seras jamais.

Je me suis levée d'un bond.

— La prochaine fois, essaye de réfléchir avant de parler.

— Tory ! a aboyé Kit. Change de ton ! Whitney n'impliquait absolument pas qu'elle prendrait la place de quelqu'un, et tu le sais.

— Oh, pitié ! Au moins, tu as enfin eu le courage de dire quelque chose. Je me demandais si je continuerais à trouver de nouvelles affaires de Whitney dans la maison jusqu'à ce qu'un jour, pouf ! elle soit là pour toujours !

Kit a viré à l'écarlate. Whitney a fondu en larmes.

Fuis. Vite.

— Faut que j'y aille.

Là-dessus, j'ai filé.

— Tory, attends ! a crié Whitney en essayant de se lever.

— Laisse-la partir, a répondu Kit en la retenant par la taille. Ça ira.

Je me suis mise au pas de course, traversant les dunes, la place et jusqu'à ma porte. J'ai tourné la poignée d'une main tremblante.

Coop m'a suivie dans ma chambre.

J'ai fermé la porte, et puis les grandes eaux.

La tête enfouie dans mon oreiller, je me suis abandonnée aux sanglots.

Je ne m'étais jamais sentie aussi seule.

25.

Je ne sais pas depuis combien de temps j'étais allongée là lorsque mon téléphone a sonné.

Au début, je n'ai pas voulu répondre. Puis je me suis souvenue du rendez-vous que j'avais donné mais où je n'étais pas allée. J'ai décroché le machin, m'attendant à entendre un Viral agacé.

Perdu. Jayson Taylor. J'ai pris la communication sans même réfléchir.

— Allô ?

— Salut, c'est Jason. Comment ça va ?

— Bien.

J'ai essuyé la morve sur ma figure.

— Et toi ?

— Super. Écoute, mes parents sont partis à Hilton Head pour le week-end, alors je fais une fête. Il faut que tu viennes.

— Une fête ?

Ce n'était pas ce à quoi je m'attendais.

— Quand ?

— Ce soir, princesse.

La voix de Jason s'est faite suppliante :

— Ne dis pas non. Tu dis toujours non ! On va bien s'amuser, je te le promets. Pas de drame.

Mon réflexe a été de décliner l'invitation. J'avais déjà bien assez horreur des brunchs et autres. Une soirée Bolton ? Non merci.

Puis j'ai pensé à Kit et Whitney, à la conversation que j'avais supportée ce soir.

Très bien. N'importe où, sauf chez moi.

— À une condition, ai-je dit.

— Dis, a demandé Jason.

— Mes amis sont invités aussi. Hi, Shelton. Et Ben.

Silence…

— Tory, sois raisonnable. La paire de rigolos peut venir, mais Blue…

— Telles sont mes exigences, mon bon monsieur. On avait déjà des projets, donc je ne vais pas les larguer comme ça. En plus, je n'ai que le bateau de Ben pour rentrer. C'est nous tous ou personne.

— Très bien. Comme tu veux. Simplement, tu calmes l'autre, ou sinon, je te jure que je le balance dans le port. On se voit vers 8 heures ?

— Entendu.

*
* *

— C'est celui-là.

Je montrais une robuste passerelle en bois qui s'avançait dans le port.

— Il y a « Taylor » écrit sur le côté.

— Comme Sa Majesté a de la chance !

— Ben, je garantis que si tu…

— Détends-toi.

Ben a mis le cap sur le quai. Il portait son T-shirt noir et son jean, comme d'habitude.

— Je serai un gentil petit garçon. J'ai promis, pas vrai ?

— Oui, c'est vrai.

Mais je ne me sentais pas plus rassurée que ça.

On s'est amarrés. En me dirigeant vers le jardin des Taylor, j'essayais de calmer mes appréhensions. Je portais un haut blanc avec un jean, pour avoir l'air « sexy-décontracté ». J'espérais que ça ne faisait pas « j'suis sortie de la ferme, et j'me suis perdue ».

Mais qu'est-ce qu'on fait ici, d'ailleurs ?

On aurait dû être au bunker, en train d'identifier la statuette. Kiawah avait prouvé que le Meneur de Jeu ne bluffait pas. Et on n'avait presque plus de temps. On aurait dû utiliser la moindre seconde pour résoudre l'énigme.

Sauf que je n'en avais pas envie. Pas après le sketch d'épouvante sur la plage. Là, il fallait que je m'échappe.

Que j'échappe à Kit. À la perspective terrifiante de voir Whitney s'installer chez moi.

Franchement, cette fête était un don du ciel. Une distraction parfaite.

Jason vivait dans le très chic quartier de Mount Pleasant nommé Old Village.

C'était une maison à deux étages, en stuc à moulures, mise en valeur par des décorations d'un blanc très vif. Dans le jardin, il y avait une piscine, un jacuzzi, une annexe et un imposant patio en brique avec une cheminée. Pas trop miteux.

Une dizaine de lycéens étaient éparpillés autour de la piscine, buvant dans des gobelets rouges. D'autres étaient rassemblés dans l'annexe, où Jason faisait cuire des steaks, une bière à la main.

De l'alcool. Argh !

Quelle andouille ! Il ne m'était pas venu à l'esprit que la fête étant non surveillée, il y aurait des gens qui picoleraient.

Ne fais pas la chochotte. Tu es au lycée, là, tu dois pouvoir gérer ça.

— Hé, ils boivent, les mecs, a chuchoté Shelton. De la bière.

— Et alors ? a dit Ben. Cet été, j'ai passé plusieurs soirées à boire avec mes cousins.

— Hein ?

Je l'apprenais.

— Ce n'est pas comme si on le faisait tout le temps, a dit Ben en haussant les épaules.

Shelton se triturait l'oreille.

— Eh bien, moi, mes parents m'écorcheraient vif s'ils savaient que je suis à une soirée bière en ce moment. Hi, ta mère en ferait sans doute une crise cardiaque. On n'a même pas encore le permis !

— Reste cool, c'est tout.

Hi portait un sweat à capuche Iron Man avec un short à carreaux bleus et jaunes.

— Pense à la fièvre du samedi soir !

— De quoi tu parles ?

Shelton tirait nerveusement sur son pantalon kaki et son polo blanc.

— Tory, tu penses toujours que c'est une bonne idée ?

— Du calme. Allons dire bonjour à Jason, ai-je proposé, l'air plus sûre de moi que je ne l'étais vraiment.

— Je passe, a objecté Ben en se dirigeant vers une poubelle pleine de glaçons, près du jacuzzi.

J'ai failli le rappeler, mais Hi m'a arrêtée :

— Tu veux vraiment que ces deux-là se retrouvent face à face ?

Exact. C'était peut-être plus sage d'éviter toute rencontre.

— Tory !

Jason s'avançait vers nous.

— Salut, Shelton. Salut, Hi.

Je lui ai rendu son salut :

— Salut, Jason.

— Yo, a fait Shelton en matant la bière de Jason.

— Salut, mec, ça va ? a lancé Hi en levant le poing dans le style rapper.

Guignol.

— Yo, mec, ça va, a répondu Jason avec un grand sourire, en lui touchant le poing. Je suis content que vous ayez pu venir. Ben n'est pas avec vous ?

— Il est là-bas.

J'ai montré Ben qui se tenait près d'un fût à bière, écoutant des joueurs de lacrosse que je ne connaissais pas, et buvant son gobelet à grandes gorgées.

— Tu veux que j'aille le chercher ?

— Il se débrouille très bien tout seul, a répondu Jason en me posant un bras sur l'épaule. Allez, on va boire un coup, d'abord.

— Oui, bien sûr.

Pas de problème.

— Venez, Hi et Shelton. Vous avez déjà essayé le Southern Comfort ?

— Non, a répondu Shelton en se grattant l'oreille.

— Peut-être, a dit Hi d'un air faussement ennuyé. J'me souviens plus.

Menteur. Il n'avait jamais été saoul. Aucun d'entre nous, d'ailleurs.

Sauf Ben. Je ne le savais pas.

— Eh bien, vous avez de la chance.

Jason nous a conduits à l'annexe, appelant ses amis :

– Jeff ! Steve ! Quatre Southern-citron. La bande de Morris Island a soif.

Après ça, tout est allé vite.

Des verres à liqueur étaient alignés sur le bar, remplis d'un liquide ambré et surmontés de quartiers de citron. Jason en a levé un à notre santé, avec un sourire d'encouragement.

D'autres invités nous observaient. Sceptiques ? Amusés ? Aucune idée.

Je n'avais jamais bu d'alcool fort. Ça ne m'intéressait pas.

Allez, quoi ! C'est quoi le problème ?

Le « problème », c'était que je n'avais pas envie de boire. Ni maintenant, ni jamais. Pas après ce qui était arrivé à maman.

J'allais refuser quand Hi s'est approché du comptoir.

– Eh, merci, mec. Cul sec.

Cela dit, je voyais bien qu'il était nerveux.

Il a fait tchin avec Jason et a englouti son verre d'un coup. Et il s'est mis à tousser.

– Me suis trompé de tuyau, a-t-il hoqueté.

Jason lui a tapé dans le dos.

– Ça envoie, hein ?

Une fille que je ne connaissais pas nous a fourré des verres dans la main, Shelton et moi. Je l'ai remerciée, l'air détendu, mais je me sentais acculée. Tout le monde nous regardait.

Shelton flippait aussi.

On a levé nos verres et…

26.

Des images ont surgi dans ma tête.

Du métal tordu. Des gyrophares. Du verre brisé.

Un policier sur le seuil, incapable de soutenir mon regard.

Maman.

D'un geste aussi désinvolte que possible, j'ai reposé mon verre sur le comptoir, au moment précis où Shelton finissait le sien.

— Désolée, Jason.

J'espérais que ma voix ne tremblait pas.

— Je ne bois pas. J'espère que ça ne te dérange pas.

Jason a cillé – puis il a escamoté le verre d'un geste.

— Bien sûr, pas de problème ! Il n'y en aura plus pour nous autres, hein ? a-t-il lancé avec un rire gêné.

J'ai souri. Pourvu que j'aie sauvé la face. Je voulais désespérément m'intégrer, mais je n'allais pas céder sur ce point. Je m'étais fait une promesse, et j'avais bien l'intention de la tenir.

Jason m'a pris le coude et m'a écartée de la foule. Les autres invités m'avaient déjà oubliée, revenant à leurs conversations. Personne ne semblait se soucier de ma dérobade.

— Tu joues aux cartes ? a demandé Jason.

Je voyais bien qu'il voulait changer de sujet.

— Presque jamais, ai-je avoué.

Jason m'a fait son petit sourire sûr de lui.

— Eh bien, je suis imbattable. Suis-moi.

*

* *

— Et j'ai fini !

J'ai posé mes trois dames.

— Encore présidente ! Troisième mandat.

Des gémissements amusés ont retenti autour de la table.

La chance du débutant. Je ne connaissais pas les règles, mais je gagnais quand même. À côté de moi, Jason s'est mis à rire comme une hyène.

Je sirotais mon Coca Light, gardant un œil sur Shelton et Hi, qui s'étaient retrouvés à la table du ping-pong bière : il fallait envoyer la balle dans un verre, et boire si on perdait.

Shelton avait l'air plus détendu, sans doute grâce à l'alcool. Hi parlait sans arrêt. Tous deux étaient étonnamment bons au jeu ; ils avaient déjà remporté deux manches d'affilée.

Cette situation proche de celle de Cendrillon leur avait valu du succès auprès des invités plus âgés. Tous deux plaisantaient et s'envoyaient des piques, et visiblement ils étaient au niveau.

Bizarrement, j'étais fière d'eux. *Quelle étrange idée !*

— Je serai encore le dernier à finir, marmonnait Jason. J'ai un jeu nul.

Il me jeta un regard accusateur :

— Pourquoi tu ne m'as pas passé l'as ?

— Je ne comprends même pas de quoi tu parles. C'est toi qui es censé m'apprendre.

— Et pourtant, elle nous écrase, a commenté un rouquin assis en face. Incroyable.

J'ai fait un clin d'œil à Jason, contente de m'intégrer. J'avais enfin commencé à me détendre. Qui aurait dit qu'on pouvait s'amuser aux soirées ?

Shelton et Hi avaient réussi à éviter la plupart des « cul sec », mais ils avaient des gobelets pleins de bière à la main, et ils en buvaient de temps en temps. Quant à moi, je me cachais derrière mon soda. On s'était retrouvés tous les trois pris dans des jeux à boire. Même moi – mais Jason buvait à ma place quand je perdais. Les autres joueurs s'en moquaient.

J'espérais que les garçons étaient aussi prudents que moi.

À les voir, ce n'était pas le cas.

La manche s'est terminée, et Jason a battu les cartes.

— Je n'aide plus le génie. Tu nous ridiculises depuis assez longtemps.

J'ai souri de plus belle.

— Oh, le pauvre chéri.

J'ai cherché Ben du regard. Il était au même endroit, près du fût à bière. À ce moment-là, il était seul, contemplant le fond de son verre.

Ne le laisse pas comme ça.

— J'arrête tant que je suis en tête.

Sans écouter les protestations de Jason, je me suis levée et je suis allée voir Ben.

— Salut !

Ben n'a pas levé les yeux.

— Salut. Alors, c'est amusant, l'intégration ?

— Allons, Ben. Ils ne sont pas tous si mal. Même Shelton et Hi s'amusent.

J'ai jeté un œil à la table de ping-pong bière. Shelton et Hi avaient fini par perdre, et ils buvaient les verres restants de leurs adversaires, sous les encouragements d'autres joueurs.

— Ces deux-là vont être complètement saouls.

J'essayais de ne pas avoir l'air trop désapprobateur.

— Il faudra qu'on les fasse rentrer chez eux discrètement.

— Ils se comportent comme des imbéciles, a déclaré Ben d'une voix pleine d'aigreur, le regard vitreux.

Je me suis demandé combien de bières il avait bues.

— Tu crois que ces gens nous apprécient vraiment ? a lâché Ben. Qu'on est tous super potes, maintenant ? Quelle blague !

— Tout le monde est sympa avec nous. Tu pourrais leur laisser une chance.

— On est l'attraction de la soirée, c'est tout.

Il a vidé son verre et est allé se resservir.

— L'amusement de la semaine…

J'ai soupiré, mais sans rien dire. Quand il était déprimé, Ben le restait longtemps.

Soudain, mon cœur s'est arrêté.

Chance Claybourne se dirigeait vers l'annexe. Et il n'était pas seul.

Madison Dunkle s'accrochait à son bras.

J'ai ressenti comme une décharge électrique, à les voir tous les deux ensemble.

— Faut que j'y aille.
— Comme tu veux. Va danser pour les gosses de riches.
Sa pique m'a blessée, mais je n'ai pas réagi. Je me suis rapprochée de Chance et Madison, l'air aussi dégagé que possible malgré le signal d'alarme qui retentissait dans ma tête.
Madison m'a vue la première. Elle a chuchoté quelque chose à Chance, puis elle a filé vers l'annexe. J'ai cherché Courtney et Ashley du regard, mais je ne les ai pas aperçues.
Madison et Chance étaient-ils venus ensemble ?
Je n'aimais pas ce que cela impliquait. Je n'avais aucune envie que ces deux personnes comparent leurs expériences… ici ou ailleurs.
Chance s'est approché d'un pas nonchalant.
— Tory. Toi ici, quelle surprise !
Il a désigné la fête, qui commençait à dégénérer. Shelton se tenait debout sur le fût, agitant les bras, tandis que Hi comptait combien de temps il restait en équilibre.
Mais quels crétins ! À quoi pensent-ils ?
La voix de Chance me tira de mes pensées.
— Jason a dit que tu avais besoin d'un coup de main du labo de la police. Encore une enquête discrète ? Qu'est-ce que c'est, cette fois ?
J'avais la bouche sèche, la tête qui tournait. Chance avait l'air désinvolte, mais ses questions étaient un peu trop précises.
— C'est rien. Un truc pour Kit.
Souriant, Chance m'a murmuré :
— Je ne te crois pas.
— Fais comme tu veux.
— J'en ai bien l'intention. Et je suivrai tes aventures. Salut.
Là-dessus, il est allé rejoindre les autres à l'annexe.
J'en avais assez. Il était temps de partir.
À cet instant, j'ai entendu un bruit de cavalcade, suivi d'un mugissement :
« LA BOOOOOOOMBE !! »
Je me suis retournée juste à temps pour voir Hi bondir vers le ciel, roulé en boule, et s'écraser dans la piscine avec un bruit énorme.

Dans un envol de verres en plastique, les fêtards ont essayé d'éviter les éclaboussures.

Shelton se roulait dans l'herbe, secoué d'un éclat de rire hystérique.

— Il l'a fait ! Ah, nom de Dieu ! Je lui dois cinq dollars !

Hi a fait surface, crachant de l'eau. La fête s'est arrêtée d'un coup. Quelqu'un a même éteint la musique.

— Allez, dix sur dix, quoi ! a crié Hi en levant les poings.

Un temps, puis tout le monde a ri et applaudi autour du patio.

Un garçon de l'équipe de foot s'est jeté dans la piscine, suivi de deux autres, entraînant des filles hurlantes. En quelques instants, une dizaine d'allumés s'éclaboussaient et faisaient les fous dans l'eau.

J'ai aperçu Jason qui s'approchait de moi discrètement, une lueur malicieuse dans les yeux.

— Oh, non ! Je n'y vais pas !

— Mais si ! a répliqué Jason en me poursuivant dans la piscine, éjectant les chaises sur son passage. Je suis le maître chez moi, Brennan !

Chance a observé la scène avec dégoût avant de se retirer dans l'annexe.

On en était à notre second tour de piscine quand Ben a réapparu.

J'ai filé devant lui, mon poursuivant sur les talons. Surpris, Ben a attrapé Jason à deux mains.

— Hé, tu fais quoi là ? a bafouillé Ben en titubant légèrement.

Je me suis arrêtée net.

— Ben, c'est bon ! On s'amuse, c'est tout.

— Sors-toi de là, mon pote, a ordonné Jason en repoussant Ben. Tu es mon invité, je te rappelle.

Ben l'a repoussé :

— Ne me touche pas !

Les yeux de Jason brillaient : trop d'alcool, pas assez de discernement.

Ben n'a même pas vu le coup arriver.

Il est tombé à terre, mais s'est relevé en un clin d'œil. Puis il a plongé sur Jason, le plaquant contre un mur. Horrifiée, je les ai regardés rouler dans l'herbe, luttant et frappant, sans qu'aucun ne prenne l'avantage.

Le temps a ralenti…

Soudain, Jason est parti dans les airs.

Ben a levé la tête, les iris en feu.

Quel cauchemar !

Sans y réfléchir, je me suis jetée sur Ben, le prenant par surprise. J'ai réussi à le renverser. Je lui ai sauté sur la poitrine sans hésiter et j'ai commencé à le gifler violemment. Je lui ai sifflé :

— Arrête ! Arrête ta flambée !

Jason a voulu me dégager, mais Hi et Shelton sont arrivés avant lui.

Ils ont repoussé Jason, pris Ben par l'épaule et l'ont fait rouler dans la pente, vers le quai. Ben a essayé de les contourner pour revenir vers Jason, mais le feu avait disparu de son regard. Soudain, il a foncé au bateau.

— Je vais le tuer, a haleté Jason, le visage empourpré. Je suis chez moi !

Je l'ai arrêté.

— Jason, non ! Ben est saoul et il n'a pas compris ce qui se passait. Laisse-le partir. Pour moi.

— Très bien.

Jason s'est passé la main sous le nez, pour vérifier qu'il ne saignait pas.

— Mais ce sombre idiot n'est plus le bienvenu ici. Dis-lui bien ça.

— Je lui dirai. Il faut que j'y aille, maintenant.

Jason est parti furieux, et j'ai vu que ses invités nous observaient en chuchotant.

*

* *

Je dirigeais le *Sewee* dans le port de Charleston, cap sur la maison.

Ben avait hésité quand je lui avais demandé les clés, mais je ne lui avais pas laissé le choix. Les garçons étaient ivres, j'avais déjà piloté le *Sewee*, et je connaissais les bases. Et si j'éraflais le bateau en arrivant à quai… ça servirait de leçon.

On avait à peine touché terre que Hi s'est vidé les tripes d'un côté. Shelton essayait de nettoyer ses lunettes, mais n'arrêtait pas de les faire tomber. Ben était affalé sur le siège du copilote, trop saoul pour se mettre debout.

— C'est pas lui qu'il te faut, a-t-il soudain déclaré. Il ne te mérite pas.

— Tais-toi. S'il te plaît. On est presque arrivés.

Le visage de Ben était un masque.

— Ce type, c'est… Il ne vaut rien. Il ne sait rien. Rien sur toi. Le véritable toi…

Heureusement, Ben s'est arrêté. Quelques instants plus tard, il ronflait.

J'essayais de ne pas m'offusquer. Ben était saoul. Il jouait les grands protecteurs. Et il ne ratait jamais une occasion de mettre Jason plus bas que terre.

Mais là, c'est… différent. Il a l'air presque jaloux.

— C'est l'alcool qui parle, ai-je marmonné en manœuvrant le *Sewee* dans le port. Ça ne veut rien dire. Rien du tout.

Puis j'ai éclaté d'un rire cynique.

Un malade mental nous obligeait à courir dans la ville.

Mon père voulait que son idiote de copine s'installe chez nous.

Chance me surveillait, tout en complotant avec Madison.

Un ADN canin prenait le contrôle de mon système nerveux, et je n'avais aucune idée de comment l'en empêcher.

La dernière chose dont j'avais besoin, c'était les conseils de Ben dans le domaine sentimental.

Pfou !

Si seulement la vie pouvait redevenir simple…

Je savais que ce ne serait jamais le cas.

J'ai donc fait route vers Morris, impatiente de m'effondrer dans mon lit et de goûter un sommeil réparateur. Soudain, j'ai grincé des dents. Comment faire pour que ces abrutis rentrent chez eux sans se faire remarquer ?

Double pfou !

27.

Ben était au volant du 4×4 de Kit.

On roulait sur l'autoroute 17 depuis un quart d'heure, en direction du nord. On traversait le parc national Francis Marion, en passant par une série de marécages étouffants festonnés de kudzu, avant d'arriver au plateau boisé situé à l'intérieur du parc.

Dix heures moins le quart. L'ambiance était lourde.

— Je veux mourir, gémissait Hi, affalé à l'arrière. Il fait à peine vingt dans la voiture, et je transpire comme un goret.

Shelton a ouvert les yeux,

À l'avant, j'ai répondu :

— Bien fait pour toi, Hi. « Je fais la bombe ! » Tu as vraiment impressionné les gens.

— Ils ont adoré. Tu ne peux pas me retirer ça.

Shelton a toussé, baissé la vitre et expédié un glaviot audehors. Heureusement, il avait bien visé.

Vu la forme dans laquelle étaient les garçons, j'avais laissé Coop à la maison. Quelques cahots de plus, et le trio à la gueule de bois serait bien capable de me redécorer la voiture.

— À quoi ça sert de se saouler si c'est pour se sentir aussi mal après ? C'est comme si on s'inscrivait pour avoir une intoxication alimentaire.

— *Carpe diem*, a balbutié Hi, le visage d'un vert nauséeux. Ou un truc du genre. Oui, je ne sais pas, les jeunes aiment perdre le contrôle. Les jeunes sont débiles.

J'ai déclaré, en faisant bien attention que Ben écoute :

— C'est trop dangereux pour nous. Un Viral ne peut pas se permettre de perdre contrôle, pas une seconde. Pas dans notre… état.

Ben regardait obstinément la route, les yeux injectés de sang. Il avait horreur qu'on le réprimande, et n'était pas près de s'excuser.

Je n'ai pas insisté. Nous savions tous qu'il avait commis une erreur désastreuse, mais personne n'avait envie d'en discuter maintenant. Pas avec le mal de tête. Pas avec Ben, qui était aussi avenant qu'un grizzly énervé.

— Ce n'est pas passé loin. On va juste essayer d'éviter de recommencer.

— Pas de problème, m'a rassuré Shelton. Ma carrière de ping-pong bière a été courte.

— Mais fantastique !

Miracle suprême, personne ne s'était fait prendre. Une chance pareille, je n'en revenais toujours pas.

Après avoir abordé, il m'avait fallu du temps pour réveiller les garçons et leur donner un aspect à demi présentable. Puis, bafouillant et titubant, ils s'étaient dirigés vers leurs maisons. Je n'avais aucun espoir qu'ils fassent illusion.

Mais les parents de Shelton étaient sortis, et Tom Blue dormait. Hi avait évité sa mère en prétextant un problème gastro-intestinal. *Beurk*.

Kit m'avait vue filer vers ma chambre sans même réagir. Je ne crois pas qu'il avait déjà enregistré le paramètre « ado qui rentre bourré ». Ce qui était raisonnable, vu que j'avais quatorze ans, que je n'avais jamais fait ça, et que, en plus, je n'avais pas bu ce soir-là.

Le lendemain matin, je me suis levée tôt et j'ai passé une série de coups de fil. Incroyable mais vrai, les garçons ne s'étaient pas défilés.

On était donc là, les trois à la gueule de bois et moi, dans le 4×4 de Kit.

J'ai jeté un œil à l'iPad. Il restait à peine plus de quatorze heures.

Kit était au travail, bien sûr, même si on était samedi. On ne lui avait pas demandé la permission d'emprunter la voiture. Inutile que papa chéri sache que j'avais rendez-vous avec un inconnu sur un stand de tir loin de tout.

Ben a tourné à droite dans Steed Creek, puis il a pris Willow Hall Road. La forêt de pins des marais se faisait plus dense.

— Je ne me souviens de rien, a dit Ben tout à coup. J'ai perdu connaissance.

— Tu as bu comme un trou noir, a marmonné Hi. Ensuite, tu as voulu te battre avec Jason. Et là, tu…

Je suis intervenue. Je voulais éviter ce sujet.

— On reparlera d'hier soir une autre fois. Pour l'instant, il faut qu'on trouve ce stand.

Perdu connaissance ? J'ai regardé Ben du coin de l'œil. Je ne l'avais jamais surpris à mentir, mais j'avais l'impression qu'il n'était pas tout à fait sincère non plus, sur ce coup-là.

Il se rappelle. Mais il est sans doute gêné du moment où il a viré sentimental.

J'ai laissé filer. La « perte de connaissance » et l'oubli m'allaient très bien.

— On est au milieu de nulle part, a constaté Hi. Il n'y a que des pics-verts.

C'était vrai. Les arbres se rapprochaient de la route, occultant le soleil. Je n'avais pas vu de bâtiment depuis des kilomètres.

Encore huit cents mètres, puis un panneau en bois est apparu : « Stand de Tir de Twin Ponds. »

Ben s'est garé sur une aire gravillonnée. Il n'y avait qu'un autre véhicule : un pick-up Ford F-150 noir et boueux, avec des pneus surdimensionnés et un râtelier en acier fixé à l'arrière.

Je suis sortie la première.

— Allez, on va trouver notre expert.

— Pourquoi est-ce que l'office des forêts possède un stand de tir ? s'est demandé Shelton en sortant péniblement de la voiture. Ça paraît bizarre, non ?

— C'est pas grand-chose, juste une zone pour s'entraîner, a répondu Hi en s'étirant. Et quel meilleur endroit qu'au plus profond des bois ?

Une série de détonations a retenti dans les arbres.

— Ah, quelqu'un est précisément en train de tirer.

J'ai pris mon sac et on a emprunté un petit chemin débouchant sur un long bâtiment rectangulaire divisé en stands, comme un marché en plein air. Chaque partie possédait son banc, son râtelier et une plate-forme de tir donnant sur un espace dégagé.

À cinquante mètres, une grosse poutre traversait le champ, pour qu'on y pose des boîtes, des bouteilles et d'autres petits objets. Encore cinquante mètres plus loin se dressait un gros talus où on pouvait afficher des cibles en carton.

L'endroit était parsemé de détritus : panneaux, vieilles machines à laver, télévision, poubelles – tous rouillés et criblés de balles.

L'endroit semblait négligé. Oublié du monde. Aux alentours, la forêt était d'un calme mortel. Flippant.

J'étais très contente de ne pas être seule.

— Quel dépotoir ! a constaté Ben en donnant un coup de pied dans un tas de douilles à l'entrée.

— Les idiots aiment bien tirer sur des trucs… mais ils n'aiment pas nettoyer après, a commenté Hi.

Une nouvelle série de détonations s'est fait entendre. J'ai aperçu un homme en treillis dans le stand du fond, qui tirait méthodiquement avec un fusil puissant, criblant de balles une cible tout au bout du champ. Il n'y avait personne d'autre.

— Mr. Marchant ?

Pas de réponse. Bien sûr : le tireur portait un casque.

J'ai fait un grand geste. Il nous a remarqués, a posé son arme et son casque, et est venu vers nous.

L'homme était grand, pâle, les yeux noisette et les cheveux châtain clair. Plus jeune que j'aurais cru – pas plus de trente-cinq ans – avec le physique sec d'un coureur d'endurance. Il portait des lunettes teintées orange et des bottes.

— Mr. Marchant ? ai-je répété.

— Appelez-moi Eric.

Il m'a serré la main.

— Vous devez être Tory. J'avais pensé m'entraîner un peu ce matin. J'espère que ça ne vous dérange pas. Je n'ai pas souvent l'occasion de venir.

Tout à coup, Ben s'est raidi. Sans prévenir, il s'est écarté et a vomi à grand bruit dans les buissons.

Tout le monde s'est éloigné en vitesse, étonné.

Pitié, Ben. Pas maintenant ! Cet homme est de la police.

Ben s'est essuyé la bouche et a battu en retraite vers le parking. « Désolé, j'me sens pas… » Il a filé au trot et a disparu dans les bois.

Je suis revenue aussitôt à Marchant.

— Votre ami a l'air un peu… fatigué.

— Je… euh… je vais m'assurer qu'il va bien. Tu viens, Hi ? a demandé Shelton.

— Sûrement pas. Je veux voir ce que c'est qu'une vraie puissance de feu, a répondu Hi en brandissant une arme imaginaire.

— Comme tu voudras.

Là-dessus, Shelton a couru après Ben.

— Je vous prie de les excuser, ai-je dit à Marchant de mon air le plus franc. Il y a un virus qui traîne au lycée, en ce moment.

— Un virus. Bien sûr.

Marchant a abandonné le sujet.

— Vous avez apporté l'arme que vous avez trouvée ?

— Oui, monsieur. Dans mon sac.

— Parfait. Allons voir au stand, là-bas.

Marchant n'était pas du tout comme je pensais. Au téléphone, je m'étais imaginé un intellectuel timide. De toute évidence, c'était plutôt un sportif de plein air.

L'intérieur de son stand recelait un véritable arsenal. Trois pistolets, un fusil à canon court, encore deux fusils de chasse. Et un cracheur de balles automatique, dont j'ignorais le nom.

Hi m'a donné un coup de coude :

— Regarde, là. C'est un AK-47.

— Vous êtes connaisseur, jeune homme.

Marchant m'a regardée d'un air interrogateur. J'ai ouvert mon sac et sorti l'arme et les balles trouvées sur le terrain de golf.

Marchant a écarquillé les yeux.

— Alors ça, c'est vraiment un engin bizarre.

— Vous le reconnaissez ?

— Non.

Il a examiné l'arme.

— Il n'y a ni poinçon du fabricant, ni numéro de série. C'est un engin artisanal, créé par quelqu'un qui sait ce qu'il fait.

Il m'a regardée :

— Dites-moi ce qui s'est passé.

Contournant soigneusement la vérité, j'ai expliqué comment l'arme était piégée, comment elle avait fait feu et ce qu'on avait récupéré. Je n'ai changé que l'endroit.

Sans jamais parler du Meneur, bien sûr.

— Un pistolet piège, a grommelé Marchant. Prévu pour tirer. La méthode habituelle consiste à attacher un fil à la détente, ou à utiliser un capteur.

— Ça a l'air vicieux, a commenté Hi en inspectant le matériel de Marchant.

— C'est sûr. Les armes pièges sont utilisées pour protéger le bétail des animaux sauvages. Elles sont parfaitement illégales, aussi, puisqu'elles tirent sur tout ce qui peut activer la détente. Un pistolet comme ça n'a pas été acheté en magasin.

J'ai perdu courage.

— Donc, il ne peut rien vous révéler ?

— Peut-être que non... Mais cette balle, à elle seule, pourra nous apprendre des choses.

— Je vous écoute.

Je me suis assise sur le banc de bois plein d'échardes, sans toucher aux armes de Marchant. La forêt était silencieuse. Une rangée de cyprès bloquait toute vue sur le parking, donnant l'impression que le stand de tir était l'endroit le plus reculé du monde.

— Une munition a quatre composantes : l'amorce, l'étui, la poudre et la balle proprement dite, a expliqué Marchant en me tendant une cartouche de son Beretta 9 mm. Quand la détente est actionnée, un percuteur frappe l'amorce, faisant exploser la charge de poudre ensuite.

— Et c'est ce qui propulse la balle ?

— Exact. Cette explosion envoie le projectile dans le canon. La balle part avec un mouvement rotatif, à cause de minuscules rainures qu'elle porte sur toute sa longueur. L'étui reste dans la chambre jusqu'à ce qu'on l'enlève.

— Sauf si c'est un semi-automatique, a corrigé Hi.

— Exact. Dans ce cas, l'étui – la douille, comme on dit à tort – est éjecté automatiquement. Vous m'avez dit que vous n'en aviez pas récupéré, n'est-ce pas ?

— Non.

Cela m'a agacée. Comment avais-je pu oublier ?

— Pas grave. Ce sont les rainures sur la balle qui sont l'élément le plus important.

— C'est super de pouvoir faire correspondre une balle à une arme comme ça, a dit Hi, mais on a déjà l'arme. Vous l'avez entre les mains.

Marchant souriait.

— J'espère pouvoir vous aider davantage.

— Comment ?

— La balle porte la signature unique de l'arme qui l'a tirée. (Marchant a montré sa collection.) Tous les canons sont différents, même ceux produits pour le même type d'arme, par la même entreprise et dans la même usine le même jour. Chaque arme produite possède son empreinte balistique propre.

— Et pourquoi ?

— Lors de la fabrication, de minuscules imperfections subsistent. Des échardes de métal microscopiques s'incrustent dans le canon. Elles créent un ensemble unique de griffures sur le projectile, qu'on appelle des « stries ».

— Donc, toutes les balles tirées par la même arme posséderont les mêmes stries. Et ces stries, on peut les détecter, je suppose ?

— Exactement comme une empreinte digitale, a répondu Marchant en souriant.

— D'accord, mais je ne comprends toujours pas, a dit Hi. L'arme, on l'a. Pourquoi s'intéresser à sa signature ?

— Parce que nous avons des dossiers sur les signatures balistiques.

Marchant a délicatement placé l'arme dans un sac plastique.

— Lorsque la police identifie une arme potentiellement liée à un crime, elle l'envoie à la balistique pour analyse. C'est moi. D'abord, j'envoie de l'air comprimé dans le canon pour voir ce qui en sort. Parfois, ce sont de petits bouts de matière comme de la peau, des fibres ou des cheveux qui ont été aspirés lors du tir.

— De l'ADN. Des éléments de preuve, a opiné Hi d'un air sagace. Pas mal.

— Ensuite, je tire des balles dans un puits spécial ou dans du gel balistique, et je compare les stries avec notre base de données. Ainsi, je peux vérifier si l'arme a été utilisée pour un autre crime.

— On compare l'arme, et on trouve le propriétaire.

Ça semblait logique.

— Il faut essayer, au moins.

— Je regarderai d'abord nos fichiers locaux, puis ceux de la Caroline du Sud. Si ça ne nous dit rien, je pourrai tenter le réseau d'information du Bureau de l'alcool, du tabac et des armes à feu.

— C'est très généreux de votre part. C'est une aide inestimable que vous nous apportez.

— Ces engins sont extrêmement dangereux. Ils peuvent être déclenchés par n'importe quoi, ou n'importe qui. L'arme aurait aussi bien pu abattre un enfant au lieu de votre chien. Le responsable doit en répondre.

— Donc, vous pensez que nous avons une chance de l'identifier ? a demandé Hi.

— Je pense. (Marchant a jeté un œil à sa montre.) Avec ce genre d'arme, il y a sans doute eu de sales histoires. Donnez-moi une semaine, et on saura si elle a montré sa vilaine tête ailleurs.

— Ça m'a l'air d'un bon plan, a dit Hi. Heu, je peux vider un petit chargeur banane avec votre Kalach' ?

— Ça ne risque pas, a répondu Marchant en souriant pour adoucir son refus. Mais je vous tiendrai au courant de mes découvertes.

On l'a encore remercié puis on est retournés au parking. J'espérais que Chochotte et le Vomitausore s'étaient un peu remis d'aplomb.

— Il nous faut vraiment une de ces mitraillettes, a déclaré Hi. Peut-être qu'on pourrait en avoir une au bunker, non ? Ça calmerait les lapins.

— Hi, il va falloir qu'on parle de ton habitude de provoquer les gens.

— Hé, t'en fais pas. (Énorme bâillement.) Je te pardonne. Bon, surtout : t'aurais de l'aspirine ?

28.

Le voyage du retour a commencé en silence.

Ben semblait ébranlé par son épisode vomitif. Il serrait le volant de toutes ses forces, roulant plus vite que d'habitude. Shelton s'est mis en boule et rendormi.

J'étais contente qu'on ait atteint notre but, mais je m'inquiétais toujours à cause du Jeu. Tout reposait sur notre résolution de l'énigme suivante. La pression commençait à me fatiguer.

Peut-être que Marchant trouverait quelque chose. Croisons les doigts.

— Le compteur s'arrête à minuit. Vous avez des idées ? a demandé Hi.

— Il faut qu'on identifie la statuette. C'est notre seul indice.

Hi et moi avons discuté de quelques idées, prévu une stratégie pour l'après-midi. Shelton ronflait. Ben restait silencieux, les yeux rivés à la route.

Il devait être gêné. Ou inquiet d'abîmer la voiture de Kit.

Quarante minutes plus tard, nous étions chez nous, sur Morris. Ben a rangé la voiture dans mon garage, m'a lancé les clés et s'est dirigé vers sa maison.

— Ben ? Tu pourras nous aider cet après-midi ? On n'a plus beaucoup de temps.

— Donne-moi une heure.

— Il va vomir, a expliqué Shelton en rotant. Euh, je crois que je vais l'accompagner.

— Mais tu reviens toi aussi, pas vrai ?

— Ouais ! Dans vingt minutes. Disons trente.

Hi s'esquivait lui aussi.

— Il faut que je mange. Sinon je suis mort. Je reviendrai en même temps que Shelton.

En un clin d'œil, je me suis retrouvée seule.

Passant par le garage, j'ai gravi l'escalier de derrière. Coop m'attendait en haut.

— Salut, mon chien.

Coop a jeté un regard par-dessus son épaule. Le seul avertissement.

— Tory ?

Whitney rôdait à l'intérieur.

J'ai inspiré profondément pour me calmer, puis j'ai pénétré dans le salon.

Whitney trônait dans le canapé.

— Je suis vraiment désolée pour hier.

— Pas de problème, ai-je répondu mécaniquement, sans trop savoir ce que je ressentais – mais très désireuse d'éviter cette conversation. Laissons tomber.

— Je n'ai jamais voulu te faire de la peine, a déclaré Whitney, en posant une main délicate sur son cœur. Vraiment ! Ton père et moi, nous n'aurions jamais dû t'apprendre la nouvelle si brutalement.

— Tout va bien.

Aucune raison de me mettre en colère.

— Ma réaction était excessive.

— Non, a répondu Whitney d'un ton ferme. Cette maison est aussi la tienne.

— Écoute, si Kit et toi vous voulez vivre ensemble… ai-je dit en écartant les mains… je n'ai pas à m'interposer entre vous.

Whitney parlait encore, mais je n'entendais pas. J'avais remarqué quelque chose de… bizarre.

J'ai jeté un regard autour de moi.

— Où sont tes affaires ?

Le vase, la photo et d'autres éléments étrangers avaient disparu. Je me suis retournée vivement. Le tableau du chien bleu n'était plus dans le hall.

— J'ai rapporté mes affaires chez moi. Tu avais raison à cent pour cent. C'était présomptueux de les apporter ici sans ton approbation.

— Non. Attends. Je veux dire…

Une tempête faisait rage sous mon crâne. Ce recul, c'était exactement ce que je voulais. J'avais envie de crier « ouais, exactement ! » et de filer dans ma chambre.

Mais Whitney essayait visiblement de se racheter. Elle s'était donné beaucoup de mal.

Pour la première fois, à ma connaissance, elle semblait comprendre.

Mais je n'avais aucune, alors aucune envie qu'elle habite chez nous.

Beuark !

Dilemme.

Se montrer agressive, égoïste et heureuse ? Ou généreuse et… malheureuse.

Tout à coup, quelque chose a attiré mon attention. J'en ai oublié tout le problème Whitney.

Un objet se trouvait à la place du vase de Whitney.

Petit. Abîmé. Métallique.

La statuette du Meneur de Jeu.

Je me suis précipitée vers l'étagère :

— Où tu as trouvé ça ?

— La statuette ? Je l'ai vue sur ton bureau, et j'ai pensé que saint Benoît serait bien ici.

Whitney a pris une mine désolée :

— Oh, mon Dieu ! J'ai encore fait ce qu'il ne fallait pas, c'est ça ?

— Pardon ?

— Oh, ma chérie, je suis tellement désolée ! (Elle s'est pris la tête à deux mains.) J'ai pensé que ça te ferait plaisir d'avoir quelque chose à toi ici, au lieu de mon vase. Je ne fais que des bêtises, hein ?

Elle avait l'air au bord des larmes.

— Je ne suis pas fâchée, Whitney. Tu as dit que c'était qui, la statuette ?

— Saint Benoît, bien sûr. J'ai été élevée dans la religion catholique, comme tu le sais sûrement. Quand j'étais petite fille, son image était dans notre bibliothèque familiale. C'est le saint patron des étudiants.

Je n'en croyais pas mes oreilles. Des heures de recherches infructueuses, et cette satanée Whitney Dubois qui m'apporte la réponse sur un plateau… Une chance pareille, ça n'existe pas.

Mon esprit s'est enfiévré.

Il me fallait réunir les garçons. Tout de suite.

— Je préfère la garder dans ma chambre.

J'ai attrapé la statuette et ajouté :

— Mais j'apprécie ton attention.

— Pardonne-moi. Je ne toucherai plus jamais à tes affaires.

Impulsivement, je l'ai prise dans mes bras.

— Pas de souci.

Puis j'ai foncé dans l'escalier, laissant la Barbie stupéfaite derrière moi.

*
* *

— Ça y est !

Hi a embrassé l'écran de son portable.

— Viens voir papa !

— Ça y est quoi ?

On cherchait depuis trente secondes, assis à la table du salon, en attendant Shelton et Ben. Whitney était sans doute partie peu après que j'étais remontée dans ma chambre.

J'avais envoyé un SMS urgent aux garçons. Pour l'instant, seul Hi avait fait surface.

— Il y a une église catholique Saint-Benoît, à Mount Pleasant. Tu as vu ça, un peu ?

— Formidable.

C'était donc si facile ?

J'ai regardé le tissu blanc et noir qui avait enveloppé la statuette.

— Et ça ?

— C'est peut-être rien du tout. Hum, tu as remarqué ça, quand même ?

— Remarqué quoi ?

Hi tenait l'échantillon par un coin, révélant un motif brodé minuscule au dos.

— Tu plaisantes.

J'avais un coup de barre – et au mauvais moment.

J'ai récupéré le tissu. Les coutures, petites et fines, formaient un demi-cercle d'où sortaient quatre lignes ondulées.

— On dirait un coucher de soleil. Qu'est-ce que ça peut bien vouloir dire ?

— Qui sait ? C'est peut-être juste un tissu d'emballage.

— Oui...

Pourtant, quelque chose me dérangeait.

— Tu ne crois pas que ça a été trop facile, tout ça ?

Hi se dirigeait déjà vers ma cuisine.

— Comment ça, trop facile ?

— Par rapport aux autres tâches. Elles étaient difficiles, compliquées. Avec des codes, des énigmes, des trucs comme ça.

Hi est revenu avec une boîte de céréales.

— Peut-être qu'on a eu de la chance, cette fois.

Peut-être. Sans doute.

Non.

Je n'y croyais pas.

— Pour l'instant, le Meneur de Jeu n'a utilisé aucun indice dénué de signification. Il y a un motif sur le tissu. Et pourquoi est-ce qu'il est noir et blanc ? Ça joue forcément un rôle.

— Donc, tu as encore besoin de mon génie, a soupiré Hi.

— Exact.

— D'accord. Au fait, tes céréales sont « allégées en graisse ». C'est infect.

On a cherché et cherché encore. Shelton est arrivé en renfort intellectuel. Une demi-heure plus tard, on n'avait toujours rien.

— On tourne en rond, a gémi Hi. Et où est Ben, bon sang ?

— Absent sans autorisation. Il avait l'air fracassé ce matin. Je parie qu'il s'est allongé et endormi.

— Recommençons.

J'ai de nouveau tapé « Saint Benoît. Charleston. »

Les mêmes résultats. Tous mentionnaient l'église de Mount Pleasant.

Pourquoi est-ce que je m'usais la cervelle là-dessus ? Je perdais peut-être un temps précieux.

Fie-toi à ton instinct. Continue à chercher.

— Et si on enlevait cette église des résultats ? a proposé Shelton.

— Vas-y.

Je lui ai laissé le clavier. Shelton a pianoté dessus, modifiant les paramètres de recherches.

— Alors ? Qu'est-ce que c'est ?

J'ai regardé par-dessus son épaule. L'écran affichait une image agréable d'une route de campagne bordée de chênes géants. Dans un coin, on voyait un logo aux lignes douces, blanc sur noir.

L'abbaye de Mepkin.

— Un monastère.

Hi était penché sur l'ordinateur juste à côté de moi. Il ne sentait pas la rose.

— Des moines ! a grogné Shelton. En Caroline du Sud ? Sérieusement ?

Le site était bien conçu et professionnel. Au sommet, un lien indiquait : Qui Sommes-Nous ?

— Clique.

La page en question contenait une profession de foi et un portrait de groupe.

— Ces types prient toute la journée. Et ils ne parlent pas, a résumé Hi.

— Toi, tu n'y arriverais pas, a gloussé Shelton.

— Bizarre… Ils vendent aussi des produits, jardinent et tiennent une bibliothèque moderne. Et les locaux sont ouverts aux visiteurs tous les jours.

Shelton nous a lu à haute voix :

— L'abbaye de Mepkin est un monastère trappiste. Les moines suivent la règle de saint Benoît. C'est nouveau pour moi, mais ça correspond à notre recherche.

Je n'écoutais pas leur bavardage. J'avais les yeux fixés sur une photo :

— Elles sont belles leurs robes, vous ne trouvez pas ?

— Ah, ah !

— Bien vu, Tory.

L'image montrait vingt moines, debout sur deux rangées dans un beau jardin de fleurs. Ils souriaient. L'âge moyen était d'une soixantaine d'années bien tassée.

Mais ce n'était pas ça qui me faisait sourire.

Ces hommes portaient des robes identiques.

Des robes identiques *noir et blanc*.

— Ga-gné !

29.

– Tourne… ici !

Je montrais un panneau bizarre en bord de route : un grand M blanc, avec une croix blanche qui s'élevait en son milieu. Les mots « Abbaye de Mepkin » étaient gravés dans le piédestal de pierre.

– Ça nous a pris un bon bout de temps.

Ben conduisait depuis plus d'une heure. En y ajoutant les quatre-vingt-dix minutes qu'il lui avait fallu pour réapparaître, la moitié de l'après-midi s'était déjà écoulée.

Shelton s'est mis à bâiller.

– Tu parles d'un endroit perdu !

– Ils n'ont sans doute pas le câble – ni l'eau courante.

On roulait au pas dans une allée bordée d'arbres, qu'on avait déjà vue sur le site de l'abbaye. Des chênes verts imposants se dressaient des deux côtés. Le soleil et les ombres dansaient sur le pare-brise.

L'endroit était serein. Idyllique. Parfait pour une vie contemplative.

– Ouvrez bien l'œil pendant la visite. L'objet suivant doit être caché sur le site.

J'avais emporté deux pelles dans mon sac, juste au cas où. Il ne restait que neuf heures pour résoudre l'énigme du Meneur de Jeu.

– Il y a des moines qui vivent ici ? s'étonnait encore Shelton. Au milieu de nulle part, en Caroline du Sud ?

– Depuis 1949, a lu Hi sur son iPhone. Fondée par des moines de l'abbaye de Gethsemani, dans le Kentucky, la fraternité de Mepkin appartient à l'ordre des Cisterciens de la stricte observance.

– Qu'est-ce que ça veut dire, encore ?

— Ce n'est pas à moi qu'il faut poser la question. Mais si tu veux en faire partie, je dirai un mot en ta faveur.

On s'est garés sur le parking visiteurs, puis on a suivi un chemin bordé de haies jusqu'à l'accueil. À l'intérieur, grosse surprise : c'était moderne et bien équipé. Échangeant des regards ébahis, on est allés errer dans la boutique de souvenirs.

Une nouvelle surprise nous y attendait. La boutique était aérée et bien éclairée. Des tables et étagères regorgeaient d'artisanat monastique, de bols sculptés, de bibelots, d'écharpes, de couvertures et autres objets. Les livres de cuisine et les textes monastiques côtoyaient les vases et les confitures maison.

L'endroit baignait dans une atmosphère éclectique et artistique, loin des moines revêches menant en silence une existence rude et spartiate que j'avais imaginée.

— Regarde, Tory !

Hi me montrait une étagère remplie de saints et de figurines.

— Joli.

Le cœur battant, j'ai examiné cet assortiment. Là ! Sur l'étagère du milieu : une statuette de saint Benoît identique à celle rangée dans mon sac.

— On est vraiment au bon endroit.

Hi m'a claqué les paumes. Ben avait l'air content aussi.

— Ils vendent de la bière, vous y croyez, vous ?

Shelton imaginait une tour de packs de six.

— Les moines aiment boire ?

— L'abstinence de tout alcool ne figure pas dans nos vœux.

On s'est retournés. C'était un petit homme bien rasé, âgé d'une quarantaine d'années. Il avait des cheveux blond sale virant au gris, des yeux d'un vert marin, et des traits doux, presque féminins. Il portait la robe blanc et noir de Mepkin.

— De fait, la brasserie de l'ordre est assez réputée, a ajouté le moine. Mepkin propose quelques-unes des meilleures bières ambrées du monde trappiste.

— Cette boutique est adorable.

Je disais n'importe quoi, mais le moine m'avait surprise.

— Je ne m'attendais pas à une telle… couleur, une telle variété…

Le moine a souri.

— Vous n'êtes pas la première. Notre boutique propose un grand choix d'objets conçus dans la tradition monastique, et par des artisans locaux. Tous reflètent la beauté de la création divine.

— Vous fabriquez des choses ici ?

— En effet.

Le moine a pris un pot avec l'étiquette « Poudre de Pleurotes ».

— Selon le point quarante-huit de la règle de saint Benoît : nous devons être « occupés à travailler de nos mains ». Nous produisons et vendons des biens pour financer le monastère, et pour honorer le Seigneur par notre travail. Nos champignons sont connus dans le monde entier, et le compost de notre jardin de toute première catégorie. Nous proposons aussi une gamme de produits autour du miel, ainsi qu'un délicieux sirop de fruits.

— Hé, je croyais que vous ne parliez pas, les gars. (Hi a encaissé mon coup de coude.) Heu, que vous aviez fait vœu de silence, je veux dire.

— C'est une erreur courante.

Le moine a continué, adoptant un ton professoral :

— Saint Benoît a dit de la parole qu'elle écartait les disciples de leur devoir de sérénité et de réceptivité, et qu'elle nous tentait d'exercer notre volonté, au lieu de celle de Dieu. Nous devons donc respecter cet appel au silence, mais nous ne faisons aucun vœu à ce sujet. Ceci étant, nous ne parlons que lorsque c'est nécessaire, et les bavardages oiseux ne sont pas encouragés. Nous prenons nos repas dans une paix contemplative, en écoutant parfois la lecture d'un frère.

— Et là, ce n'est pas du bavardage oiseux ? a insisté Hi en esquivant un nouveau coup de coude.

— Bien sûr que non, a répondu le moine en souriant. Instruire celui qui s'interroge, c'est répandre la joie de Dieu. Mon nom est frère Patterson, et je serai votre guide pour la visite d'aujourd'hui. Souhaitiez-vous vous joindre à nous ?

— Je m'appelle Tory Brennan. Eh oui, c'est pour cela que nous sommes venus.

— Parfait, a dit Patterson, rayonnant. Nous recevons si peu de jeunes visiteurs. Veuillez me suivre. D'autres personnes sont venues aujourd'hui aussi.

Il nous a conduits dans un petit jardin de fleurs.

Un couple visiblement riche discutait bruyamment de la meilleure manière de soigner les azalées, sous le regard désapprobateur de trois bonnes sœurs. À côté, un couple âgé discutait à voix basse, en ce qui semblait être de l'allemand.

— Bienvenue à l'abbaye de Mepkin, a dit Patterson au groupe. Nous sommes un ordre catholique de moines contemplatifs, plus communément appelés trappistes. Nous vivons dans le silence et la solitude, selon une discipline ancienne qui vise à la quête de Dieu par la vie commune. Nous louons notre Seigneur par la prière, la méditation, le travail et l'hospitalité. Soyez donc les bienvenus.

L'obsédée femelle des azalées se tapotait son gloss à lèvres.

— C'est quoi, un trappiste ?

— Le mouvement est né en Normandie, en l'an 1664, en réaction aux pratiques trop laxistes de nombreux monastères cisterciens. En 1892, avec la bénédiction du pape, les trappistes ont formé un ordre indépendant consacré à une adhésion plus stricte à la Règle de saint Benoît.

— Saint Qui ? a demandé Gloss à Lèvres.

— Saint Benoît, a répondu Patterson patiemment, a écrit cette Règle au VIe siècle, pour établir les idéaux et les valeurs de la vie monastique. Le but des trappistes est d'adhérer à ces trois vœux : la stabilité, l'obéissance et la conversion à la vie monastique.

— La conversion à la vie monastique ? a ricané le mari chauve de Gloss à Lèvres. Quoi, vous n'aimez pas les minettes ?

Nouveau sourire poli.

— En tant que moines bénédictins, nous nous vouons à Dieu, mais cela ne signifie pas que nous n'aimons pas les femmes. En fait, chaque ordre cistercien possède une branche féminine. La nôtre est celle des « sœurs trappistes ».

— Il y a beaucoup de trappistes ? a demandé Hi.

— Cela dépend du point de vue.

Joignant les mains, Patterson nous a invités à le suivre dans le jardin.

— On compte environ 170 monastères trappistes dans le monde, accueillant environ 2 100 moines et 1 800 sœurs.

— Ça ne fait pas trop de monde, a commenté Hi.

— La vie monastique n'est pas pour tout le monde, a répondu Patterson avec un petit sourire.

— Moi, ça me paraît bien, dit Shelton en passant devant des rangées d'hortensias bleus, de lilas blancs et de jasmins jaunes. Paix et sérénité. Où faut-il signer ?

Souriant, frère Patterson a fait semblant de le prendre au mot :

— D'abord, nous devons voir si vous convenez bien. Possédez-vous la vigueur physique, psychologique et spirituelle pour vivre selon nos principes ? Vous engagez-vous pleinement à mener une vie de prière continue ?

— Continue ? a demandé Shelton, interloqué.

— Nous nous levons à 3 heures pour vigiles, suivies d'une méditation personnelle, puis à 5 h 30 pour laudes, avant le petit déjeuner. Le reste de la journée est réparti entre la prière, le travail et les dévotions personnelles. Nous nous retirons à 8 heures pour le grand silence, qui dure douze heures.

— Euh... sans doute que non, alors.

— Il vous faudra aussi une formation, une expérience de travail, et une éducation catholique. En outre, vous devrez être dégagé de toute dette ou obligation envers une épouse, des enfants ou des parents.

— Je suis hors jeu partout, alors. Quand je serai plus grand, peut-être.

— Qui peut le savoir, sauf notre Seigneur ?

Frère Patterson nous a conduits dans une cour donnant sur les bâtiments du monastère. Au centre se dressait une tour de quinze mètres contenant quatre cloches, disposées l'une sur l'autre.

— La Tour des Sept Esprits de Dieu, a annoncé Patterson. Ses cloches annoncent chaque prière quotidienne.

Il a désigné sur notre gauche un groupe de bâtiments en stuc.

— Voici le cloître où résident nos frères.

Devant nous se trouvait l'église proprement dite : un simple bâtiment de stuc blanc surmonté d'une croix en fer. Une lumière chaude et jaune s'en dégageait.

Nous avons franchi ses portes de bois sculpté. L'intérieur était clair et harmonieux, avec un sol en carrelage et un toit en pin jaune. Une petite nef accueillait quelques dizaines de sièges. L'autel était installé à la croisée du transept, avec un orgue imposant juste derrière. Une rosace en hauteur projetait une lumière colorée sur les murs de plâtre blanc dépouillés.

J'ai noté l'absence de statues, de peintures ou de vitraux.

— Aucune décoration.

— La prière continuelle exige une discipline stricte, a expliqué Patterson. Les décorations extérieures, aussi édifiantes soient-elles, ne seraient qu'une distraction.

Après avoir laissé quelques minutes au groupe pour observer les lieux, Patterson nous a fait ressortir, puis descendre dans un petit ravin.

Hi s'est approché pour me chuchoter à l'oreille :

— C'est énorme ici. Bien plus que je ne pensais.

— Et moderne, aussi. Ces moines cachent bien leur jeu.

— Ça va être difficile de trouver ce qu'on cherche.

On s'est approchés d'un bâtiment de quatre étages reposant sur d'imposants piliers de béton. Des arches de brique de style colonial s'étendaient sur les premiers niveaux, surmontés d'une façade de chaux et de stuc blanc.

Patterson a attendu que les visiteurs se regroupent.

— Cette bibliothèque accueille nos collections de théologie, ainsi que d'art religieux et de nombreux ouvrages rares. Elle possède aussi des salles de réunion, un centre de conférence avec une installation informatique dernier cri, et une salle de cinéma haute définition.

— C'est du high-tech, a soufflé Shelton.

— Cette visite est à présent terminée.

Patterson a écarté les bras :

— Vous pouvez explorer notre bibliothèque ou nos nombreux jardins à votre guise. Restez aussi longtemps que vous le désirez. Nous vous demandons seulement d'éviter le cloître, par respect pour l'intimité de nos frères, ainsi que le cimetière, pour préserver cette enceinte consacrée.

Là-dessus, Patterson est parti dans un doux froissement de robes. Le couple allemand s'est promené dans une allée du jardin, tandis que Gloss et le Chauve retournaient à la boutique de souvenirs. Les sœurs sont entrées dans la bibliothèque.

— Et maintenant ? a demandé Hi.

— Des idées ?

— Moi, je dis à gauche.

Shelton étudiait un plan gratuit qu'il avait pris à la boutique.

— Il y a un gros jardin qui surplombe la rivière Cooper.

— Ça m'a l'air d'une bonne idée. Rappelez-vous d'ouvrir l'œil. Pour tout.

On a pris une piste qui contournait deux bassins naturels au fond du ravin. Elle nous a menés à plusieurs petites habitations isolées dans les bois.

— Qui vit ici ? a demandé Ben.

— Ce sont des chambres d'hôtes, ai-je répondu en me souvenant de ce que j'avais vu sur Internet. Tu peux faire une retraite ici et vivre comme un moine pendant un week-end, une semaine ou même davantage s'ils te le permettent. Ça doit être une façon de te mettre bien avec Dieu.

— Ça m'a l'air relaxant, a commenté Shelton. Moi, je dormirai tout ce temps-là.

— Peu probable. Il faut assister à toutes les prières, et t'épuiser à la tâche.

On a navigué dans un jardin labyrinthe avant de traverser une prairie de plantes natives. La piste continuait dans un bosquet de magnolias à côté d'un vieux cimetière, avant de descendre vers la rivière.

En chemin, on est passés devant deux statues en bois ; l'une représentant la crucifixion, l'autre la fuite d'Égypte de la sainte famille. Intéressant, mais sans lien avec notre indice.

— Le jardin principal est là-bas, a indiqué Shelton en montrant une zone verdoyante devant nous.

— Stop.

Je les ai regardés l'un après l'autre.

— On ne peut pas prendre le risque que quelque chose nous échappe.

Ils ont tous les trois compris. J'ai vu leurs corps se tendre, leurs yeux se fermer.

SNAP.

Et voilà. Tout le monde était en flambée. Je sentais leurs pensées, mais moins fort que lorsque Coop était là.

Je n'ai pas tenté d'entrer en contact. Je ne voulais pas me retrouver avec une mutinerie à gérer.

— Suivez-moi.

On a pénétré au cœur des jardins de l'abbaye. De vieux arbres ombrageaient une série de plantations en terrasses, parsemées de grilles et de statues couvertes de plantes grimpantes. Des azalées, des camélias et d'autres arbustes en fleur descendaient vers la rivière.

L'endroit était magnifique et secret, rempli de coins et de recoins cachés dans une végétation verdoyante. Silencieuse. Mystérieuse.

Nos hypersens en éveil, on examinait la moindre sculpture, niche ou pierre tombale.

Rien. Aucune trace de la cachette du Meneur.

— On n'est pas au bon endroit. Mais je ne vois pas où on pourrait chercher.

— Il reste une autre possibilité, a dit Hi en prenant le plan. Regardez les bois, derrière nous. Le plus vieux cimetière de l'abbaye se trouve derrière cette crête. C'est l'endroit le plus isolé du domaine.

— Pourquoi tu ne l'as pas dit avant ?

Je partais déjà.

— C'est trop loin, a marmonné Shelton.

J'ai fait semblant de n'avoir rien entendu.

On a pénétré dans les bois et continué jusqu'au pied d'un étroit pont de planches. Des pins imposants et un sous-bois dense nous cachaient le jardin et la rivière.

— Il faut qu'on traverse ? a demandé Shelton.

Ben a réagi :

— Allez viens, chochotte.

Après avoir gravi l'escalier sur la berge d'en face, on a repéré notre objectif. Le vieux cimetière, entouré d'un mur de briques à hauteur d'homme et long de quinze mètres, était rempli de pierres tombales et de mausolées. Une grille en fer rouillé barrait l'entrée.

Aucun chant d'oiseau. Aucun chant de criquet. L'air était lourd et moite, d'un calme mortel.

– On ne peut pas entrer dans un cimetière, a rappelé Shelton. Patterson a été bien clair.

– Regardez, les gars !

Mon hypervision l'avait déjà repéré.

Un petit mausolée se dressait au beau milieu du cimetière.

Son toit était décoré d'une sphère en marbre.

À sa surface était gravé un dessin familier.

Un demi-cercle rayonnant.

Un soleil levant.

30.

— On y va.

J'ai secoué la grille dans l'espoir de l'ouvrir. Perdu. Elle était fermée par un gros cadenas en acier.

— Les cimetières sont interdits ! a gémi Shelton comme lui seul savait le faire. Il faut respecter les morts.

— Le symbole du soleil correspond. La cachette est forcément dans cette tombe, et il nous reste moins de huit heures. À moins que tu ne préfères revenir de nuit ?

— Oh, non !

Shelton a littéralement frissonné à cette pensée.

— Le pillage de tombes à minuit… très peu pour moi.

— Tory a raison.

Hi regardait derrière nous.

— On est tout seuls, et déjà en flambée. On entre et on sort vite fait, et personne ne verra la différence.

— Sauf Dieu ! a couiné Shelton. C'est un endroit consacré !

— Ça suffit.

Ben a passé le mur d'un bond.

— Si vous venez, c'est maintenant.

J'ai demandé un peu d'aide. Hi m'a fait la courte échelle, puis il est passé à son tour, perdant l'équilibre et s'affalant de l'autre côté. Ben a pris Shelton par les bras et l'a tiré vers lui.

J'ai lancé un regard coupable par-dessus mon épaule, les yeux et les oreilles aux aguets.

Personne en vue. Aucun signal d'alarme.

Nous n'avons aucune intention de manquer de respect.

Les murs de marbre du mausolée formaient une structure carrée, pas plus grande qu'un monospace. Trois marches menaient à une porte entourée de colonnes de pierre et fermée par une grille en fer. Des phrases décolorées en latin décoraient les côtés.

— Donc, on entre vraiment ? a soupiré Shelton.

J'ai montré le soleil levant qui ornait le toit.

— Ça me semble évident.

— Arrêtez de perdre du temps, a coupé Ben. Allez, Shelton. Sésame, ouvre-toi.

— Puisque tu le demandes si gentiment.

Shelton s'est approché de la grille, outils de crochetage à la main, mais toujours désapprobateur.

— Vous avez de la chance. J'ai failli ne pas les prendre avec moi.

— La voie est toujours libre, a indiqué Hi qui surveillait les alentours. Mais je me fais l'effet d'un pilleur de tombes.

— Nous ne dérangeons rien.

J'étais sérieuse.

— Les morts comprendront.

— J'espère, a dit Hi en essuyant ses mains moites sur son short à carreaux bleus. Je ne peux pas me permettre d'être hanté ce trimestre. Mon emploi du temps est très chargé.

Un grincement de métal rouillé nous a indiqué que Shelton avait franchi le premier obstacle. J'ai serré les dents, mais personne n'est apparu. Shelton s'est attaqué à la porte de pierre.

— Il faudra faire attention à l'intérieur, a rappelé Ben d'une voix tendue. La dernière cachette était dangereuse.

— Je l'ai eue !

Shelton s'est redressé.

— Faudrait que quelqu'un explique aux moines que ces serrures ne sont pas très fiables.

— Allez, on y va.

Ben a poussé la porte, révélant un escalier raide qui s'enfonçait dans le noir.

— Allez, non ! a gémi Shelton. Sous terre ? Tu plaisantes !

J'ai tenté de le rassurer en scrutant la pénombre.

— C'est un petit escalier, et j'ai des lampes dans mon sac.

— Chut ! J'ai entendu quelque chose.

— Il y a quelqu'un qui passe le pont ! a sifflé Hi.

— Vite, à l'intérieur ! Ben, enferme-nous !

— Se cacher dans la maison d'un mort ? a demandé Shelton, paniqué. C'est ça, ton plan ?

— Bouge !

J'ai poussé Shelton et Hi vers l'escalier.

— Le temps que l'autre passe, on pourra voir si la cache est là.

On s'est réfugiés en hâte à l'intérieur, et Ben a refermé la porte dans un nouveau grincement.

— Et l'autre grille ? Tu l'as fermée aussi ?

— Non. Trop de bruit. D'ailleurs, rien que cette porte aurait pu nous trahir.

— Lumière, s'il vous plaît ? a demandé Shelton d'une voix éraillée.

À tâtons, j'ai tendu une lampe à Ben et allumé l'autre. On a lentement descendu l'escalier de pierre.

Dix marches plus bas, on pénétrait dans une crypte poussiéreuse trois fois plus vaste que le mausolée. Un sarcophage gisait au milieu. J'ai fait passer le rayon de ma lampe aux alentours, scrutant la pièce avec mon hypervision. Des plaques de marbre effrité décoraient les murs, toutes gravées d'un nom et d'une date.

— Ça doit être le chef là-dedans, a dit Hi en tapotant le sarcophage. Et sa famille est sans doute rangée dans les murs.

— Regardez !

Ben éclairait le couvercle du sarcophage. Un soleil levant était taillé dans la pierre.

Soudain, le rayon de lumière est tombé sur une éclaboussure colorée – écarlate.

Un objet reposait à côté du symbole.

Une rose, attachée avec un ruban violet. En flambée et dans l'air renfermé, je discernais le moindre pétale délicat et toutes les composantes de son parfum.

Une série de clowns ricanants décorait le ruban.

Aucune erreur possible.

— Attendez… a dit Hi. Est-ce que ça veut dire… qu'on doit…

— Ouvrir le cercueil ?

Shelton a aussitôt reculé.

— Ça ne risque pas !

— Mais le Jeu… ai-je faiblement protesté. La bombe explosera si on…

Je n'ai pas fini ma phrase. Que ce soit nécessaire ou pas, j'étais comme Shelton, ça me posait un sérieux problème de déranger les morts dans leur dernière demeure.

— Nous n'avons pas le choix ! a dit Ben, les traits tendus. Si on ne trouve pas cette cachette, tout le monde perd.

— Il a raison. Allez, qu'on en finisse.

— Faites attention, a répété Ben. Vérifiez qu'il n'y a pas de piège. Ou de caméra dissimulée.

On s'est avancés prudemment, nos hypersens en action, à l'affût du moindre cliquetis, craquement ou grincement. Je regardais partout.

Le sarcophage était fermé par une dalle de marbre géante.

— Peut-être que le Meneur de Jeu pense qu'on ne peut pas l'ouvrir ? a demandé Hi. Ça a l'air terriblement lourd.

Ben a pris la dalle par un coin et a tenté de la pousser. Elle n'a pas bougé.

— Un coup de main, a-t-il haleté.

Shelton est venu l'aider. Ils ont poussé ensemble.

La dalle s'est déplacée d'un centimètre.

— De toute façon, on ne va pas ouvrir ce monstre complètement. Le marbre risque de se briser. En plus, on n'arriverait jamais à le remettre en place, a dit Ben.

Je me suis placée avec Hi en face des autres, et, joignant nos forces, centimètre par centimètre, nous avons fait tourner le couvercle dans le sens des aiguilles d'une montre. Après des efforts épuisants, on a donc réussi à ouvrir le haut du sarcophage.

— Une enveloppe !

Hi, qui était le plus près, a passé la main à l'intérieur.

— Tory, éclaire-moi !

À cet instant, mon nez a perçu une odeur âcre. Huileuse. Inconnue.

Mon cerveau primitif m'a hurlé : *Danger ! Urgent !*

J'ai attrapé Hi par le bras et l'ai projeté en arrière.

L'instant d'après, un éclair s'est abattu à cet endroit. Un sifflement a empli la pièce.

— Aaahh !

Hi est tombé par terre.

Une silhouette noire a foncé vers moi. Je l'ai esquivée d'un bond.

— Attention !

Une corde sombre et sinueuse a glissé du sarcophage.

— Un serpent !

Shelton a détalé vers l'escalier.

— Serpent, serpent, serpent !

Le reptile s'est dressé, les crocs sortis ; on apercevait la membrane blanche à l'intérieur de ses mâchoires.

— Un mocassin, a fait Ben d'une voix éraillée. Agressif. Très venimeux.

On s'est entassés au bas de l'escalier.

L'espace d'un instant, le mocassin nous a observés de ses yeux froids qui ne cillent jamais. Puis il est sorti du sarcophage, tombant à terre, a rampé jusqu'au fond de la crypte et a disparu.

Ben a braqué le rayon de la lampe dans sa direction, révélant une fissure au sol. Le serpent s'était évanoui.

— Parti. Il s'est trouvé un trou.

— Tu es sûr ? a gémi Shelton. Comment peux-tu le savoir ?

— C'est un crotale d'un mètre vingt, a répondu Ben sèchement. S'il était encore dans le coin, je suis persuadé qu'on le verrait.

Hi contemplait sa main, comme s'il imaginait la morsure.

— Tory, je pourrais t'embrasser.

— Une autre fois. Ben, est-ce que cette créature aurait pu entrer ici toute seule ?

— Peut-être, mais j'en doute. Les mocassins sont des serpents d'eau, et nous sommes à au moins cent mètres au-dessus de la rivière. En plus, le couvercle du sarcophage était intact.

— Alors, on sait qui nous l'a laissé.

— Ça sent le roussi, a marmonné Ben.

— Allez, on prend l'enveloppe et on s'en va, a dit Hi. J'ai eu ma dose pour la journée.

— J'y vais.

Là-dessus, Ben s'est glissé vers le cercueil, a braqué sa torche à l'intérieur, fait un bond en arrière... attendu... recommencé...

Une fois rassuré, il nous a fait signe.

— Il y a bien une enveloppe.

— Bien sûr que oui ! a grogné Hi. Je suis bête mais pas débile.

Ben a tendu la main pour la prendre.

Il s'est figé. Même dans la pénombre, je l'ai vu pâlir.

— Oh, mon Dieu !

Les yeux dorés de Ben ont croisé les miens. J'y ai lu de l'horreur pure.

Je me suis rapprochée de lui pour éclairer l'enveloppe.

Elle était bien là, couleur prune, décorée avec les clowns sinistres que nous connaissions bien désormais. J'y ai à peine prêté attention.

J'étais tétanisée par ce que je voyais en dessous.

Oh, non !

31.

Le cadavre était recroquevillé en position fœtale.

La partie de mon cerveau qui n'était pas paralysée par l'horreur a effectué un rapide profilage anthropologique.

Sexe masculin. La quarantaine. Taille en dessous de la moyenne. Cheveux roux coupés court.

L'homme avait une barbe bien taillée. Il portait une chemise, un jean et des mocassins. Des lunettes à monture d'écaille sortaient de sa poche revolver.

Il était pâle. Et de toute évidence mort.

J'ai ressenti comme un coup à l'abdomen.

Ben a commencé à respirer trop vite. Shelton a fait marche arrière jusqu'à se cogner le dos contre le mur de la crypte. Hi serrait les poings convulsivement en marmonnant :

– C'est pas possible, c'est pas possible.

Or ça l'était. On avait résolu l'énigme. Mais à présent, cela n'avait plus aucun sens.

Un homme était mort. Ce n'était pas un jeu.

Pas mort. Assassiné. Le Meneur de Jeu a tué cet homme avant de le cacher ici.

Un bip a résonné dans mon sac à dos. Les garçons ont sursauté, mais j'ai su aussitôt.

J'ai sorti l'iPad, et j'ai vu sans surprise un nouveau message.

Une seule ligne sur l'écran : « Veuillez taper le code. »

Un curseur clignotait, attendant une entrée.

– Quel taré !

– Il faut qu'on appelle les flics ! a bafouillé Hi. Aucune excuse !

Shelton a acquiescé vigoureusement :

— Oui. C'est plus du tout dans nos cordes.

J'allais opiner lorsqu'une pensée inquiétante m'a frappée.

— Il sait qu'on est ici. Le message a changé sans qu'on fasse rien.

— Le type sur le pont ! a hoqueté Shelton. Et si c'était le Meneur de Jeu ? Si on était pris au piège ? Je parie qu'il nous surveille en ce moment même !

Les yeux écarquillés, Shelton s'est mis à chercher frénétiquement une caméra. Il s'est accroupi pour fouiner dans le fond, faisant courir ses mains sur le sol. Soudain, il a retiré les doigts, se souvenant sans doute qu'un reptile venimeux se promenait encore dans les parages.

— Et comment ce dingue a-t-il pu mettre un cadavre dans ce cercueil ? s'est demandé Hi. Avec tout ce trajet dans les bois, et en passant devant les moines, et en traversant tous ces jardins ? Ça semble incroyablement loin pour transporter un poids mort. Et comment est-ce qu'il a pu déplacer le couvercle ?

Ben a ouvert la bouche, mais aucun son n'en est sorti. Il avait l'air hébété.

Une autre idée terrible m'est venue.

C'était horrible d'y penser, mais je devais m'en assurer.

Je me suis rapprochée du sarcophage et j'ai éclairé la pauvre âme qui y était recroquevillée. Puis, rassemblant mon courage, j'ai remonté l'une de ses manches.

— Qu'est-ce que tu fais ? m'a demandé Shelton, au bord de l'hystérie. Tory, arrête !

— C'est important. Juré.

— Alors, sois prudente s'il te plaît. Il ne faut pas abîmer la scène du crime.

D'un geste décidé, j'ai posé deux doigts sur l'avant-bras de l'homme. La peau était-elle encore tiède ? Je n'en étais pas sûre, mais en tout cas, elle n'était pas froide. J'ai enlevé ma main et examiné la zone de contact.

L'endroit où j'avais appuyé était à présent blanc comme un os. Sous mes yeux, la couleur est revenue, à mesure que le sang remplissait les capillaires affleurant à la surface. En quelques secondes, la marque blanche avait disparu.

J'ai failli m'évanouir.

Ma flambée s'est affaiblie, puis éteinte.

Ben, qui avait dû voir mon visage, m'a demandé :

— Qu'est-ce qu'il y a ?

— Les lividités.

— Hein ?

— Les lividités. Je… je vérifiais si le sang reviendrait dans les parties molles en appuyant et relâchant la peau. Et il est bien revenu.

— Et alors ?

— Ce phénomène ne se produit que lors d'une brève période après la mort. Dans les trente minutes, Hiram.

— Oh, mon Dieu !

La lueur jaune s'est éteinte dans les yeux de Shelton.

— Donc cet homme était vivant…

— Il y a une demi-heure, peut-être moins.

Ben a virevolté et martelé le mur de ses poings en jurant, cognant et cognant encore jusqu'à s'ensanglanter les jointures. Sa flambée s'est éteinte. Je ne l'avais jamais vu dans cet état.

— Le Meneur de Jeu a sans doute emmené ce pauvre type jusqu'ici ! s'est écrié Hi, au bord de la panique. Il lui a fait ouvrir sa propre tombe.

J'ai hoché la tête, incapable de parler.

Ce tueur n'était pas seulement cruel et impitoyable.

Le Meneur de Jeu aimait le risque. Le frisson.

Je me suis forcée à dire :

— Il a assassiné cet homme pendant qu'on visitait les lieux.

— Inconcevable. Dément !

— Le message, a dit Hi. On l'ouvre ?

J'ai récupéré l'enveloppe, en faisant attention à ne pas déplacer la victime.

Sur le rebord, on lisait une suite de chiffres : 123456.

Le code.

J'ai tendu la lettre à Hi.

Puis j'ai tapé le code. Personne n'a protesté. Tout le monde semblait paralysé.

L'écran a viré au blanc. Les cloches ont retenti dans les haut-parleurs.

Des lettres orange sont apparues sur fond vert :

Tâche accomplie !

À présent, il est l'heure du Défi Final.

Combinez ce que vous avez appris pour découvrir Le Danger. Mais ne flânez pas ! Si vous échouez cette fois-ci, vous perdrez pour de bon.

Vous avez jusqu'à Vendredi à 9 heures du soir. N'en parlez à personne, jamais, ou vous en subirez les Conséquences.

Bonne chance !

Le Meneur de Jeu

— Hors de question !

Haletant, Shelton a lancé l'iPad par terre.

— La police va s'occuper de ce psychopathe, maintenant !

Hi a poussé un petit cri. Il a failli s'effondrer. Je l'ai pris par le bras.

— Hé, ça va ?

— Pas les flics.

Hi était parcouru de tremblements incontrôlables.

— Pas maintenant.

— Mais de quoi tu parles ? Et pourquoi pas ?

Hi avait ouvert l'enveloppe. Il me l'a tendue.

Des lettres en gras annonçaient sur le rabat : **Les Conséquences**.

Le cœur battant, j'ai sorti une liasse de papiers.

Un coup d'œil et j'ai failli tomber moi aussi.

L'enveloppe était bourrée de photos. Ben et moi marchant sur le quai. Shelton et Hi sortant de Bolton. Nous quatre préparant le *Sewee* pour une sortie en mer.

Et ce n'était pas les pires.

Il y avait des photos de Kit et de Whitney dans un café de Folly Beach. De Ruth Stolowitski sortant sa poubelle. De la mère de Ben lisant sur sa terrasse, à Mount Pleasant. Et une autre de Nelson Devers en train de griller une clope derrière son garage.

Les clichés étaient d'excellente qualité. Nombre d'entre eux étaient pris de près. Il y en avait de nos portes d'entrée, des voitures de nos parents, et même une de Coop, bondissant dans les dunes.

Le message était limpide : Je sais où vous vivez. Je connais vos familles. Je peux les frapper quand je veux.

Jouez le Jeu, ou vos êtres chers en souffriront.

Hi avait raison. Impossible de parler. On ne pouvait que continuer.

Une fois encore, le Meneur de Jeu avait une longueur d'avance.

Je n'avais jamais eu aussi peur.

TROISIÈME PARTIE

BAL

32.

— C'est sérieux, Tory.

Le nez dans mon bol de céréales, j'ai haussé les épaules.

— Je ne plaisante pas, a insisté Kit en feuilletant le *Post & Courier*. On est en plein milieu de la zone rouge.

— Hm-hm.

Je l'ai à peine entendu. Après ma nuit blanche, je n'avais pas les nerfs en bon état.

Ni la conscience pure.

— D'après les projections, Morris Island serait frappée de plein fouet.

Kit a reposé son journal.

— Prions pour qu'ils se trompent et que la tempête se détourne en mer.

— Ouais.

Dimanche matin. Cuisine. Porridge. Cette normalité me faisait mal à la tête.

Hier, on était entrés clandestinement dans une crypte, on avait évité un serpent venimeux et découvert un cadavre tout frais. Un fou menaçait notre ville, et nos familles étaient en plein dans sa ligne de mire.

Et pourtant, je ne pouvais en parler à âme qui vive.

On avait laissé le corps dans le sarcophage. On avait même remis le couvercle en place, à la force des bras. On était sortis discrètement, pour se retrouver seuls dans le cimetière. Sans personne pour nous observer. On s'était traînés jusqu'au parking et on était partis. C'était tout.

Que faire d'autre ?

Le Meneur de Jeu contrôlait la partie. Si on ne suivait pas les règles et qu'on ne terminait pas son jeu de fou furieux, tous ceux qu'on aimait seraient en danger. Les enjeux avaient grimpé en flèche.

On avait donc dissimulé ce crime odieux et pris la fuite.

La honte me rongeait tellement que j'en frissonnais.

— Ça va ? m'a demandé Kit, inquiet. Tu as l'air un peu tendue.

— Ça va.

— Ne te stresse pas.

Comme d'habitude, il comprenait de travers.

— Une catégorie 4, c'est un gros ouragan, c'est certain, mais il nous ratera sans doute comme tous les autres. Et si cette vieille Katelyn décide bel et bien de rendre visite à notre adorable Charleston, on évacuera bien avant son arrivée.

— Oui, ai-je répondu mécaniquement. Je m'inquiète juste pour les animaux sur Loggerhead.

— C'est la première chose dont je vais m'occuper. Je vais faire enlever les barrières qui bloquent les cavernes au sud de la plage de Dead Cat. En y ajoutant les anciennes mines, ça devrait donner plein d'abris aux singes. Et la meute de loups peut se cacher dans sa grotte, sous Tern Point.

J'ai ressenti une pointe d'inquiétude pour Whisper et sa portée, mais je me suis forcée à l'oublier.

J'avais des soucis plus urgents.

Kit a pris ses clés.

— Tu es sûre que tout va bien ?

— Je ne me suis jamais sentie mieux. À ce soir.

Sourire crispé.

J'envoyais déjà des SMS avant que Kit ait fermé la porte. Mon téléphone a aussitôt sonné. Trois réponses positives. J'ai enfilé un jean et un sweat-shirt du LIRI, j'ai sifflé Coop et je suis sortie dans l'allée.

Du crachin tombait du ciel d'un gris d'ardoise, faisant luire le bitume. Les bourrasques rendaient le voyage par mer périlleux, on devait donc pédaler jusqu'au bunker au lieu de prendre le *Sewee*.

Deux Viraux étaient déjà présents : Shelton sur son BMX noir et Hi avec son fidèle Schwinn à dix vitesses. J'ai sorti mon Trek du garage et je les ai rejoints.

Ben est arrivé sur son mountain bike fatigué, et il est parti sans mot dire. On l'a suivi, assez loin pour éviter les projections des flaques. Coop nous a accompagnés un moment avant de disparaître dans les dunes.

— Je vois que Ben irradie toujours la bonne humeur, a lancé Hi, la capuche de son poncho serrée sur son visage. Il va être un joyeux compagnon !

— Le cadavre l'a complètement fait flipper, a expliqué Shelton. Je n'ai jamais vu Ben comme ça. Je ne peux pas lui en vouloir.

Coop a bondi derrière une dune et m'a coupé la route. J'ai dû freiner.

— Hé, attention le chien !

On a fini notre trajet en silence.

À l'entrée du bunker, j'ai jeté un œil sur notre précieux panneau solaire. Malgré le mauvais temps, tout semblait en ordre.

Si l'ouragan arrive, il nous faudra mettre ça à l'abri. Pénible.

À l'intérieur, Shelton s'est installé devant l'ordinateur et Hi a farfouillé dans le mini-frigo. Ben regardait par la fenêtre, dans un silence morose.

Coop est arrivé dans la pièce du fond et s'est cogné dans mes jambes. Je me suis représenté le chien trempé en train de s'ébrouer à côté de notre coûteux matériel réseau. À faire donc : déplacer l'appartement du chien.

J'ai fermé la porte et me suis assise à la table.

— Il nous faut un plan.

— L'iPad marche toujours ? a demandé Hi, la bouche pleine de fromage.

— Il est grillé.

J'ai posé l'horrible engin devant moi.

— C'est de ma faute, a dit Shelton. J'étais surexcité, en flambée. J'ai pété les plombs.

Dans la crypte, Shelton avait jeté l'iPad de colère. De la fumée était sortie des deux côtés. Dans un grésillement électrique, l'engin avait viré au noir. On n'avait rien obtenu en le rechargeant. J'avais le sentiment que la tablette était bel et bien morte.

— De toute façon, on en a encore besoin ?

Shelton a posé la dernière lettre du Meneur devant lui.

— Cette note ne mentionne aucun autre indice. La seule chose qu'on doit faire, c'est « combiner ce que vous avez appris pour découvrir Le Danger ». Quant à savoir ce que cela signifie…

Je n'avais pas de réponse.

La destruction de l'iPad était-elle sans importance ? Ou avait-il grillé avant de nous révéler le dernier indice ?

Trop tard pour s'en soucier.

— On fera comme si on n'avait plus d'indices, ai-je dit. Il nous reste le message.

— Entendu.

Hi a posé les photos à côté de l'iPad. Rien que d'y penser, j'en avais la chair de poule.

— Alors, essayons de combiner ce que nous avons appris.

— Comment ? Par quoi commence-t-on ?

Je me suis tournée vers Ben :

— Tu veux bien nous rejoindre ?

Après un long moment, il s'est laissé tomber sur la dernière chaise vide.

— Examinons nos découvertes, cache par cache.

J'ai commencé une liste.

— D'abord, la boîte sur Loggerhead. À l'intérieur, il y avait une lettre en code et l'image déguisée de Castle Pinckney.

— Notre premier message direct du Meneur de Jeu.

— Un code minable, a dit Shelton d'un air dégagé. Je l'ai percé en deux secondes.

— Et n'oublions pas que tout ça était enfermé dans ce machin-chouette japonais.

— Himitsu-Bako, a corrigé Shelton. Ça s'appelle un « himitsu-bako ».

— C'est ça. Et on l'a résolu.

Shelton m'a donné un coup de coude, et d'un air faussement conspirateur :

— Enfin, *je* l'ai résolu.

Il m'a fait un clin d'œil. J'ai levé les yeux au ciel.

— Les coordonnées modifiées, a ajouté Ben. C'est ça qui nous a conduits à Pinckney.

— Exact.

J'ai écrit « boîte à mystère » et « Castle Pinckney ».

— À Pinckney, on a trouvé l'iPad. Le premier indice était le pictogramme du dix-huitième trou.

Je l'ai ajouté sur la liste.

— Cette saleté de cachette a explosé à Pinckney, a ajouté Hi. Peut-être que ça a de l'importance. Ou pas.

— Bien. Et l'accélérateur utilisé était du gas-oil.

Ben a sursauté :

— Quoi ?

— C'est ce que le Dr. Sundberg a prélevé sur les brûlures de la boîte. C'est ce qu'a dit Marchant.

— Tu n'as jamais parlé de gas-oil.

Ben me regardait bizarrement.

Je me suis rendu compte qu'il avait raison. Après l'embuscade sur la plage de Kit et Whitney, j'avais oublié le résultat des prélèvements. On était allés directement à la fête de Jason.

— Désolée. Ça te dit quelque chose ?

— Hein ? Non.

Ben avait l'air agacé.

— Pourquoi ça m'évoquerait quelque chose ? Je n'aime pas quand on ne me tient pas au courant, c'est tout.

— Je suis désolée, Ben.

— Pas de problème, a dit Hi d'un ton conciliant. Ensuite, on a trouvé saint Benoît.

Shelton a posé la statuette, le tissu noir et blanc encore drapé sur ses saintes épaules.

— Sur Kiawah. Parcours de l'océan, trou dix-huit, gardé par un méchant pistolet piège. L'équation chimique du pictogramme était la clé.

— Le bromométhane.

Je l'ai inscrit sur la liste.

— Le tissu ressemblait à une robe de moine, avec un motif brodé de soleil levant. Ce qui nous a conduits à l'abbaye de Mepkin, au cimetière et… à ce qu'on a trouvé en dernier.

— Le cadavre, a craché Ben. Et le serpent. Et l'enveloppe pleine de menaces.

— C'est tout ?

Hi m'a pris mon carnet et a lu à haute voix :

— Castle Pinckney. Gas-oil. Bromométhane. Kiawah Island. Saint Benoît. Abbaye de Mepkin… pas vraiment des pistes fiables.

— Inutile, oui.

Ben s'est affalé sur sa chaise.

— Des données aléatoires, sans intérêt.

J'ai soupiré. Est-ce qu'il avait raison ?

Coop est allé dans son coin. Encore une paire d'yeux qui me dévisageaient.

Un très long moment s'est écoulé.

Hi a brisé le silence.

— Personne ne trouve bizarre que la date limite finale soit si précise ?

— Comment ça ? Le compteur aussi était précis.

— Mais c'était juste un compteur. Regardez la lettre. Elle mentionne une heure et un jour précis – vendredi à 9 heures. Pourquoi ce changement ?

Je n'étais pas sûre de comprendre ce que Hi voulait dire.

— Il faut qu'on examine tout ce qu'on sait du Meneur de Jeu. Qu'on cherche une logique d'ensemble, qu'on additionne deux et deux.

— Non, il faut qu'on identifie le cadavre, a corrigé Shelton. Tory, c'est pour ça que tu as pris la photo, non ?

— Bien sûr.

Juste avant de quitter la crypte, j'avais eu une idée. C'était peu probable, mais c'était toujours mieux que rien. J'avais tourné le mort dans son sarcophage pour prendre une photo de son visage.

— On va faire les deux, ai-je expliqué. On va reconstituer le puzzle, et trouver qui est la victime.

— Les deux ? a demandé Hi, sceptique. Et comment on va y arriver ?

Je n'avais pas de réponse à la première question, mais j'avais un plan pour la seconde.

— Il y a peut-être un moyen de savoir qui se trouve dans ce cercueil.

Les garçons attendaient.

— Il est temps de retourner sur Loggerhead.

33.

— Et pourquoi on ne demande pas la permission, tout simplement ?

— Parce qu'on n'a pas de bonne excuse.

J'avais conduit les Viraux du quai de Loggerhead jusqu'au complexe du LIRI.

— En plus, je crois que Kit a des soupçons. La dernière fois, il a envoyé Sundberg nous espionner. On ne peut pas prendre le risque.

— Il faut qu'on ait un accès complet au réseau, a fait remarquer Hi. Le labo 6 possède un terminal spécialisé, mais sans un mot de passe valide, on n'entrera pas dans le système principal.

J'ai jeté un œil à Shelton, qui a évité mon regard.

C'est bien ce que je pensais.

— Hi, tu oublies ! Notre ami hacker Shelton ici présent se trouve être le fils du grand manitou high-tech du LIRI. Je parie qu'il connaît un ou deux codes d'accès discret.

— Bien sûr, a dit Ben derrière moi. On l'a déjà fait.

— Mais même comme ça, notre session sera enregistrée, a gémi Shelton. Je ne peux pas l'empêcher.

— La sécurité ne vérifie pas ces enregistrements, l'ai-je rassuré. Pas sans raison. On fera attention à ne pas leur en donner une.

— Oui, enfin, la sécurité ne *vérifiait* pas, a corrigé Shelton. On ne sait pas ce que fait Hudson, maintenant.

Il n'a pas tort.

J'ai écarté mes doutes. On n'avait pas d'autre plan.

En approchant de l'entrée, je suis passée aux choses sérieuses.

— Une fois à l'intérieur, allez droit au labo 6. Si quelqu'un nous voit, on passe, on va jusqu'aux distributeurs de l'annexe, on attend que la voie soit libre, et après, on revient sur nos pas.

On a eu de la chance. La cour était déserte. On s'est faufilés à l'intérieur, droit sur notre cible. Le hall était sombre. Même les scientifiques du LIRI ont horreur de travailler le dimanche.

Au moment où j'ai actionné l'interrupteur, des souvenirs m'ont submergée. Des colliers de chien aux plaques rouillées. Le bourdonnement d'un appareil de labo. Une porte massive en métal.

Coop, enfermé dans une cage, des tubes sortant de sa patte.

À l'expression des garçons, je voyais qu'ils pensaient la même chose.

Nous avions contracté le supervirus ici, dans ce bâtiment. C'est en y pénétrant, six mois plus tôt, que tout avait commencé. Notre évolution unique. Des Viraux.

Chair de poule. Tant de choses avaient changé depuis ce jour-là.

Ben a tiré sur la porte du labo 6. En vain.

— Fermé ?

Je n'avais pas prévu ça.

— Et je n'ai pas apporté mon matériel de crochetage, a dit Shelton, presque soulagé.

— On essaye un autre bâtiment ? a proposé Hi. Le labo 2 encore ?

— Peut-être.

Il nous fallait un terminal discret, un qui ne serait pas surveillé. Je me torturais l'esprit quand Shelton m'a étonnée en montrant l'escalier.

— Et là-haut ?

— Le labo de Karsten ?

Je n'y avais pas pensé.

— Tu crois qu'il fonctionne encore ?

Hi semblait dubitatif.

— Cette chambre de torture secrète et diabolique qui a failli provoquer un scandale énorme ? Ça m'étonnerait que Kit l'ait conservée.

— Il y avait un ordinateur, a dit Shelton. Ça, je m'en souviens.

— On peut aller jeter un œil.

Ben était déjà parti. On l'a suivi dans l'escalier puis le long d'un couloir sombre, reprenant le chemin qu'on avait emprunté ce fatal après-midi de mai. Chaque pas rappelait des souvenirs. L'orage qui nous cernait. L'écho d'un aboiement qu'on suivait sans relâche.

Une impression de déjà vu.

On est arrivés au bout du couloir.

Tout espoir s'est envolé.

Le labo avait été pillé.

Le sas massif était ouvert et désactivé. Le matériel médical et scientifique avait disparu. Il ne restait que deux classeurs, une demi-douzaine de chaises pliantes et un vieux bureau en bois.

Avec un ordinateur posé dessus.

— Salut, beauté !

Shelton a jeté un coup d'œil au câblage.

— Branchement électrique, c'est bon. Branchement Ethernet, c'est bon. Voyons voir si cette merveille marche encore.

Shelton a allumé le PC tandis que j'installais des chaises avec Hiram. L'écran a affiché la page d'accueil de l'intranet du LIRI.

— On y est.

Shelton a tapé une série de commandes que je n'ai pas suivies. Un nouveau portail est apparu.

— Je vais m'enregistrer en tant qu'administrateur système et désactiver les protocoles de traçage, mais je ne pourrai pas totalement effacer notre session.

— Ça suffira. On n'a besoin que d'une seule application. J'envoie la photo par e-mail ?

— Une seconde. Il faut que j'ouvre Gmail pour la recevoir.

— Explique-nous encore ce que tu fais, a demandé Ben. C'est un programme qui scanne la photo ?

— Il s'appelle Spotter. Kit m'en a parlé en long, en large et en travers, une fois.

J'essayais de me rappeler ses termes exacts.

— Grâce à la technologie de reconnaissance faciale, le logiciel fait correspondre les images reçues à des photos sur Internet. L'idée est simple, mais les algorithmes de Spotter sont dernier cri. C'est cher, aussi. D'après Kit, la plupart des clients sont des organes de sécurité, de police, ou appartiennent à l'industrie du jeu vidéo.

— Alors, pourquoi est-ce que le LIRI l'achèterait ? a demandé Hi.

— Kit a appris que cette technologie est tout aussi efficace sur les primates. Il veut pouvoir suivre les singes de Loggerhead sans tatouage ni marquage, et il espère y parvenir grâce à la reconnaissance faciale. C'est génial, en fait. Il va engager des photographes animaliers professionnels pour construire la base de données.

— Mais aujourd'hui, a dit Shelton, on va utiliser Spotter comme ses développeurs l'avaient prévu.

— Ouais ! Pour pister des gens sur Internet ! a fait Hi.

Shelton a tapoté un coin de l'écran.

— Envoie la photo à cette adresse, Tor.

J'ai expédié l'image, et ça a étouffé toutes les bonnes vibrations que je ressentais. La réalité me retombait dessus. J'étais en train d'expédier les photos d'un cadavre.

Mon e-mail est apparu sur l'écran. Shelton a cherché Spotter dans le réseau du LIRI. Une page d'accueil imposante, en noir et blanc, nous souhaitait la bienvenue dans le programme.

— Ça a l'air simple, a expliqué Shelton. On envoie l'image, on sélectionne « recherche Internet complète », et on envoie. Puis on attend.

— C'est une blague, a protesté Ben. Comment est-ce qu'un programme peut rechercher sur tout le Web ?

— C'est parfaitement au point, jeune padawan. Le logiciel mesure les traits et les dimensions du visage, les convertit en données, puis en un clin d'œil, il les compare à celles de milliers de bases de données. C'est la classe.

— Quels traits du visage ? a demandé Hi. Un pif viril ?

— Pas seulement ça.

Moi aussi, je m'étais renseignée :

— Chaque visage possède ses reliefs ou ses creux. Spotter identifie soixante-dix points principaux. Par exemple, la distance entre les yeux, la longueur de la mâchoire, la structure des pommettes, ou la forme des orbites. Ces données sont transcrites en code numérique, appelé « empreinte faciale ». Une fois celle-ci calculée, le programme cherche un équivalent sur le Net.

— Je le croirai quand je le verrai, s'est moqué Ben. Ces programmes ne fonctionnent jamais.

— Regarde et apprends, jeune incrédule.

Un sablier est apparu, puis a été remplacé par une estimation du temps restant.

Shelton en a arraché ses lunettes.

— Soixante-quatorze heures !

— Je te l'avais dit, a ricané Ben. Tu paries combien qu'il ne trouvera rien ?

— On ne pourrait pas préciser les paramètres? a demandé Hi. En limitant la recherche ?

C'était tentant, mais je ne voulais rien rater.

— Si on sort du programme, la recherche continuera ?

— Oui, a dit Shelton. On pourra y retourner plus tard, mais il faudra utiliser un terminal du LIRI.

— Alors, on devrait le laisser travailler. Il faut qu'on en sache autant que possible.

— Soixante-quatorze heures, bon Dieu, a marmonné Shelton en se déconnectant. Il me faudrait moins de temps pour acheter une arme.

— Je vais éteindre l'ordi.

Ben a pris la place de Shelton.

— Tu sais comment le système fonctionne ? a demandé Shelton d'un air sceptique. Ça prend du temps pour sortir de tous ces programmes.

— Oui, je sais. Allez jeter un œil dans le couloir. Il ne faudrait pas qu'on se fasse surprendre.

— Oui m'sieur ! a fait Hi avec un salut militaire.

On est partis tous les trois, avant de descendre en silence au rez-de-chaussée. La voie était toujours libre.

Quelques minutes plus tard, Ben nous a rejoints. On est sortis du bâtiment, direction la grille principale. On était au milieu de la cour quand j'ai vu les ennuis approcher.

— Oh, non… C'est Hudson.

Le chef de la sécurité, qui sortait du bâtiment 1, a filé droit sur nous. Impossible de l'éviter. On s'est arrêtés à côté d'un banc.

— Prenez l'air naturel.

— C'est ça, a soufflé Hi. C'est toujours efficace.

— Motif de votre visite ?

Le soleil se réfléchissait dans les lunettes miroir de Hudson.

— Bonjour, monsieur Hudson, ai-je aussitôt répondu sans me forcer à sourire. On est venus chercher des coquillages sur Turtle Beach, mais Ben vient de se rappeler qu'on avait une répétition à la chorale. On part tout de suite.

— Vous n'avez pas signé au poste de sécurité.

— Je sais. Nous avons oublié. Nous sommes vraiment désolés.

— Vous devez signer chaque fois que vous venez sur Loggerhead Island.

— Compris. C'était un oubli.

— Cette règle ne souffre aucune exception. Même pas pour la famille.

— Ça ne se reproduira pas.

Je me suis écartée de sa silhouette menaçante.

— Nous allions partir, donc ne vous inquiétez pas pour nous. Bonne soirée.

On est passés devant Hudson, direction la sortie. Il s'est tourné lentement pour nous suivre du regard.

— Des coquillages ? Vous me prenez pour un idiot, Miss Brennan ?

Prise au dépourvu, j'ai répondu :

— Bien sûr que non, monsieur.

Hudson regardait le labo 6.

— Des coquillages, hein ?

— C'est ça. (Mes glandes sudoripares sont entrées en action.) Mais nous n'avons pas eu de chance. Il faut que nous rentrions.

— Très bien alors, Miss Brennan.

Les verres miroir cachaient les yeux de Hudson ; impossible de déchiffrer son expression.

— Alors très bien, vous êtes libres de vous en aller.

Mal à l'aise, j'ai fait signe aux garçons de me suivre. Hudson restait là, immobile comme une statue, à nous observer.

— Ce type en a après nous, j'en suis sûr, a dit Hi tandis qu'on s'éloignait en vitesse. On dirait le second Terminator, celui en métal liquide. Je parie qu'il a les bras qui se transforment en couteaux.

– Une répétition de chorale ? C'était sans doute ton pire mensonge.

– Ce n'était pas mon meilleur, ai-je reconnu. La prochaine fois, n'hésite pas à en inventer un à ma place.

On s'est dépêchés d'aller au quai, en jetant des regards inquiets derrière nous.

34.

— Ça veut forcément dire quelque chose ! s'est écrié Hi.

Shelton a levé les yeux de son iPhone, mais voyant que Hi ne précisait pas sa pensée, il est retourné à son surf.

Ben pilotait le *Sewee* vers Morris Island. La partie d'océan qui sépare Loggerhead de notre île est parfois éprouvante à traverser. À mi-parcours, les deux îles disparaissent, et pendant un moment, on a l'impression d'être à la dérive dans l'Atlantique infini. C'est le passage que j'aime le moins.

J'étais assise entre Shelton et Hi, à la poupe.

— Tu peux nous expliquer ?

— C'est cette date limite. Ça me travaille toujours. Vendredi, à 21 heures. Pourquoi être si précis ?

— J'y ai réfléchi, a dit Shelton. Visiblement, le Meneur de Jeu prévoit tout méticuleusement. D'accord ?

— Tout à fait. D'ailleurs, certains de ses jouets sont chers.

— Je pense que ton instinct ne se trompe pas, Hi. Voilà ma théorie : le Meneur a prévu ce Jeu depuis longtemps. Il l'a organisé sérieusement. Des semaines, des mois peut-être.

— Ou même des années. Comment est-ce qu'il a pu faire passer ces fils dans le golf ?

— Tout à fait, a dit Shelton. Je voulais d'ailleurs voir quand le golf de Kiawah a été refait pour la dernière fois. En tout cas, tu vois ce que je veux dire.

— Oui, mais pas où tu veux en venir.

— On a découvert la première cachette – celle de Loggerhead – juste après son apparition sur le Net. Or, tu as dit qu'elle était sur le site depuis moins d'une semaine.

— Oui…

Hi ne suivait pas non plus.

— Ensuite, on nous a obligés à accomplir une série de tâches, avec différents délais : pas de limite pour Castle Pinckney, quarante-huit heures pour Kiawah, puis soixante-douze pour Mepkin.

— Et maintenant, nous avons une date butoir précise : vendredi soir 9 heures.

J'ai essayé de calculer le nombre d'heures au total, mais j'ai laissé tomber.

— Plus de cinq journées. Ça n'a aucun sens.

— À moins, a repris Shelton, à moins que le Jeu ait été prévu dès le départ pour se terminer vendredi soir à 9 heures.

Une connexion commençait à s'établir au fond de mon cerveau.

— Continue, Shelton…

— Peut-être que pour une raison ou pour une autre, le Jeu doit absolument se terminer à ce moment-là. Pile à ce moment-là. Et peu importe combien de temps les étapes précédentes ont pu nous prendre.

— Parce que les étapes précédentes étaient variables ! Ça aurait pu nous prendre beaucoup plus de temps pour trouver Pinckney, puisqu'il n'y avait pas de limite de temps. Et même si on est tombés sur ce piège au golf, il nous restait encore plusieurs heures à l'abbaye quand on a trouvé le… le dernier indice.

Le cadavre. Pourquoi je n'arrivais pas à le dire ?

— Exactement. Donc, le résultat c'est : le Meneur ne pouvait pas savoir combien de temps il nous faudrait pour atteindre ce point-là. Dans son plan de taré, il devait laisser assez de souplesse à ses pions pour accomplir toutes les tâches.

— En supposant qu'on ne se fasse pas tuer en chemin, a grogné Hi.

— Donc, il n'a pas pu utiliser de compte à rebours – pas si la tâche finale exige une date et une heure précises. Parce qu'il ne pouvait pas savoir quand on arriverait à la crypte.

— C'est pour ça que le dernier message est différent. Le Meneur avait seulement besoin qu'on arrive à la crypte avant vendredi soir 9 heures, moment où il avait visiblement prévu quelque chose. Qu'il reste sept, cinq ou deux jours, quelle importance ? On serait encore à temps par rapport au plan.

Hi a pincé les joues de Shelton.

— Maître, vous êtes génial.

Il l'a embrassé.

— J'essaye, a dit Shelton en tâchant d'éviter les bises mouillées de Hi. Hé, lâche-moi !

Je ne prêtais plus attention à leurs clowneries.

Cela changeait tout. Si le final du Meneur devait forcément se dérouler vendredi soir à 9 heures, on avait une chance de découvrir ce que c'était.

Mes pensées vagues se faisaient plus précises. Quoi ?

— Combinez ce que vous avez appris... ai-je récité. Et ajoutez cette date butoir.

— Ça va être un problème, a annoncé Shelton.

— Un problème ? Pourquoi ?

Hi m'a regardée bizarrement.

— Vendredi soir, on est un peu pris.

— Pris ? Pourquoi ?

Les garçons ont échangé un regard, puis Shelton a expliqué :

— Je ne sais pas toi, mais moi, ce soir-là, j'escorte mon amie Victoria à son bal des débutantes.

— Ah, ça !

Comment j'avais pu oublier ?

Un acte manqué.

— On sera tous coincés à la citadelle. Pas de bateau, pas de voiture. Et comme ton père sera là, impossible de filer en douce. En plus, tu n'as pas une espèce de défilé ?

— Un peu après 8 heures, ai-je tristement confirmé. Je ne sais pas dans quel ordre je passerai.

— Essaye de te mettre dans le fond, a conseillé Hi. Celles qui en jettent, il faut qu'elles soient les dernières à se pavaner dans le château.

Un éclair.

Tout s'est mis en place.

Vendredi soir. Neuf heures. Pile au milieu du bal.

Combinez ce que vous avez appris.

La Citadelle.

Combinez ce que vous avez appris.

Castle Pinckney. Le premier indice du Meneur.

Combinez ce que vous avez appris.

— La Citadelle, c'est un château.

— Et alors ?

— Le Meneur de Jeu sait des choses sur nous : où on habite, qui sont nos familles, et même nos activités préférées. Et s'il connaissait notre emploi du temps, aussi ?

J'ai frissonné.

On a toujours l'impression qu'il nous observe.

Le bal des débutantes. Une cible parfaite pour un fou.

— Je ne crois pas qu'on devra quitter le bal en douce, vendredi.

Le cœur battant, je me suis tournée vers le large.

— Je pense qu'on sera déjà au bon endroit.

35.

Le lendemain matin, j'avais du mal à me concentrer.

Devant le tableau, Mr. Terenzoni expliquait les fonctions dérivées et les opérations linéaires, mais je n'en comprenais pas un mot. Depuis hier soir, mon cerveau était bloqué.

Castle Pinckney. La Citadelle. Deux forteresses célèbres de Charleston.

Existait-il vraiment un lien ?

Cette ânerie de bal était-elle la cible ultime du Meneur de Jeu ?

J'ai regardé autour de moi. Combien de camarades de classe seraient là vendredi ? La liste des invités dépassait les trois cents personnes. Si mon intuition se vérifiait, ils couraient tous un risque.

Que faire ? La situation semblait surréaliste. Mais je ne doutais pas que le Meneur était prêt à tuer des innocents. Le cadavre dans la crypte le prouvait largement.

Les garçons ne m'aidaient pas beaucoup. Shelton était ouvertement sceptique vis-à-vis de ma théorie, et Hi avouait être partagé. Seul Ben pensait que mon idée possédait une certaine logique tordue.

Le lien du « château » était faible – même moi, je le reconnaissais. Mais au fond de moi, je savais que c'était vrai. Et cela signifiait que des centaines de vies étaient en danger.

Il nous faut des preuves. Du concret.

Mais quoi ? Comment trouver une piste sans indices ?

La sonnerie m'a brutalement ramenée à la réalité. Rassemblant mes affaires, j'ai retrouvé Shelton et Hi dans le couloir.

La foule de blazers Bolton et de jupes à carreaux m'a soudain rappelé le danger.

Il fallait qu'on réagisse. On ne pouvait pas laisser ces gens tomber innocemment dans un piège.

Après un rapide passage par mon casier, je me suis dépêchée d'aller à mon deuxième cours. Espagnol, oral. Les garçons ne m'avaient pas attendue. Señor Messi, très à cheval sur la ponctualité, fermait toujours sa porte après le début du cours.

J'ai tourné le coin et j'ai foncé droit dans le Trio.

Mince !

Madison s'est arrêtée net, cherchant un endroit par où s'enfuir. Ashley, elle, a embrayé aussitôt :

— Tiens, la boat people ! Il paraît que tu t'es incrustée à la fête chez Jason. Hé, il a vraiment battu tous tes amis ?

— Ils étaient en train de voler des trucs, a ajouté Courtney, boudinée dans un uniforme de pom-pom girl trois tailles trop petit. Et puis, le gros a failli se noyer, je crois.

Madison fuyait mon regard.

Six mois plus tôt, je me serais aplatie devant ces teignes, mais cette période-là était révolue.

— Jason nous a invités, ai-je froidement répondu. Comme ça, vous pourrez arrêter de répandre des rumeurs.

— Je suis sûre que tu as raison, a rétorqué Ashley avec un sourire de requin, mais c'est ce que tout le monde raconte. Tu sais combien la rumeur peut être cruelle.

J'ai essayé de cacher mon inquiétude. Les gens racontaient vraiment ça ?

Je me suis rappelé les propos d'ivrogne de Ben : *On est l'attraction de la soirée.*

Enhardie par l'attaque d'Ashley, Madison a ajouté avec un sourire rusé :

— En tout cas, c'est ça dont je me souviens.

Leurs propos me perturbaient – ce qui m'étonnait, d'ailleurs.

Après une première année horrible, je croyais être devenue indifférente à l'opinion de cette jeunesse dorée. Ces âneries n'avaient rien de nouveau. Quelle différence cela faisait, un coup de poignard de plus ou de moins ?

Tu as cru que c'était fini. Que les gens t'appréciaient, maintenant.

Et voilà.

J'avais baissé la garde. J'avais cru que ça pourrait se passer différemment. Mon Dieu, je m'étais même amusée à la fête de Jason… avant que le ciel ne me tombe sur la tête.

Et maintenant, dans le couloir, je devais faire face à la réalité. Le Trio n'avait aucune intention de la jouer sympa. *Très bien.*

— C'est bizarre…

Je suis allée regarder Madison sous le nez.

— Ce dont je me souviens, moi, c'est que tu t'es cachée dans l'annexe jusqu'à mon départ.

Madison a ouvert la bouche, mais aucun son n'en est sorti.

Je l'ai regardée d'un air de défi. Elle a détourné les yeux.

— C'est bien ce que je pensais.

Courtney et Ashley avaient l'air exaspéré.

— Dis quelque chose, Maddy ! a sifflé Courtney. Elle se moque de toi.

— Ne laisse pas Brennan te parler comme ça ! a ajouté Ashley d'un air furieux. C'est une rien du tout. Une gosse de plouc, un cas social.

Puis elle a chuchoté à l'oreille de Madison :

— Mais qu'est-ce que t'as, en ce moment ? Les gens commencent à le voir.

Madison a cherché une échappatoire.

— Je, euh… j'ai des trucs à faire.

Elle a disparu.

Ashley et Courtney restaient là, incrédules.

— Je comprends pas, a dit Courtney comme si je n'étais pas là. C'est Brennan qui l'a genre hypnotisée ou quoi ?

Ashley a été plus directe :

— Je ne sais pas ce que tu lui as fait, la boat people, mais ça n'a aucune importance. Moi, je m'occuperai de rappeler à tout le monde que tu es une tache. Et on ne me fait pas peur si facilement.

J'ai calmement soutenu son regard.

Ashley a détourné les yeux la première.

— Allez, Courtney. On va retrouver des gens de notre âge.

Les deux se sont éloignées, l'une perplexe, l'autre furieuse.

Je suis restée sur place un moment, à me repasser notre rencontre pour évaluer le risque potentiel. J'avais toujours considéré Madison comme le membre le plus dangereux du Trio, mais la méchanceté d'Ashley était légendaire. Et si c'était elle, le cerveau ?

J'ai soupiré. Rien n'est jamais facile.

Une voix familière m'a brutalement ramenée à la réalité.

— Je n'aurais jamais cru voir ça. Elle t'a fuie comme une petite souris.

J'ai virevolté. Chance était à quelques mètres de moi, adossé à un casier. Je ne l'avais pas remarqué, mais il avait apparemment assisté à la scène.

— C'est rien.

Ce type se déplaçait comme un chat de gouttière.

— Je ne crois pas.

Chance s'est approché d'un pas nonchalant, ses cheveux noirs ébouriffés avec art, son uniforme aux griffons ajusté comme s'il avait été taillé sur mesure.

— La première fois qu'on s'est rencontrés, Tory, tu aurais rampé dans les égouts pour éviter Madison Dunkle. Et voilà que tu lui fais perdre la face en public, maintenant.

— C'était ton conseil, tu te rappelles ? « N'aie pas peur »...

J'ai aussitôt regretté d'avoir dit ça. Je ne voulais pas que Chance repense à l'été dernier.

— Oh, je me souviens bien, a dit Chance avec un petit sourire. Je n'ai pas si souvent l'occasion de dormir par terre chez toi. Mais montrer un peu de courage, c'est une chose ; terroriser Madison à la seule mention de ton nom, c'en est une autre.

Ne sachant pas quoi dire, j'ai haussé les épaules.

— Je me demande si ce ne serait pas autre chose. Peut-être que Madison a perçu un phénomène étonnant chez toi. Un talent unique, que d'autres ne possèdent pas.

Mon pouls s'est accéléré. Le sang affluait à mes joues pâles. Chance était en train de me draguer, ou de me menacer ? Je n'étais pas sûre de ce que je préférais.

— Je n'ai aucune idée de ce dont tu parles.

— Tu ne crois pas que tu es spéciale ? Moi si.

— Ce que je crois, c'est que je vais être en retard au cours.

J'ai pris mon sac.

— Excuse-moi.

— Réserve-moi une danse vendredi.

Je me suis arrêtée net.

— Tu vas au bal des débutantes ?

— Oui, a répondu Chance en s'inclinant. Madison m'a demandé de l'accompagner. Nous ne serons que tous les deux, je pense. Mais j'ai entendu dire que toi, tu amenais tout ton entourage.

— C'est exact.

Le stress me portait sur les nerfs :

— À quatre, on sera plus forts. Comme ça, si un petit fils à papa essaie de faire des histoires, on se protégera.

— Tant mieux pour vous, alors. (Sourire condescendant.) Dis aux garçons de Morris qu'ils sont invités aussi. À condition que Ben promette de bien se tenir.

— Invités où ?

Je ne comprenais pas.

— À ma fête après le bal, bien sûr. Au manoir Claybourne.

— Une fête après le bal ? Au manoir Claybourne ?

Je savais que je bafouillais, mais impossible de m'en empêcher.

— Je te mettrai l'invitation dans ton casier. Ça devrait être une belle soirée.

Là-dessus, Chance m'a fait un clin d'œil et s'est éloigné.

— Attends !

Mais Chance était déjà entré en classe, fermant la porte derrière lui.

— Je n'irai pas, à ta saleté de fête ! ai-je hurlé à la porte. Dans cette maison, en plus ? Ah, non alors !

Les quelques élèves qui passaient dans le couloir m'ont regardée bizarrement.

Je les ai à peine remarqués. Tout s'effondrait.

J'étais spéciale ? Un talent unique ? À quoi Chance faisait-il allusion ?

J'avais un creux désagréable à l'estomac. Cela ne pouvait signifier qu'une chose : Chance nous avait vus en flambée plus d'une fois.

Alors, pourquoi m'inviter à une fête, mes amis et moi ?

J'étais encore plantée là quand la cloche a sonné.

— Ah, c'est pas vrai !

J'ai couru en classe… mais à la porte, un homme grisonnant portant une vilaine chemisette m'a barré la route.

— *Qué lastima, Señorita Brennan* ! s'est lamenté Señor Messi. *Estas tardia. Frente a la detencion, por favor.*

— *Si, Señor Messi. Lo siento mucho.*

La porte s'est refermée, me laissant seule dans le couloir. « *Ay de mi.* »

36.

L'heure de permanence n'en finissait plus.

Empêcher les retardataires d'aller en cours me paraissait idiot. Je comprenais bien qu'on était censés être à l'heure, mais en quoi manquer un cours complet améliorerait-il la situation ? Cette absence d'une heure n'aggravait-elle pas le problème ?

J'ai soupiré. Assis à son bureau, Mr. Warnock a levé les yeux un instant, puis est retourné à son roman de John Grisham. Il avait l'air aussi excité que moi d'être là.

Deux garçons partageaient la salle avec moi. L'un dormait, l'autre gribouillait des dessins. Je ne les avais jamais vus.

Après avoir lu la leçon suivante de mon manuel d'espagnol, je me suis affaissée sur mon siège, agacée et ennuyée.

Coup d'œil à la montre : encore une demi-heure.

Quelle situation absurde !

Les autres Viraux se demanderaient où j'étais. Je ne m'amusais pas à sécher les cours.

Je devrais faire quelque chose d'utile.

Mais quoi ? J'avais fini mes devoirs, et je ne savais pas ce qu'on nous donnerait à faire ensuite. En plus, mes autres livres étaient dans mon casier.

Laisse tomber le lycée. On a des problèmes plus graves à régler.

Le *numero uno*, c'était le Meneur de Jeu.

J'ai pensé à Marchant. Au pistolet piège. On n'avait plus eu de nouvelles du labo de balistique. Il faudrait que je le relance.

Mais comment ? Les objets high-tech étaient formellement interdits, sinon les jeunes auraient séché les cours rien que pour surfer sur le Net ou envoyer des SMS. Si je sortais mon iPhone, Warnock me le confisquerait aussitôt.

J'ai observé le prof de sport neurasthénique, avachi à sa table. Et j'ai conçu un plan.

— Mr. Warnock ?

Mon geôlier a levé les yeux, étonné que je brise le silence.

— Si vous avez besoin de quelque chose, Miss Brennan, merci de venir jusqu'à moi, pour que je ne sois pas obligé de crier.

J'ai obéi, mon sac sur l'épaule.

— Est-ce que je peux filer à mon casier ? Je n'ai pas mon livre d'histoire, et j'aimerais m'avancer.

Warnock a fait grise mine.

— Vous connaissez le règlement. Personne ne peut sortir avant la première sonnerie. Cela dit, c'est la première fois que je vous vois ici.

— Je sais. C'est juste que… je n'ai rien à faire, et c'est plus intéressant d'étudier que de contempler le mur.

— Je suis entièrement d'accord. J'enseigne à Bolton depuis deux décennies, et je n'ai jamais compris cette règle. Nous pourrions tous tirer un meilleur parti de notre temps. Mais le règlement, c'est le règlement.

— Mon casier est juste dans le couloir. Personne n'en saura rien…

Warnock m'a regardée un moment.

— C'est vous qui avez écrit cette lettre au journal du lycée, non ? L'édito sur l'obésité infantile, critiquant la valeur nutritionnelle de nos menus de cafétéria ?

— Oui, monsieur, ai-je répondu avec un sourire hésitant.

— Cette excellente contribution vous vaut une autorisation de sortie. Le ketchup est compté comme un légume, et cela fait des années que je m'en plains. Content que quelqu'un soit du même avis.

— Merci. Ce ne sera pas long, je vous le promets.

— Je compte sur vous. Même si je ne comprendrai jamais pourquoi je suis censé garder en prison une de nos plus brillantes élèves. Dépêchez-vous.

J'ai foncé aux toilettes les plus proches, je m'y suis enfermée et j'ai composé le numéro de Marchant.

Quatre sonneries, puis une voix robotique m'a demandé de laisser un message.

Mince !

— Bonjour, Mr. Marchant. C'est Tory Brennan à l'appareil. Je vous appelle pour le problème dont nous avons discuté le week-end dernier. Si vous pouviez me rappeler, j'aimerais beaucoup savoir s'il y a du nouveau. Merci encore pour votre aide. Salut !

J'ai raccroché, en regrettant aussitôt mon « Salut ! » enfantin. Impossible de l'effacer. Je me suis glissée dans le hall, direction mon casier.

Je l'ai ouvert et quelque chose m'est tombé dessus.

Une épaisse enveloppe blanche, avec mon nom calligraphié dessus.

L'invitation de Chance.

— Non, non, non…

Pourtant, j'ai fourré l'enveloppe dans mon sac.

J'étais presque revenue chez Warnock quand mon téléphone a sonné. Pas de numéro d'appelant. Gagné ! Je suis retournée aux toilettes pour répondre.

— Désolé de vous avoir ratée, a dit Marchant, j'ai l'impression que les réunions me prennent tout mon temps.

— Oh, non ! ne vous inquiétez pas. Merci de m'avoir répondu si vite.

— J'ai trouvé quelque chose d'intéressant. Vous êtes libre ? Je vais aller prendre ma dose de caféine d'ici trente minutes.

Hein ? Quoi ? Ce type ne comprenait donc pas que j'avais quatorze ans ? Bolton n'appréciait pas beaucoup les élèves qui s'échappaient prendre un café à midi.

Mais le Meneur de Jeu était ma priorité numéro un. L'empire romain pourrait bien attendre jusqu'à demain.

— Bien sûr. Où ça ?

Marchant m'a donné une adresse, puis il a coupé.

Sans trop savoir dans quoi je me lançais, je suis retournée en permanence. J'ai ouvert mon manuel et tué les quinze dernières minutes en lisant l'histoire de Caligula. Quel fou, ce type !

Après la sonnerie, je me suis esquivée par une porte annexe et j'ai franchi la grille. J'ai pris Broad Street en vitesse, croisant les doigts pour ne pas avoir été vue.

Je me sentais coupable de ne pas avoir parlé du rendez-vous aux autres Viraux. Ils s'inquiéteraient sans doute que je rate deux cours d'affilée. Mais je n'avais pas le choix. Je leur en parlerais pendant le repas.

Le City Lights Coffee était un endroit détendu et branché dans Market Street, au cœur du quartier touristique. Dix minutes à pied sans se presser. Marchant était assis à une table près de la fenêtre, sirotant sa boisson dans une tasse géante.

Il m'a saluée en me voyant.

— Content que vous ayez pu venir. Vous voulez quelque chose ?

— Non, merci. Je ne peux rester que quelques minutes.

— Bien sûr.

Marchant a remarqué mon uniforme, et a ajouté, visiblement gêné :

— Vous avez cours aujourd'hui. Où avais-je la tête ?

— Je suis en pause-déjeuner, ai-je menti. C'est bon, on a le droit de sortir.

— Quoi qu'il en soit, c'était parfaitement idiot de ma part.

Marchant m'a fait passer un dossier.

— Je pense que vous trouverez ça intéressant.

J'ai ouvert le dossier.

— Vous avez pu identifier le propriétaire de l'arme ?

— Oui et non. Elle est enregistrée au nom d'une entreprise, pas d'une personne.

J'ai levé les yeux.

— Une entreprise ? Laquelle ?

Marchant s'est penché pour ouvrir le dossier à la dernière page.

J'ai regardé le nom, incrédule.

Quatre mots tapés sur la ligne « Nom du déclarant » :

Institut de Recherche de Loggerhead Island.

Le LIRI.

— Hein ? C'est impossible !

— J'ai réagi comme vous, a dit Marchant. Apparemment, c'est un organisme à but non lucratif mais de très haute technologie, installé sur une île non loin de la côte. Ils s'occupent principalement de médecine vétérinaire. Quelqu'un de leur service de sécurité a demandé une autorisation exceptionnelle pour ce pistolet.

— Mais je croyais que ces armes étaient totalement illégales ?

— Moi aussi. Je ne savais pas qu'il existait des exceptions, et pourtant je travaille dans la police.

— Et pourquoi… cet endroit aurait-il besoin de ce genre d'arme ?

J'hésitais à révéler mon lien avec le LIRI.

— Selon la demande déposée, ces pistolets pièges sont nécessaires pour protéger les nichées d'oiseaux contre les prédateurs. Comme l'île tout entière est propriété privée, sans habitants humains, la demande a été acceptée. L'institut a déposé deux demandes, d'ailleurs.

— C'est incroyable.

Je n'en revenais toujours pas.

Des armes pièges ? Sur Loggerhead ? Je me demandais si Kit avait donné son accord à cette demande. Et pourquoi ce serait la *sécurité* qui demanderait des armes destinées à protéger les oiseaux ? Tout ça n'avait aucun sens.

Première inquiétude : Whisper et sa famille.

Ces armes tirent en aveugle, sur n'importe quelle cible. S'il y en avait une autre sur Loggerhead, la meute était en danger.

Seconde inquiétude : l'arme du Meneur de Jeu a été enregistrée au LIRI.

Et la première cache était enfouie sur Loggerhead.

Mon cœur battait la chamade.

Le Meneur de Jeu travaillait-il à l'institut ?

— Ça va ? m'a demandé Marchant, l'air préoccupé.

— Ça va, ai-je répondu le plus calmement possible. C'est juste que je ne comprends pas ce que cela a à voir avec moi. Avec mon chien, je veux dire.

— J'ai creusé un peu plus. Apparemment, l'institut ne se trouve pas que sur cette île. À mon avis, un employé a escamoté l'arme pour se faire un peu d'argent. Ce genre de pistolet est assez exceptionnel ; le type a pu penser que cela vaudrait une sacrée somme s'il le mettait en gage, ou s'il le vendait à une foire aux armes locale. N'importe qui aurait pu l'acheter sans laisser de trace.

C'était donc si simple ? Le Meneur et le LIRI n'étaient liés que par une simple coïncidence ?

Jamais de la vie.

— Désolé de n'avoir pas pu trouver de nom, a dit Marchant.

— C'était impossible, puisqu'il n'y était pas.

J'ai regardé ma montre.

— Zut ! Il faut que j'y aille. Merci encore.

— Vous avez piqué ma curiosité. Je continuerai mes recherches.

On s'est séparés à la sortie du café et on est partis chacun de son côté.

Je suis retournée à Bolton en courant.

*
* *

— Tu ne dois pas partir en douce et retrouver des inconnus sans en parler à l'un d'entre nous, m'admonestait Hi entre deux bouchées d'escalope au fromage. Tu ne regardes jamais les faits divers à la télé ?

— Marchant est un flic. Enfin, une sorte de flic.

Hi n'était guère impressionné.

— Ça reste une mauvaise idée.

On occupait notre table habituelle dans la cafétéria. Les garçons exprimaient leur désapprobation de mon excursion en solo.

Ben était encore plus direct.

— C'était totalement stupide de rencontrer ce type seule.

J'ai fini par baisser les yeux devant sa colère.

— Tu ne sais rien de lui, rien de rien.

Ben voulait ajouter quelque chose, mais il ne trouvait pas ses mots. Enfin, il a terminé :

— Tu ne prends plus de risques pareils, Tory. Promets-le-moi. Plus de rendez-vous secret sans un autre Viral pour te protéger.

J'en ai eu assez de me faire gronder.

— Je suis une grande fille, Ben. Je pense que je peux parler à un policier sans renfort masculin.

Ben semblait prêt à riposter, j'ai levé la main pour l'arrêter :

— Entendu ! Je n'irai nulle part toute seule. Plus jamais. Parole de scout.

— T'es pas scout, a remarqué Hi. Pas d'échappatoire de ce genre, Miss Brennan.

J'ai failli grincer des dents.

— Sur mon honneur de gente dame, Hiram.

— Excellent. Accepté !

— Cette affaire nous renvoie à Loggerhead, a dit Shelton en repoussant son sandwich intact. Je n'aime pas ça du tout.

— Tu crois que le Meneur travaille au LIRI ? s'est esclaffé Ben. C'est ridicule.

Sa réaction dédaigneuse m'a étonnée.

— Pourquoi ?

— Parce que c'est ridicule.

— Depuis le premier jour, ai-je répliqué, nous supposons que nous avons été impliqués dans ce Jeu par hasard. Par pure malchance, en ayant trouvé la première cachette du Meneur avant tout le monde. Mais si ça n'avait rien à voir avec le hasard ?

— Tu crois qu'on a été choisis.

C'était plus une affirmation qu'une question.

— Je ne sais pas. Mais si on l'a effectivement été, alors c'est tout à fait logique que le Meneur vise le bal des débutantes !

Ben n'en démordait pas.

— Tu racontes n'importe quoi. Tu tires des conclusions, même les plus folles, juste parce qu'elles correspondent à ta théorie. Pour l'instant, on ne sait absolument rien ! On est visés ? Et comment ? Comment quelqu'un aurait pu savoir qu'on déterrerait la première boîte ? On ne l'avait même pas prévu ! Quant à l'arme, elle a sans doute été volée et revendue, comme l'a dit Marchant.

— Il nous faut du concret, a ajouté Hi. Des preuves tangibles.

Là-dessus, j'étais d'accord.

— On doit identifier le cadavre.

— Spotter aura terminé sa recherche de reconnaissance faciale d'ici demain.

— Donc on retournera au LIRI à ce moment-là. Et on garde les yeux ouverts.

— Où est le rapport de la balistique ? a demandé Hi en farfouillant dans mon sac.

— Marchant l'a gardé.

Il faudrait que je l'appelle pour lui en demander une copie.

Hi a sorti l'épaisse enveloppe couleur crème à mon nom.

— Qu'est-ce que c'est ?

— Ah, ça ?

Quelle importance, en ce moment ?

— Vous allez a-do-rer, les gars.

Je leur ai fait part de notre invitation au Claybourne Manor.

Leurs gémissements ont attiré l'attention de toute la cafétéria.

37.

Mardi après-midi, 15 h 27.

Le *Sewee* bondissait dans l'écume, sa proue giflant les vagues. J'étais assise sur le siège passager, tandis que Ben nous emmenait à Loggerhead.

Hi et Shelton avaient déclaré forfait, prétextant des obligations familiales. J'avais dû subir une demi-heure d'instructions pour convaincre Shelton de ma maîtrise de Spotter.

– Ce sera plus difficile d'entrer sans se faire voir. Aujourd'hui, c'est un jour ouvrable.

– On se mêlera au personnel, c'est tout, a répondu Ben. Et puis ça m'étonnerait que quelqu'un se serve du terminal à l'étage.

– C'est vrai, mais cette fois-ci il faudra qu'on évite Hudson. Je n'ai pas envie que Kit soit au courant.

– Tu pourrais t'entraîner au défilé dans la cour, ou valser jusqu'au premier étage, a dit Ben, d'une voix lourde de sarcasmes.

– Tu as fini ?

C'était sa troisième salve depuis qu'on avait quitté Morris Island.

Il n'a pas répondu – mais tout à coup, j'en ai eu assez.

– Ben, arrête ce bateau.

Il m'a regardée bizarrement.

– On est au milieu de l'océan, Victoria.

– Arrête-moi ce bateau !

L'air exaspéré, Ben a coupé les gaz. Le *Sewee* est resté là, ballotté comme un bouchon.

– Tu voulais sauter à l'eau ? a demandé Ben sèchement. En octobre, elle est bien froide.

— Je veux savoir pourquoi tu te comportes comme ça ces temps-ci.

Ma colère l'a pris au dépourvu.

— Mais non…

— Ça suffit, Ben ! Avant, on ne se disputait jamais ! Mais maintenant, on a l'impression qu'un orage te suit en permanence. Qu'est-ce qui se passe ? Dis-moi, ai-je conclu d'une voix radoucie.

J'ai perçu une lueur dans ses yeux sombres. L'espace d'un instant, il a paru… affecté. Paniqué, même. Puis il a détourné la tête.

Les secondes se sont écoulées. Ben allait parler, mais ses traits se sont durcis. D'un geste sec du poignet, il a relancé le moteur.

— Je peux pas encadrer Jason, tu comprends ? C'est un glandu, un gosse de riches typique, et pourtant tu passes ton temps avec lui. C'est pitoyable.

Je me suis soudain souvenue de la diatribe d'ivrogne de Ben à la soirée. Je savais que ces temps-ci, son problème avec Jason avait atteint le point de fusion.

Pourtant, j'étais certaine que Ben avait failli me dire autre chose. Je ne savais pas quoi au juste, mais je le sentais au plus profond de moi.

Encore un effort.

— Jason est mon ami, ai-je répondu calmement, mais ce n'est pas un Viral. Il ne fait pas partie de ma meute. Il n'aura jamais la même importance que toi.

Ben m'a regardée droit dans les yeux. Un regard appuyé. Mes joues me brûlaient.

— Ni que Hi et Shelton, bien sûr, me suis-je empressée d'ajouter.

— Bien sûr.

Ben a ouvert les gaz et on a bondi en avant.

Si une faille était apparue, elle s'était refermée. Le masque de pierre était retombé.

Le voyage s'est poursuivi en silence, me laissant seule avec mes pensées.

Des pensées dérangeantes.

Et moi, qu'est-ce que je pensais de ce que Ben avait dit à cette soirée, de ses déclarations bredouillantes sur Jason et moi ? Je n'avais jamais répondu à cette question. Comme si je refusais de l'entendre.

Est-ce que je suis vraiment plus claire que lui ?

*
* *

— J'y suis.

Je cherchais Spotter sur le réseau du LIRI.

— Shelton a dit que le programme était enfoui dans un sous-répertoire.

— Là !

Ben a montré une icône au milieu d'une liste d'applications.

— Celle avec le S majuscule.

On n'avait plus parlé de nos sentiments. Heureusement, on parvenait à dissiper la tension en se concentrant sur notre tâche. On avait une mission. Il fallait qu'on travaille ensemble.

On était entrés sans problème, passant tranquillement l'entrée avant de se rendre au bâtiment 6. Le couloir était désert. On avait filé au premier. Et là, dans le labo dépouillé, on s'était claqué les paumes, un peu gênés.

Super potes, pas vrai ?

J'ai ouvert Spotter et cliqué sur « Recherches précédentes ». Un dessin de moineau avec des jumelles géantes nous a informés que notre recherche était terminée. J'ai cliqué sur le lien.

Un grand panneau STOP s'est mis à clignoter. Le moineau faisait la tête : « Pas de résultat. »

— Oh, non !

Ma déception était immense.

— Je te l'avais dit. Ces programmes ne fonctionnent jamais.

J'ai cliqué sur « Plus d'informations ». Une boîte de dialogue m'a indiqué que l'image était d'une qualité insuffisante.

— Ma photo était mauvaise ?

J'ai tambouriné sur le bureau.

— Il n'aurait pas pu le dire *avant* ? On aurait évité une recherche de trois jours !

Ben a tressailli.

— Tu as entendu ?

— Entendu quoi ?

J'étais trop occupée à détester les créateurs de Spotter.

— Il y a eu un bruit quand tu as tapé sur le bureau… tu as dû décoller quelque chose.

— Sans doute.

Je faisais la tête. Impossible de m'en empêcher.

Marmonnant des grossièretés, je me suis attelée à ma seconde tâche : retrouver l'autorisation dont Marchant avait parlé. Il devait bien y en avoir une trace quelque part.

Ben ouvrait et refermait les tiroirs – à grand bruit.

— Qu'est-ce que tu fais ?

— Je suis sûr d'avoir entendu quelque chose. Quand j'ai vérifié il y a trois jours, ces tiroirs étaient vides… Ah, et si tu demandais à ton père, pour les armes ?

— J'aurai peut-être un peu de mal à lui expliquer pourquoi ça m'intéresse, tu ne crois pas ?

— C'est vrai.

Ma seconde recherche n'a rien donné non plus. J'avais vérifié des dizaines de répertoires LIRI. Approvisionnement. Fournitures. Acquisitions. Inventaires. Et même un sous-répertoire intitulé « Armement », avec du matériel pour le contrôle des animaux, mais pas de pistolet piège.

J'ai voulu ouvrir le sous-répertoire de la sécurité. Accès refusé.

Hudson. Les armes enregistrées doivent dépendre de lui.

Ben a interrompu ma réflexion.

— Regarde !

La partie intérieure du tiroir de gauche s'était détachée, révélant un espace creux.

— Un double fond. Je savais bien que j'avais entendu un bruit.

Ben a ôté le panneau. Un objet se trouvait en dessous. Une clé USB rouge. Avec une minuscule inscription dessus : « Propriété du Dr. Marcus Karsten. Privé et confidentiel. » La clé portait aussi la lettre C en jaune vif.

J'en ai eu le souffle coupé.

— Oh, mon Dieu ! Ça appartenait à Karsten.

— Caché dans un compartiment de son bureau personnel, dans son labo secret.

Ben ouvrait des yeux grands comme des soucoupes.

— Qu'est-ce qu'on vient de trouver, Tory ?

Mon cœur s'est mis à palpiter. J'avais cru que tout espoir d'en apprendre plus sur notre maladie était mort avec Karsten. Et voilà qu'en frappant ce meuble idiot, on était peut-être tombés sur… tout.

Soudain, j'ai eu une autre révélation.

— Le logo ! Le C est le symbole de Candela, la compagnie pharmaceutique !

— La compagnie qui finançait les expériences secrètes de Karsten sur le parvovirus. L'entreprise appartenant à Chance Claybourne, a ajouté Ben inutilement.

— C'est énorme.

Le Meneur de Jeu venait de disparaître de mon esprit.

— Cette clé pourrait nous permettre de comprendre notre condition. Notre pronostic… savoir si nous avons une chance de guérir !

— Branche-la !

Pour une fois, Ben avait l'air aussi excité que moi.

D'une main tremblante, j'ai inséré la clé dans un port USB et je l'ai ouverte. Un seul dossier est apparu : MK.

Avec une boîte de dialogue demandant un mot de passe.

— Mince ! Des idées ?

Ben m'a regardée froidement.

— Comment je connaîtrais le mot de passe perso de Karsten ?

Des bruits de pas ont résonné dans le couloir. J'ai arraché et empoché la clé USB juste avant que la porte ne s'ouvre à la volée.

— Qu'est-ce que vous faites ici, vous deux ?

Mike Iglehart arborait une blouse d'un blanc aveuglant, et une mine sévère.

— Ce n'est pas un nid d'amour pour ados, ici.

Le visage écarlate, j'ai bégayé :

— Pardon ?

— On se servait de l'ordinateur ! a aboyé Ben. C'est tout.

— Bien sûr, a ricané Iglehart. Ce qui me rappelle qu'il faudra enlever ce terminal. Nous ne pouvons pas nous permettre de gâcher de la bande passante pour que vous puissiez jouer à Angry Birds, les gosses.

Je me suis levée, furieuse, prête à sortir.

— Votre père sait-il que vous êtes ici ? a demandé Iglehart sévèrement.

— Il a dit qu'on pouvait utiliser un labo.

C'était une demi-vérité. Kit n'avait pas précisé de date quand il nous avait donné son accord.

— Oui, j'ai entendu dire que vous aviez déniché mon espace de travail personnel, il y a quelques jours. Mais ici, ce n'est manifestement pas un labo. Vous vous êtes glissés sans surveillance dans cet endroit désert, et je vous garantis que j'en informerai Kit. J'en parlerai à Hudson, aussi.

J'avais le feu aux joues, mais je me forçais à me taire. Ça ne servirait à rien de discuter. Ben gardait les yeux rivés au sol.

On ne faisait rien de mal, Ben. Contrairement à ce qu'il insinue.

Pourtant, on aurait dit que Ben venait de se faire prendre la main dans le sac.

Iglehart nous a raccompagnés dans le couloir, où le Dr. Sundberg attendait impatiemment.

— Il faut qu'on se dépêche, Mike. Oh, salut Tory. J'espère que ton projet se passe bien.

— Ces deux-là travaillaient ? Ça m'étonnerait, a déclaré Iglehart avec un rictus. Ils s'étaient enfermés dans cette… pièce qu'on a trouvée. Et avant que j'ouvre la porte, ils étaient terriblement silencieux.

J'en avais assez. J'avais encaissé les commentaires personnels d'Iglehart, mais je n'allais pas le laisser diffamer ma vertu.

— On avait besoin d'utiliser un ordinateur. C'est tout.

— Comme vous voudrez. C'est le problème de votre père, pas le mien. Dieu merci, moi, je n'ai pas de fille adolescente.

— Laisse tomber, Mike, a dit Sundberg d'une voix lasse. On a du travail. Je suis sûr que Tory et son ami peuvent se débrouiller tout seuls.

Sundberg m'a lancé un regard compatissant avant de sortir du bâtiment avec l'autre.

— C'était qui celui-là ? a demandé Ben. Il va vraiment le dire à ton père ?

— Et à Hudson. Mike Iglehart n'a pas l'air de m'aimer beaucoup.

— Alors, il faut partir avant qu'on nous retrouve. On regardera cette clé au bunker.

J'étais parfaitement d'accord.

38.

— Voyons voir ce que nous avons…

Shelton a cliqué sur l'icône de la clé USB.

— Il y a un moyen de contourner le mot de passe ? ai-je demandé par-dessus son épaule.

Hi était à mes côtés. Ben était affalé à sa place habituelle sur le banc, près de la fenêtre du bunker.

— Ça m'étonnerait. Tu ne le connaîtrais pas, par hasard ?

— Bien sûr que si ! Karsten me l'a envoyé par mail juste après qu'on lui a volé Cooper. J'ai son code de carte bleue aussi, si ça peut aider.

— Hé, je demandais, c'est tout. Parce que ça va être difficile à cracker.

— Vous avez des idées ? a demandé Hi. On est incroyablement futés. Peut-être qu'on en sait assez pour découvrir le mot de passe.

J'ai repensé au jour où on avait découvert le labo secret de Karsten. La pluie qui tombait à verse. Shelton qui crochetait la serrure. Et le choc en découvrant les sinistres expériences de Karsten.

Toute cette sécurité. Tous ces efforts pour dissimuler le projet.

Est-ce qu'on pouvait cracker le mot de passe ?

— Essaie Candela, a suggéré Hi. Ou 3-3-3-3. C'était le code de la porte.

— Non… et non.

— Et « parvovirus » ? a proposé Ben. Ou peut-être que Karsten a utilisé son propre nom.

Shelton a essayé. En vain.

— On refroidit, là.

— Attendez.

Je réfléchissais à haute voix.

— Ce n'était pas un parvovirus normal. Karsten avait mélangé la forme canine avec la forme inoffensive, qui est contagieuse pour les humains.

— Mais oui ! s'est écrié Hi. La forme humaine est le Parvovirus B19. Essaie ça.

— Non.

Tout à coup, j'en ai eu assez.

— Karsten a créé une forme expérimentale. C'était ça le but.

— Mince ! a crié Shelton. Je n'arrive pas à m'en souvenir. Et Karsten a dit qu'il avait détruit tous les dossiers.

— Sauf cette clé. Il faut qu'on y ait accès.

J'ai essayé de visualiser le labo tel qu'on l'avait vu ce jour-là. Bureau. Ordinateur. Zone de quarantaine. Un registre qui pendait à côté de la cage de Coop.

Qu'est-ce que j'avais lu ? Qu'est-ce que Karsten nous avait dit, ce soir-là au bunker ?

Ça me revenait.

— Parvovirus XPB-19. La forme expérimentale du B19.

Shelton tapait déjà.

— Ça y est ! On y est !

Soudain, il s'est effondré.

— Oh, non !

Sur l'écran ne s'affichait qu'un pur charabia.

— Qu'est-ce que c'est ?

— Les fichiers de la clé sont chiffrés, a répondu Shelton en cliquant sur l'un d'eux.

Une nouvelle demande de mot de passe s'est affichée.

— Et à ce niveau, ils utilisent une clé. Ça veut dire que c'est synchronisé avec un système qui change le mot de passe toutes les trois ou quatre minutes.

— Donc, la réponse ne sera pas : la couleur préférée de Karsten. Flûte alors, a soupiré Hi.

— Pour percer celui-là, il nous faudra un professionnel. Et même comme ça, on pourrait ne pas y arriver.

— Ah, bah !

Les ordinateurs conspiraient pour me mettre des bâtons dans les roues.

— Et on n'a fait aucun progrès sur l'identification du cadavre non plus. Spotter refuse de fonctionner sans une meilleure photo de la victime.

— Oh, non ! Non, non et non ! a grincé Shelton.

— C'est quoi ton problème ? a demandé Ben. On trouvera une solution.

— Tu crois que Tory n'a pas déjà un plan ? Et tu ne devines pas lequel ?

Hi est devenu tout pâle. Ben nous a regardés. Visiblement il n'avait toujours pas saisi.

— Je n'y vais pas de nuit. Point à la ligne, a gémi Shelton.

— Non, demain après-midi. En plein jour.

— D'accord, les gars. Vous voulez bien m'expliquer ? a demandé Ben.

— Pas de problème, a répondu Shelton d'un air faussement dégagé. On va faire un petit détour par l'abbaye de Mepkin pour prendre une nouvelle photo de M. Le Mort.

— Ah, ça.

Shelton s'est tourné vers moi.

— J'ai deviné juste, Tory ?

— Il faut qu'on réessaye avec Spotter, ai-je dit d'un ton ferme pour cacher mes propres doutes. Il faut qu'on sache qui se trouve dans cette crypte.

J'ai jeté un coup d'œil aux objets alignés sur la table. On les avait examinés dans le moindre détail. Ça ne nous avait menés nulle part.

— On n'a pas d'autre carte en main.

*
* *

Le parking visiteurs était presque vide. On est arrivés à l'accueil en silence. On avait inventé un bon prétexte, mais l'ambiance était morose. Personne n'avait envie de revisiter la crypte.

Frère Patterson se tenait au comptoir de la boutique. Son visage s'est éclairé.

— Heureux de vous revoir !

Il est sorti de derrière le comptoir, dans un froissement de robe noir et blanc.

— Quel plaisir de vous revoir si vite !

— Cette visite nous a vraiment plu.

J'ai ostensiblement sanglé mon sac à dos sur mes épaules.

— Elle nous a tellement plu, en fait, que nous avons décidé de prendre l'abbaye comme sujet de notre devoir sur la culture locale.

— Magnifique ! La boutique propose plusieurs volumes sur l'histoire de l'abbaye ; vous pouvez aussi accéder gratuitement à nos textes et documents originaux dans le centre de conférences.

Parfait.

— Nous irons à la bibliothèque, si cela vous va. Nous sommes censés utiliser des sources primaires.

— Je vous en prie.

Patterson nous a montré la porte du fond.

— Vous rappelez-vous le chemin, ou voulez-vous que je vous accompagne ?

— Nous nous en souvenons, ai-je dit aussitôt. Merci beaucoup.

*
* *

Ben a franchi le mur du cimetière en dernier.

Se haussant sur la pointe des pieds, Hi a jeté un œil derrière nous.

— La voie est libre. Personne ne nous a suivis.

On avait de la chance. On avait contourné la bibliothèque, traversé les jardins et passé le pont du cimetière sans rencontrer âme qui vive. J'étais sûre qu'on réussirait cette mission.

Mais je ne voulais pas penser à ce qui nous attendait.

Shelton a crocheté la serrure de la grille en fer, puis il est passé à la porte du mausolée. Finalement, il a lancé :

— On peut entrer… et que Dieu nous aide.

Malgré la tiédeur de l'air, de grosses gouttes de sueur perlaient à son front.

J'ai pris une décision.

— Inutile que tout le monde aille à l'intérieur. Shelton, tu peux monter la garde dehors.

Il est retourné à la grille, soulagé.

— Tu auras besoin de moi pour bouger le couvercle, a dit Ben. Et de Bouboule, aussi.

Hi a fait la grimace.

— Allez, on le fait, et on se casse.

— Entendu.

Je leur ai donné les lampes, j'ai pris une profonde inspiration, et je me suis dirigée vers l'escalier. Ben m'a attrapée par le coude.

— Moi d'abord.

Parfait, va faire l'appât à serpent.

J'ai suivi Ben, Hi sur les talons. L'escalier s'est terminé plus tôt que je croyais. Une erreur de perception. Un rappel que nous n'avions pas libéré notre loup intérieur.

— Hé, les gars, ai-je chuchoté. On se met en flambée. On n'y voit rien ici.

— Pas la peine.

La réponse de Ben a résonné dans la crypte, chargée de stupeur et de colère.

— Il n'y a personne à la maison.

— Hein ?

J'ai foncé au sarcophage.

Il était ouvert. Le cadavre avait disparu.

Je me suis penchée à l'intérieur et l'ai éclairé. Il n'y avait que des ossements blanchis.

Le premier occupant.

— Le Meneur de Jeu a effacé ses traces. Il joue avec nous, bon sang !

Ben a contourné le cercueil.

— Hi, aide-moi à remettre ça en place.

— Pourquoi ? a gémi Hi. Skeletor s'en moque.

— Ça reste une tombe. Montre un peu de respect.

Grognant, Hi est allé aider Ben. Ils ont remis péniblement la dalle de pierre en place.

— Ça n'en valait pas la peine, a hoqueté Hi.

— Mais si, a dit Ben à peine essoufflé. C'est ta bonne action de la journée.

— Euh, ça compense notre premier pillage de tombe ?

Sans répondre, Ben a ramassé sa lampe et s'est dirigé vers l'escalier, suivi de près par Hi. Je n'ai pas fait mine de les suivre.

— Tory ? Ça ne va pas ?

Au début, je n'arrivais même pas à répondre. Impossible. Puis ma colère a éclaté.

— On a toujours un temps de retard. On court exactement là où le Meneur nous dit d'aller. Là, en ce moment, il nous manipule. Il prévoit nos moindres mouvements, bon Dieu !

Ben m'a prise par la main.

— Plus tard, Tory. Pour l'instant, il faut qu'on sorte de la dernière demeure de ce pauvre gars.

Il a raison. Concentre-toi.

J'ai ravalé ma colère pour plus tard.

Soudain, la voix de Shelton a résonné au-dessus :

— Il y a quelqu'un qui arrive sur le chemin !

— Qu'est-ce qu'on fait ? On peut pas se cacher ici !

— C'est un moine ! Il vient de passer le pont !

— Un plan, Tory ?

Je me suis raclé le cerveau. Rien. Cette expédition tournait à la débâcle totale.

— Bon, ça va être un mauvais moment à passer. On va implorer la clémence.

— Montez, les gars, a dit Shelton d'une voix tendue. C'est frère Patterson. Il est à la grille du cimetière et il... il n'est pas content. Mais alors pas du tout.

C'était un sacré euphémisme.

En fait, un moine peut être livide. J'ai pu le vérifier de mes yeux dès que je suis sortie.

— De tous les actes irrespectueux et répréhensibles...

Patterson nous a fait sortir du cimetière au pas de course.

— Je ne sais pas quelle plaisanterie infantile vous aviez en tête, mais vous ne remettrez jamais les pieds en ces lieux. Vos noms et signalements seront communiqués à l'ordre tout entier.

On a subi le sermon en silence. Que répondre ?

— Et dire que je m'étais rendu à la bibliothèque pour vous aider ! s'est écrié Patterson. Le frère qui s'en occupe n'avait aucune idée de qui vous étiez. Bien sûr, puisque vous n'êtes jamais entrés dans le bâtiment ! J'ai failli ne pas venir ici, parce que je vous avais bien précisé que l'accès au cimetière était interdit.

J'ai baissé les yeux.

— Nous sommes vraiment désolés.

— Ce n'est pas auprès de moi qu'il faut vous excuser, mademoiselle. Vous avez profané un lieu consacré. C'est auprès de Dieu que vous devez faire pénitence. Estimez-vous heureuse que je ne prenne pas la peine de retrouver vos parents.

Le retour à l'accueil m'a paru sans fin.

Une fois arrivés, les garçons se sont précipités au 4×4 de Kit comme des rats. Patterson restait sur le parking ; il comptait visiblement assister à notre départ.

Avant de monter en voiture, j'ai fait un dernier effort.

— Je suis profondément désolée, frère Patterson. Je me doute que vous ne me croirez pas, mais nous n'avions aucune intention irrespectueuse. Merci de nous avoir montré votre magnifique abbaye.

Patterson s'est radouci un tout petit peu.

— Je n'ai aucune idée de la raison pour laquelle vous commettriez un acte pareil, mademoiselle. Profaner une tombe ! Vous avez l'air d'une jeune fille bien. J'espère donc que la honte de ce jour vous accompagnera, et vous aidera à faire de meilleurs choix à l'avenir.

M'ayant ainsi écrasée de culpabilité, Patterson s'est dirigé vers le bâtiment.

*

* *

— Qu'est-ce qu'on peut faire ? a demandé Ben en s'engageant sur l'autoroute.

— Je pense qu'une action charitable s'impose, a dit Hi. Je ne suis pas très branché Jésus, mais je suis sûr que dans n'importe quelle religion, c'est un mauvais karma de se faire allumer par un moine.

— Je voulais dire pour le Jeu, a grogné Ben.

— Tu en penses quoi, Tory ? Ces derniers temps, chaque fois qu'on fait un truc, ça nous revient à la figure, on dirait.

— On est dans l'impasse.

Ça faisait mal de reconnaître l'échec, mais les faits étaient là.

— On ne peut pas retrouver le pistolet piège sans accès au dossier de la sécurité du LIRI, et on ne peut pas identifier la victime du Meneur sans prendre une nouvelle photo.

Et comme le corps vient de disparaître, on ne peut même pas signaler le crime.

— Donc, la chasse au Meneur est terminée ?

Elle ne le sera jamais. Pas pour moi. Je sais que tante Temperance n'abandonnerait pas, elle.

— Temporairement, ai-je concédé. Pour l'instant, il faut qu'on se concentre sur le Jeu. Il faut trouver le dernier endroit, et empêcher que se produisent les horreurs que ce psychopathe a prévues.

— Deux jours, a dit Hi. Ça ne laisse pas beaucoup de temps.

Non, vraiment pas.

39.

Le lendemain, tout Bolton parlait de l'ouragan Katelyn.

— Les projections se sont toutes décalées vers le nord-est, a annoncé Hi qui lisait la météo sur son iPhone. Les vents sont descendus en catégorie 3, et ils pourraient frapper le continent, dont la plus grande partie de la Caroline du Nord.

— Tant que c'est celle du Nord... a commenté Shelton. N'oublie pas où on habite. Un bon petit raz de marée et Morris Island se retrouverait complètement sous l'eau.

— La bonne nouvelle, Tory, c'est que l'ouragan ne frappera pas avant le week-end, au plus tôt. Le bal des débutantes sera donc épargné.

— Ah, ouais, c'est formidable. Ça m'aurait vraiment embêtée que mon exécution soit repoussée.

J'ouvrais mon casier quand Ben est arrivé.

— Des nouvelles ? (À voix basse.) Du Jeu, je veux dire. La date limite, c'est demain soir.

— Le lien avec le château, c'est tout ce que j'ai. Mais je pense que c'est ça. L'heure limite correspond exactement à celle du bal, ça ne peut pas être une coïncidence.

— Et pourquoi pas ? a demandé Shelton. En admettant qu'on soit tombés au hasard dans le piège d'un dingue, la date n'aurait aucun rapport avec nos activités.

— Même si on n'était pas visés au départ, le Meneur de Jeu sait qui on est, maintenant : les photos, tu te rappelles ? On peut supposer qu'il s'est renseigné sur notre emploi du temps.

— La toute première cache nous a envoyés à Pinckney, a fait remarquer Hi. Donc le Meneur de Jeu avait choisi cette destination avant qu'on commence à jouer. Ce qui peut signifier trois choses. Une, qu'on était choisis dès le départ. Deux, que l'emplacement de la bombe a été changé au profit de la Citadelle après que le Meneur a commencé à nous suivre. Ou trois, que la théorie de Tory sur le château ne tient pas la route.

J'ai réfléchi à ce qu'il venait de dire.

— Ou encore, que le bal des débutantes était l'objectif final dès le départ, et que notre participation était un pur hasard.

— Donc, ce serait bien une coïncidence ? s'est moqué Ben. Décide-toi.

Il avait les traits tendus. La pression mettait à mal son système nerveux.

Il n'était pas le seul. Mon niveau d'anxiété grimpait à chaque minute qui s'écoulait. Et si nous n'étions pas à la hauteur des défis du Meneur de Jeu ? Si nous échouions, cela pourrait coûter la vie à ces mêmes personnes que nous voyions dans le hall. L'enjeu était vertigineux.

— Il n'existe aucun lien solide avec la Citadelle, a dit Shelton.

Il avait raison. Mais toutes les fibres de mon être me criaient que mon intuition était la bonne. Ce qui impliquait, logiquement, que nous avions bien été choisis pour jouer au Jeu.

Cette idée m'a emplie de crainte.

— On en parlera pendant le déjeuner, et on règlera ça, une fois pour toutes.

La matinée s'est passée. La plupart des élèves de Bolton assistaient au bal pour une raison ou pour une autre, et le lycée bruissait de rumeurs. J'ai entendu des dizaines de conversations chuchotées sur le choix des accompagnateurs ou le prix des robes. Quand l'heure du déjeuner est enfin arrivée, je suis sortie retrouver les autres Viraux.

Comme pour nier le risque qu'une tempête nous frappe, la température était clémente et le ciel pur. J'ai fait le tour par l'arrière, m'attendant à ce que les environs de l'étang soient déserts.

Je me trompais.

Madison et Chance étaient assis sur un banc, adossés au bâtiment. Elle parlait à vive voix, agitant les mains. Chance l'écoutait en hochant la tête.

J'aurais donné toutes mes économies pour pouvoir les écouter.

Fais-le, alors. Tu sais que tu peux le faire.

Ma respiration s'est accélérée. Est-ce que je devais ? Coup d'œil panoramique : personne. À quoi servent les super-pouvoirs si on ne les utilise jamais ?

Je me suis glissée derrière un arbre.

SNAP.

La flambée est venue facilement, projetant mes hypersens dans l'espace.

Un millier de senteurs a envahi mes narines. Le pin, collant et résineux. L'étang couvert d'algues. Une trace de beurre de cacahouètes. J'ai suivi les essaims de moucherons dans les branches, dansant parmi les rayons lumineux du soleil. J'ai goûté à la poussière argileuse du vent, mêlée à la douceur des hortensias. J'ai senti la brise caresser le moindre duvet sur mes bras.

Et surtout, j'ai entendu deux personnes qui se disputaient à voix basse.

J'ai jeté un œil derrière l'arbre, étudiant ma proie. Madison avait les épaules et le dos tendus. Elle portait sans arrêt sa main chargée de bagues à ses cheveux.

Jolis, tes cailloux-bijoux. Continue à parler.

— Tu ne me prends pas au sérieux ! sifflait Madison, agacée.

— Bien sûr que si, a répondu calmement Chance, le regard fixé sur l'étang. Je ne partage pas tout avec toi, mais je ne suis pas resté les bras croisés.

— Tu penses vraiment… a chuchoté Madison, excitée.

Je me suis penchée en avant, tendant l'oreille.

— Tu ne trouves pas qu'elle a quelque chose de monstrueux ? Je veux dire, pour de vrai ? Qu'elle n'est pas normale ?

Une grimace a déformé les traits délicats de Madison.

— Mis à part le fait que c'est une abrutie finie, je veux dire.

Chance a mis longtemps avant de répondre.

— On arrête les insultes minables. Tu as vu ce que tu as vu. Moi, j'ai mes propres doutes. Mais ni toi ni moi n'avons de preuve.

— Tory est possédée ! Comme une sorcière, en fait. J'ai vu le mal dans ses yeux. Ce n'était pas naturel. Je le sais, j'en suis sûre !

J'en ai frissonné.

Mes pires craintes étaient confirmées.

Madison avait vu la flambée dans mes yeux. Chance avait vu bien plus que ça. Et ces deux-là étaient en train de parler de moi. D'élaborer des plans.

Quel cauchemar !

Que voulait dire Chance en précisant qu'il n'était pas resté les bras croisés ? Il fallait que j'en sache davantage.

Du coin de l'œil, j'ai vu Hi et Shelton sortir paisiblement du bâtiment. Ils se dirigeaient vers un banc situé après les arbres qui me dissimulaient. Un peu plus tard, Ben est venu les rejoindre. Tous trois ont sorti des sandwichs de leur sac, en face de moi.

Aucun des deux groupes ne regardait dans ma direction.

J'ai senti un fourmillement sous mon crâne. Ma meute était proche, mais pas au complet.

Non. C'est du délire.

L'idée m'effrayait, mais j'ai agi sans réfléchir.

Fermant les yeux, j'ai cherché l'endroit vide dans mon esprit. J'ai visualisé les liens incandescents qui me reliaient aux autres Viraux. *Les voilà.* Des lignes enflammées, affaiblies par la distance et le fait que les garçons n'étaient pas en flambée. Coop, lui, n'était qu'une tache floue dans l'éther.

Tu n'es pas au mieux de ta forme. C'est peut-être une mauvaise idée.

C'était un bon conseil que je me donnais. Sans l'écouter, j'ai tenté quelque chose que je n'avais jamais fait.

J'ai ouvert les yeux et je me suis concentrée sur le couple assis près de l'étang.

Chance et Madison. Madison et Chance.

Projetant ma conscience dans leur direction, j'ai cherché leur esprit.

Une bouffée de chaleur m'a parcourue. Des éclats de verre m'ont percé le crâne, raclant mon cortex. Ignorant la douleur, j'ai repoussé mes pensées vers l'extérieur, les détachant de mon corps.

Le monde est devenu brumeux, flou. Ma tête tournait. J'ai de nouveau fermé les yeux.

Deux bulles sont apparues dans le vide subliminal.

J'ai forcé mon esprit à se diriger vers elles. J'en ai contacté une.

Un bourdonnement assourdissant. Soudain, la voix de Madison a explosé dans ma tête. Tempétueuse. Ses paroles étaient trop confuses pour que je les saisisse.

Ça marche ! Je peux entendre ses pensées !

Quelqu'un a hurlé.

SNUP.

J'ai soudain rouvert les yeux.

Je ne savais pas si le cri provenait de l'extérieur ou de l'intérieur.

Madison se donnait des gifles comme si elle était couverte d'araignées, tournant la tête dans tous les sens, comme une bête traquée.

Je me suis accrochée au tronc de l'arbre, tremblante, et trop heureuse qu'il me dissimule aux deux autres. J'ai jeté un œil par-dessus mon épaule, et aperçu les autres Viraux qui me regardaient fixement, stupéfaits.

Ma conscience est revenue brutalement, comme un élastique cassé.

Je suis tombée dans le noir.

40.

Des voix lointaines ont fait intrusion.

— Eh ben, elle l'a fait pour de bon, ce coup-ci !

— On appelle l'infirmière ?

Voix paniquée.

— Une ambulance ?

— Et on leur dira quoi, au juste ? a sifflé une troisième voix. Que notre amie s'est évanouie après une mauvaise télépathie ?

Les paroles étaient lointaines. Faibles. Comme une radio dans un vieux sous-marin. J'ai essayé de les arrêter, pour rester enveloppée dans un oubli brumeux.

Les voix n'ont pas lâché prise.

— Mais à quoi elle pensait ?

Colérique. Elle m'empêchait de planer.

C'est Ben. Pourquoi est-il tellement en colère ?

— Elle est allée trop loin.

Agitée. Shelton ?

— Et si elle ne revenait pas ?

J'ai ouvert un œil malgré moi. Trois silhouettes se dressaient au-dessus de moi, à contre-jour dans la lumière blanche. L'espace d'un instant, j'ai eu l'idée folle que j'étais au paradis.

Cette idée m'a réveillée d'un coup.

J'ai gémi faiblement.

— Elle revient !

La forme la plus arrondie s'est solidifiée : Hi.

— Tory ? Ça va ? Si tu es devenue légume, fais-moi un clin d'œil.

— Vraiment sympa.

J'ai toussé. Ce simple effort a failli me faire retomber dans les pommes.

— On va l'aider à se redresser. Ben, va chercher de l'eau.

La voix de Shelton. Il avait toujours l'air inquiet.

Ben a obéi, et les deux autres m'ont assise. J'avais la migraine, et j'étais à deux doigts d'être malade.

J'ai regardé autour de moi. Lycée de Bolton. Extérieur. Pelouse est, juste à côté de l'entrée principale.

— L'heure ? ai-je demandé.

— La pause-déjeuner est presque terminée, a répondu Hi en vérifiant qu'on ne nous observait pas. Tu as passé deux bonnes minutes dans les pommes.

— Qu'est-ce qui s'est passé ? m'a demandé Shelton.

— Flambée. J'ai essayé de lire dans leurs esprits.

J'étais trop choquée pour mentir.

— Chance et Madison ? Tu es folle !

— Peut-être. Ça n'a pas marché.

— Alors c'est pour ça que Madison a pété les plombs. Elle a foncé à l'intérieur dès que tu es tombée.

— Dis-moi qu'ils ne t'ont pas prise sur le fait, a supplié Hi.

— Pas sûr… Je… je ne crois pas.

J'ai revu le moment où ma conscience avait effleuré la bulle. Je savais que c'était Madison, pas Chance. J'en étais sûre. Pendant une microseconde, j'avais reconnu ses pensées, mais sans les comprendre.

Est-ce que Madison avait senti une présence, de son côté ? Est-ce qu'elle avait senti que c'était moi ?

Comment est-ce que j'ai pu être aussi bête ?

— Comment est-ce que tu as pu être aussi bête ?

C'était Ben. Il a ouvert une bouteille d'eau et l'a portée à mes lèvres. J'ai avalé une gorgée, me suis essuyé la bouche et j'ai craché dans l'herbe.

J'étais d'accord avec Ben, mais je n'allais pas l'admettre maintenant.

— Ils disaient des trucs. Sur moi.

Mon esprit déraillait encore un peu.

— Ils ont des doutes. J'essayais de découvrir ce qu'ils savent.

— Pas sympa.

De manière surprenante, ce commentaire provenait de Hi.

— Entrer comme ça dans l'esprit des gens ? Ça va beaucoup trop loin.

— Ça n'a pas marché.

Ma fierté m'empêchait de l'avouer, mais j'avais honte de ma décision impulsive. L'intensité de ces derniers jours altérait mon jugement.

La cloche a sonné. Les trois autres m'ont examinée, comme pour évaluer mon état.

— Je vais bien.

Ils n'allaient pas décider de ce qui était bon pour moi.

— Aidez-moi à aller en cours, c'est tout.

J'y voyais flou. Des balles de golf roulaient dans mon crâne. Mon estomac gargouillait comme un Coca agité. Mais j'avais décidé de ne plus me faire remarquer.

C'est bien fait pour toi. C'est ta punition.

Titubante, j'ai laissé les garçons m'accompagner à l'intérieur.

L'après-midi serait long.

*
* *

Je me suis traînée jusqu'à la porte d'entrée, remerciant tous les dieux que je connaissais. J'avais survécu. Mon lit n'était qu'à quelques secondes.

Je n'avais pas totalement analysé l'incident avec Madison. Rester éveillée en cours m'avait pris toute mon énergie. Mais devant chez moi, en cherchant mes clés, j'ai enfin réfléchi à ce qui s'était passé.

Pourquoi ma télépathie avait échoué ? Parce que j'étais sortie de la meute ? Parce que les garçons n'étaient pas en flambée ? Parce que Coop n'était pas là ?

Mon mal de crâne horrible prouvait que cette expérience était dangereuse.

Est-ce que j'avais appris ma leçon ? Probablement pas.

En fait, j'étais encore plus curieuse de l'étendue de mes pouvoirs.

Des images éclataient dans ma tête. L'obscurité sur le parcours de golf. Un fil fin et luisant. Et moi, au travers des yeux de Coop.

Qu'est-ce que j'avais espéré ? Me glisser dans le cerveau de mes ennemis ?

L'amertume me nouait l'estomac. Je m'étais trompée du tout au tout.

Mais j'avais bel et bien effleuré les pensées de Madison, même très brièvement. C'était donc possible.

Puis une force m'avait repoussée, assommée. Je n'avais pas compris la manière dont j'avais établi le contact, alors comment savoir pourquoi ça avait dégénéré ?

On remettra le problème à plus tard.

Pour l'instant, la priorité numéro un, c'était dormir.

Ce qui a rendu la présence de Whitney d'autant plus cruelle.

— Te voilà, ma chérie !

Elle en dansait presque dans ses ballerines lavande.

— Tu ne devineras jamais ce que j'ai apporté !

— Quoi ?

J'en aurais pleuré. C'était l'heure de dormir. J'ai fusillé Cooper du regard ; il somnolait dans son panier. *Merci de m'avoir prévenue, le chien.*

D'un geste théâtral, Whitney m'a montré une longue boîte blanche sur la table du salon.

— Enfin, ta robe est prête !

Comme si c'était d'une importance nationale.

— Enfin ! J'ai hâte de te voir dedans !

Ah, bah !

J'avais oublié cette fichue robe.

Whitney en avait blablaté pendant des semaines, nous rappelant au passage, à Kit et moi, à quel point elle était chère, à la mode et difficile à trouver. Sa super-copine du magasin avait refusé de la retoucher – la robe étant prêtée – mais Whitney avait insisté. Et pour l'insistance, cette femme est championne internationale.

Donc voilà.

Et je m'en fichais éperdument.

J'ai opté pour la manipulation plutôt que le conflit :

— Je l'essayerai plus tard. Je suis épuisée après le lycée, et ça ne rendrait pas justice à cette robe. Après dîner, ce sera mieux pour la montrer.

Whitney souriait à s'en décrocher la mâchoire.

— Quelle idée merveilleuse !

*
* *

Des coups. Fort.

— Tory ! a hurlé Kit derrière la porte. Il est 7 heures passées. C'est l'heure de manger.

— Gné quoi ?

J'avais l'esprit englué dans des rêves sombres de mâchoires voraces et d'yeux inquisiteurs.

— Le dîner. Whitney m'a dit que vous aviez prévu une surprise, toutes les deux ?

Le cauchemar rémanent était remplacé par le cauchemar éveillé.

Je n'avais aucune envie de parader pour la copine de mon père.

— J'arrive.

Un détour par la salle de bains, et je suis descendue lourdement au salon. Whitney et Kit étaient déjà à table.

— Voilà notre princesse !

Whitney en rebondissait presque sur sa chaise.

— Tu es excitée ? Tu crois que tu pourras dormir, cette nuit ? Moi, je n'ai pas pu fermer l'œil pendant quarante-huit heures avant mon premier bal !

— J'espère que oui.

Diplomatique. Peut-être que je ne dormirais pas tout à l'heure, mais ce ne serait pas à cause d'un bal débile.

— Où est Coop ?

— Il est occupé avec un faux os dans la chambre d'amis, a dit Whitney. Il y sera bien jusqu'à la fin de notre défilé.

Kit a braqué sa fourchette sur moi :

— Hudson est passé à mon bureau ce matin.

— Ah ?

— Une histoire à propos de Ben et toi. Vous étiez entrés en douce dans le bâtiment 6 ?

Whitney a pris une mine extrêmement désapprobatrice.

— Il ne s'est rien passé d'anormal…

J'ai jeté un regard à Whitney, qui a baissé les yeux.

— … donc même pas la peine de poser la question. On se servait d'un terminal d'ordinateur quand Iglehart est entré en coup de vent et a commencé à nous faire des histoires.

— C'est ce que j'ai entendu.

Est-ce que Kit réprimait un sourire ? Non, bien sûr que non.

— Pourquoi tu n'es pas allée signer au service sécurité, comme tu es censée le faire ? Et pourquoi tu ne m'as pas demandé l'accès au réseau ? Et, pendant qu'on y est, pourquoi aurais-tu besoin d'un ordinateur du LIRI, d'ailleurs ?

— C'est toujours ce projet.

J'étais un peu inquiète de la facilité avec laquelle je mentais.

— On avait besoin de consulter quelques journaux en ligne, et tu sais que le LIRI a un accès gratuit à des millions d'entre eux. Si tu ne me crois pas, tu peux vérifier l'historique des connexions.

Oh, non. Oh, non, surtout pas.

— C'est bon, c'est bon. Mais il faut que tu signes à la sécurité, ne serait-ce que pour m'épargner une nouvelle réunion avec Hudson.

— Entendu. Désolée.

J'étais soulagée que Kit ne se montre pas plus curieux, ou ne demande pas *comment* on avait accédé au système.

— C'est surtout à cause de Hudson qu'on ne va pas signer.

— Une demoiselle ne doit pas se retrouver seule en compagnie d'un garçon, a déclaré Whitney la main sur le cœur. Aussi innocente soit-elle… ce genre de comportement peut entraîner des rumeurs déplacées.

Ayant esquivé un sujet délicat, j'ai choisi de ne pas riposter.

Je me sentais coupable d'avoir menti. Après tout, le LIRI était le domaine de Kit. Peut-être même qu'il saurait qui avait enregistré le pistolet piège. Mais je ne voyais pas comment aborder la question sans révéler notre lutte contre le Meneur.

Les enjeux étaient trop importants. Il y avait peut-être des gens douteux au LIRI. Peut-être même que le Meneur de Jeu y travaillait. Il valait mieux être prudente, en attendant d'en savoir plus.

Et pour être honnête, Kit n'est pas très doué pour les secrets. Il est plutôt confiant, ce qui est loin d'être mon cas. Pour tout dire : je pense que mon instinct est supérieur au sien.

— Et voici le plat principal, a annoncé Whitney en servant de grosses portions de lasagne à Kit et à elle-même – la mienne étant nettement plus petite.

— Il faut que tu rentres dans ta robe…

Et elle m'a fait un clin d'œil !

J'ai pensé à m'enfuir, partir avec un cirque itinérant. J'avais un compte épargne, et tante Tempe m'avait mis un peu d'argent de côté. Je pourrais sans doute arriver jusqu'à Singapour avant que quelqu'un ne s'en aperçoive. J'étais très débrouillarde.

Mais alors, le Meneur de Jeu gagnerait, et le prix de cet échec serait inconcevable. Ma propre famille était menacée.

Je n'avais d'autre choix que de continuer. En espérant que mon instinct ne me trompe pas.

J'espérais pouvoir localiser la menace à temps.

J'espérais ne pas m'humilier d'ici là – ou assassiner Whitney.

J'ai écarté mon assiette en réprimant un soupir.

— C'est bon. Allez, on essaye ce truc.

Whitney a poussé un couinement horrible ; j'ai grincé des dents comme si je m'étais écorché le genou.

41.

Les vingt-quatre heures suivantes ont filé à la vitesse de l'éclair.

Dormir. Debout. Lycée. Maison. Douche. Dîner. Déodorant. Robe. Encore du déodorant. Éviter l'attaque coiffure-maquillage de Whitney. Puis on est partis : six corps entassés dans un petit 4×4.

Toute la journée, je n'avais pensé qu'au Jeu. J'avais rejoint les garçons au déjeuner, puis encore après les cours. On n'avait rien trouvé de nouveau. Visiblement, ils doutaient encore de ma théorie du château.

Une chose était sûre, tout de même : ce soir, c'était le bon. Il nous fallait battre le Meneur de Jeu ou en subir les conséquences. Cette idée me mettait les nerfs en pelote.

Kit et Whitney étaient à l'avant. J'étais coincée entre Ben et Hi sur la banquette arrière. Shelton, le plus petit, était relégué sur le siège du fond. Ça ne semblait pas le déranger.

Les garçons avaient l'air élégants. Pas à l'aise, mais élégants.

Ben et Shelton avaient le look James Bond classique – smoking noir cintré, nœud papillon noir, et ceinture. Ben était particulièrement beau comme ça, malgré sa gêne visible. L'habit de soirée allait bien à sa peau cuivrée, ses cheveux noirs et ses yeux sombres. Il se tapotait nerveusement la cuisse.

Hi, naturellement, se l'était jouée stylé, avec un habit violet à queue de pie et en velours, accentué par des tonnes de soie blanche : cravate, veston, gants et bretelles. Il avait complété sa tenue par un chapeau haut de forme hallucinant et une canne. Whitney s'était presque évanouie en le voyant.

Le trajet jusqu'à la Citadelle a pris trente minutes. Kit est entré par Hagood Gate et s'est engagé dans l'Avenue of Remembrance. Une rangée d'imposantes stalles en pierre est apparue sur notre droite, formant un côté du rectangle qui entourait le vaste terrain de rassemblement, au centre du campus.

— Où est-ce qu'on retrouve Jason ? a demandé Kit.

— Devant Mark Clark Hall, ai-je répondu. Près du parking visiteurs.

Hi regardait les sévères casernements à deux étages de l'autre côté du champ.

— Hé, ça pourrait être le top pour moi, ici. J'aime bien les uniformes. Et la marche au pas.

— Mon pauvre, tu te ferais manger tout cru dans cette école, a gloussé Shelton. L'essentiel pour eux, c'est une discipline d'acier. Le petit doigt sur la couture du pantalon. Tu ne tiendrais pas cinq minutes.

— Ridicule, a fait Hi dans un froissement de velours. L'honneur. Le devoir. Le respect. Les valeurs traditionnelles des Stolowitski. Je pourrais y imprimer ma marque.

Whitney s'est tournée vers lui.

— Mon cher garçon, la Citadelle est la meilleure école militaire du Sud. Le corps des Cadets n'a rien d'une plaisanterie. Ceux qui s'y engagent suivent un programme rigoureux combinant les études, le sport et la discipline militaire. C'est un fabuleux honneur de pouvoir tenir le bal des débutantes dans un tel endroit.

— Donc : lecture, pompes, et wargames, a répété Hi en comptant sur ses doigts. J'ai bon, bon et bon. En plus, je suis sexy en gris.

Kit a poussé un ricanement. Whitney a fait une moue agacée.

Kit s'est garé en face de Summerall Chapel et a coupé le moteur. On est sortis comme des clowns de leur voiture.

— C'est vrai que c'est une bonne école.

Les premiers mots de Ben de toute la soirée.

— La Citadelle fait partie de Charleston depuis 1842. Quand on s'y inscrit, c'est comme si on s'engageait dans l'armée. Il y a des entraînements tous les matins et les après-midi, des exercices, des cours sur le commandement et les armes, et des cours d'université normaux, aussi. Même les repas sont préparés comme dans l'armée.

— Tu t'intéresses à la Citadelle ? ai-je demandé.

Le discours de Ben m'avait surprise. Il en disait rarement autant d'un coup. En plus, je ne l'avais jamais entendu montrer de l'intérêt pour l'armée avant. Je me suis rendu compte que je ne savais pas ce que Ben voulait faire après le lycée.

— Je dis juste que c'est une bonne école.

— Elle est parfaite, a repris Hi. Crânes rasés. Drapeaux. Parades. Sanctions. Tout ce qu'il faut à un jeune homme pour exprimer son individualité.

Ben l'a foudroyé du regard, mais il a tenu sa langue – puis il a reçu un soutien inattendu.

— Benjamin a tout à fait raison, a dit Whitney. Bien des gens importants de la Caroline du Sud se sont inscrits ici. Tu pourrais faire largement pire.

Une silhouette est sortie de l'ombre.

— Tout le monde est prêt à présenter Victoria ?

— Ouais ! Amenez la première débutante ! Je parie cinquante dollars ! a glapi Hi.

Ben lui a décoché une calotte.

Jason portait un smoking identique à celui de Kit : veston noir et longue cravate noire. Avec ses traits nordiques et ses cheveux d'un blond presque blanc, il semblait l'opposé de Ben, mais il était tout aussi élégant. Je m'habituais bien à ces tenues de soirée.

Jason m'a saluée en désignant le bâtiment illuminé derrière lui :

— Ton bal t'attend !

L'allée bordée de lanternes conduisait à un grand hall de deux étages imitant un château. À l'intérieur, juste en face de l'entrée, un escalier monumental menait à une double porte décorée au premier étage. Celle-ci s'ouvrait sur une salle de bal au sol de marbre.

— Pas mal la baraque, a chuchoté Shelton.

L'endroit était somptueusement décoré. Des bannières de soie drapaient les murs, et des arrangements floraux imposants ornaient chaque table. La lueur dorée des bougies vacillait dans des lampes tempête. Un colossal lustre en cristal surmontait l'ensemble, habilement éclairé de l'intérieur pour projeter des prismes de lumière dans la pièce. Dire que c'était d'un luxe inouï, c'était comme dire que Michael Jackson avait vendu deux-trois albums.

Des rangées de sièges occupaient la moitié de la salle, coupées par un podium de défilé assez large pour accueillir trois personnes de front. Derrière les sièges, une piste de danse parquetée courait jusqu'à une scène surélevée installée contre le mur. Un orchestre de dix musiciens y jouait *Take Me to the River*. La piste était déjà à moitié pleine.

Dressés dans le fond, des buffets proposaient un assortiment de mets. Des tranches de fruits. Des croquants au fromage de chèvre. Des cocktails de crevettes. Des brochettes de poulet à la thaïlandaise. Des groupes d'invités les entouraient.

J'avais participé à une dizaine de bals de ce genre. Mais celui-là les laissait tous loin derrière. De la salle de bal se dégageait une atmosphère de magnificence royale. Et de gaspillage. Les jeunes avec qui j'avais grandi dans le Massachusetts auraient été sidérés.

J'ai rentré le ventre et rajusté ma robe.

Whitney s'était vraiment dépassée sur ce coup-là.

Je portais une robe en soie sans bretelles de Tadashi Shoji, dont je n'avais jamais entendu le nom avant hier soir. Pour être honnête, je pouvais citer deux couturiers maximum dans mes bons jours.

Cet ensemble long avait des volants de mousseline blanche et un décolleté en cœur. En guise d'accessoires, Whitney avait rajouté des perles, des boucles d'oreille à brillant, des gants de soirée en satin, et des sandales argentées.

J'avais les cheveux relevés, le visage encadré par quelques mèches aux boucles lâches.

Je dois l'avouer : j'étais carrément pas mal.

La robe de Whitney semblait choisie intentionnellement à l'inverse de la mienne : cramoisie, décolletée, et pas du tout au ras du sol. Whitney a attiré beaucoup de regards, appréciant cette attention tout en faisant semblant de ne pas la remarquer.

Sur le seuil, j'ai repéré des dizaines de lycéens de Bolton et d'autres visages familiers. Plusieurs hommes plus âgés portaient un uniforme militaire de cérémonie ; c'étaient sans doute des diplômés de la Citadelle. Les femmes arboraient toutes sortes de matières, du satin au velours, dans toutes les couleurs de l'arc-en-ciel.

Pas les débutantes.

Partout où elles se regroupaient, c'était un éclair aveuglant de blancheur.

Je suis restée un instant à observer les riches de Charleston se côtoyer, de minuscules assiettes à la main, baignant dans la complaisance de l'argent dépensé.

À côté de moi, Ben faisait la tête, et Shelton tripotait son nœud papillon.

Comme moi, ils sentaient qu'on n'était pas du tout à notre place. Des intrus en territoire étranger.

Seul Hi semblait à l'aise, faisant tourner sa canne comme le Chapelier fou d'*Alice au pays des merveilles*.

Coup d'œil à la montre : 7 h 15. Il restait moins de deux heures de Jeu.

Mon espoir que la solution nous tombe dessus s'amenuisait. J'avais les paumes moites dans mes gants de satin.

— Viens, mon chéri.

Whitney a entraîné Kit vers une porte latérale.

— Il ne faut pas gêner la débutante pour son grand soir. Allons nous reposer dans le salon des parents.

Avec un clin d'œil agaçant, elle s'est éloignée – accompagnée de Kit – d'un pas léger.

J'ai pris une profonde inspiration. Concentre-toi.

Il y avait une bombe dans le bâtiment. Ce bal en était la cible.

Rien d'autre n'avait d'importance.

Je me suis retournée vers les Viraux, mais je me suis arrêtée net.

Jason se tenait à mes côtés. Pire, Ben et lui se toisaient.

— Arrêtez ça.

Je me suis interposée.

— Pas ici. Pas ce soir. Vous allez vous entendre, tous les deux.

J'ai lancé à Ben mon regard « tu vas te calmer ».

— Il est de la plus haute importance que nous travaillions ensemble. En étant concentrés sur notre objectif.

Ben a rougi, puis acquiescé. À l'étonnement général, il a tendu la main à Jason. Après un instant d'hésitation, Jason l'a serrée. Shelton et Hi ont poussé un soupir de soulagement.

— Absolument, a dit Jason qui n'avait pas compris le double sens de mes paroles. Aucun de nous deux ne gâcherait ton bal. Tu n'as aucun souci à te faire.

— Bien. Allons faire un tour avant de nous installer.

Les débutantes s'étaient regroupées pour comparer leurs robes et échanger des potins. Tout le monde parlait de l'ouragan. Il était certes prévu que Katelyn passe à côté de Charleston, mais ce serait de justesse.

De nombreux camarades m'ont saluée au passage. J'ai même reçu quelques compliments sur ma robe. Je commençais à me la jouer un peu, quand je me suis souvenue que Jason était avec moi. Comme il avait un succès fou, il était sans doute la raison de cet accueil chaleureux.

Shelton marchait nerveusement à mes côtés, flanqué de Hi qui se pavanait, saluant du haut de forme tous ceux qui le regardaient. Certains levaient les yeux au ciel, d'autres riaient et lui rendaient son salut. Hi souriait à tous.

On était à mi-chemin dans la salle quand j'ai repéré deux membres du Trio. Ashley et Courtney trônaient à une table dans un coin, éblouissantes, entourées d'une foule d'accompagnateurs. M'ayant vue, Ashley a chuchoté quelques mots à son groupe, qui a explosé de rire.

J'ai senti le rouge monter à mes oreilles, à mes joues.

Oui, ces idiotes pouvaient encore me faire mal.

Ben les dévisageait, mais je l'ai pris par le bras.

— Aucune importance. Nous avons des soucis plus urgents.

— Fais comme si elles n'existaient pas, a conseillé Jason. Installons-nous là, tiens. Il est temps de s'en mettre plein la panse.

En me frayant un chemin dans un embouteillage de Vera Wang et de Dior, je me suis retrouvée côte à côte avec Madison, tellement bronzée qu'elle ressemblait à un négatif photo dans sa robe d'un blanc neigeux. Son collier de diamant scintillant valait plus que mes économies pour payer la fac. Dix fois plus.

Pas encore.

J'avais déjà fait peur à Madison, sans doute, mais cette fois, elle était clairement pétrifiée.

Les yeux exorbités, elle a fait machine arrière, s'est cognée dans Chance, l'a contourné et a détalé vers la sortie.

Sa fuite n'est pas passée inaperçue.

La salle s'est mise à chuchoter. Sur la « boat people ». L'intello qui avait sauté une classe et qui avait fait une crise au yacht club. La fille qui exerçait un pouvoir bizarre sur Madison.

Des lycéens nous observaient. Certains amusés, d'autres étonnés, d'autres énervés.

— On avance ? m'a glissé Shelton.

— Souris et salue, comme si c'était toi la reine du bal, a répondu Hi en appliquant son propre conseil avant d'aller retrouver Jason à la table.

Je m'apprêtais à les rejoindre quand Chance m'a bloqué la route.

— Tu as un moment ?

Je lui ai fait signe de me suivre dans le coin des pâtés de crabe. Ben nous a contemplés un instant puis il est allé retrouver les autres.

— Tu soignes toujours tes entrées.

Chance avait troqué le smoking contre un élégant costume noir. Beau et ténébreux, il ressemblait à une star de cinéma.

— Je n'y suis pour rien si Madison perd ses moyens chaque fois qu'elle me voit.

J'essayais d'avoir l'air détendu.

— Exact. Elle croit que tu es une sorcière.

— Hein ?

— Je sais, je sais. Mais elle est convaincue que tu as essayé de prendre possession d'elle au lycée, l'autre jour. Et pendant le déjeuner, aussi… ce qui est d'autant plus étrange que nous étions seuls à ce moment-là. Madison m'a dit que tu as tenté de lui voler son âme.

J'en suis restée pétrifiée.

Madison m'a sentie. J'ai réellement établi le contact.

Chance m'observait du coin de l'œil. Il guettait ma réaction ?

Attention.

— C'est du pur délire, ai-je fait avec un rire forcé.

— Comme je suis son cavalier, j'aurais sans doute dû garder ça pour moi.

— En tout cas, ce n'est pas moi qui irai répandre cette rumeur.

— Bonne idée.

Chance a changé de sujet.

— Tu viens à ma soirée après le bal ? Ce sera fabuleux. Que des gens top.

— Hmm… je ne crois pas.

Jamais de la vie.

— Dommage ! Tu nous manqueras.

Soudain, cette conversation m'a paru irréelle.

Un psychopathe me manipulait. J'étais censée chercher une saleté de bombe. On pourrait tous être morts d'ici quelques minutes si on ne terminait pas le Jeu, mes amis et moi.

Et moi j'étais là, à bavarder avec Chance Claybourne.

Pourquoi ? Est-ce que Chance avait ses raisons de me mettre à l'aise ? Des raisons qui ne me plairaient pas ?

Rappelle-toi. Il a des soupçons.

Chance a étouffé un bâillement.

— Ces soirées sont d'un ennui… Tu as de la chance de défiler la première. Tu n'auras pas besoin de t'embêter à faire la queue.

— Hein ? (Légère crise de panique.) Pourquoi ? Parce que je suis la plus jeune ?

— Non, mademoiselle Brennan. Ici, c'est l'alphabet le responsable. Et pour une raison ou pour une autre, Ashley a instamment demandé à ne pas passer la première.

Génial. Je n'avais jamais fait ce truc absurde de ma vie, et pourtant il fallait que j'ouvre le bal. La chance était toujours avec moi, il fallait le reconnaître. Bien sûr, je me suis tout de suite demandé pourquoi Ashley avait changé de place.

J'allais mitrailler Chance d'un million de questions – j'aurais dû faire plus attention lors des autres soirées – quand j'ai soudain remarqué quelque chose.

Mon cœur a cessé de battre.

L'entrée principale de la salle de bal était décorée de bannières blanches et jaunes. Ces rubans de soie étaient tordus et attachés pour former un tableau d'un mètre carré surplombant l'extrémité du podium. Je ne l'aurais jamais remarqué si je ne m'étais pas retournée.

C'était un soleil.

Le même que la broderie sur le tissu qui entourait la statuette de saint Benoît.

Le même que dans la crypte de l'abbaye.

— Ohé, Miss Brennan…

Chance agitait une main sous mes yeux.

— Ça va ?

Non.

— Oui. C'est juste que… je suis surprise de passer la première.

— Je suis sûr que tu seras éblouissante. À tout de suite.

Là-dessus, Chance est allé retrouver Madison, me laissant seule.

Je contemplais le soleil.

Le symbole du Meneur. Ici. Ce soir. À cette heure.

Une coïncidence ? Impossible.

On était bien au bon endroit.

Donc, tout le monde courait un terrible danger.

Je devais d'urgence retrouver les Viraux. Il fallait qu'on agisse vite. Le compte à rebours mortel continuait.

Et à zéro, on est tous morts.

42.

Tout était calme à l'extérieur du « château ».

L'air était épais. Tiède. Comme si la nuit retenait son souffle. La pleine lune brillait haut dans le ciel, illuminant la pelouse et projetant ses ombres sur les vieux bâtiments imposants.

Des bruits légers flottaient à l'extérieur du grand hall, dérangeant les corbeaux nichés dans un chêne proche. Musique, rires, tintement de couverts.

La porte s'ouvrit brutalement puis se referma dans un bruit sourd.

Une silhouette masquée apparut, le corps enveloppé d'une longue robe brune.

La silhouette s'arrêta, inspira profondément la brise du soir.

L'échiquier était prêt.

Chaque pièce à sa place.

Tout se déroulait selon le plan.

Le Jeu approchait de sa phase ultime. Les joueurs gagneraient-ils ?

Le visage se fendit d'un sourire sinistre à la lueur de la lune. *Non.*

Sous les manches au tissu grossier, l'homme se frotta les mains en anticipant ce moment. Saisi d'un plaisir enfantin, il exécuta un pas de danse.

Les corbeaux, inquiets, sautillèrent en agitant les ailes.

Un ricanement étrange et suraigu s'échappa sous la pénombre du capuchon. Une trille désaccordée, qui persista un long moment avant de se fondre dans un silence bienvenu.

Un vol de corbeaux s'éparpilla dans la nuit.

La danse s'arrêta brusquement. La silhouette s'inclina comme si elle priait, ou méditait. Les secondes passèrent.

La silhouette hocha la tête sous son capuchon. Puis elle dévala les marches. Elle fit un tour sur elle-même, et agita un doigt dans la direction du bâtiment animé.

« C'est presque fini ! »

La silhouette se hâta de contourner le bâtiment, se fondit dans l'ombre, et disparut.

43.

Il fallait que je voie les Viraux en tête à tête. Tout de suite.

Mais Jason s'était mis à l'aise, engloutissant les hors-d'œuvre comme s'il mourait de faim.

Pas le temps d'élaborer un plan. En plus, j'étais un peu sur les nerfs. J'allais faire simple.

— Peux-tu nous accorder une seconde, Jason ? ai-je demandé en grimaçant un sourire. J'ai besoin d'un petit moment Morris Island.

— Bien sûr.

Jason m'a regardée bizarrement, mais n'a pas insisté.

— De toute façon, je dois saluer des gens. Je reviens tout à l'heure.

— Merci beaucoup.

Dès que Jason s'est retrouvé hors de portée, j'ai chuchoté :

— La bombe est bien là !

— Sérieux ? a demandé Hi en étreignant sa canne. Tu en es sûre ?

J'ai montré le soleil au-dessus de l'entrée.

— Oh, mon Dieu !

— C'est le même.

— Je n'y crois pas… a soufflé Ben.

— Tu peux le croire. La bombe est quelque part dans ce bâtiment !

— Et comment la trouver ? On n'a pas d'indice, ni même d'idée !

— Hi, les notes.

Hi a sorti des pages froissées de sa veste.

— On les lit jusqu'à ce que mort s'ensuive, mais ça ne nous mènera nulle part.

Hi a relu ma liste à haute voix. Les endroits visités. Les données recueillies. Les énigmes résolues.

Selon le message final du Meneur, les réponses se trouvaient quelque part dans cette jungle d'informations.

Mais cela ne voulait toujours rien dire.

— J'ai un nouveau plan, a déclaré Ben en posant sa veste sur une chaise. On fouille le bâtiment de haut en bas. Chacun une zone.

— Oui. Bien !

N'importe quoi, plutôt que de ne rien faire.

J'allais parler quand Kit et Whitney nous ont rejoints.

— Tory, ma chérie ! a susurré Whitney. Tu dois aller retrouver ces dames du comité de bal. Ton père les a déjà charmées.

Kit a rougi :

— J'en doute. En général, les gens sont déçus par rapport à ma réputation. Je ne suis pas vraiment l'Indiana Jones qu'ils imaginaient.

— Allons, allons, tu es trop modeste !

— J'aimerais bien les voir, ai-je commencé, mais les garçons et moi…

— Ces dames ont usé de leur influence en ta faveur, Tory, a répliqué Whitney d'une voix un peu moins mielleuse. Nous devons leur exprimer notre gratitude.

J'allais refuser – c'était le cadet de mes soucis – quand Hi est intervenu brusquement :

— Tu y vas, Tory. On peut tout à fait explorer le buffet sans toi.

Puis il m'a chuchoté :

— On contrôle la situation. Vas-y, et échappe-toi dès que tu peux.

J'ai suivi Kit et Whitney à contrecœur vers le salon des adultes, pour une tournée de poignées de main et de banalités. Je perdais un temps précieux. Trop distraite pour me concentrer, je répondais aux questions comme un perroquet.

Mon anxiété grandissait à chaque minute.

C'était dingue. Tout le monde ici courait un danger mortel, et pourtant j'étais la seule à le savoir.

Est-ce que c'était normal ? Et si je criais « alerte » ? Si je sonnais l'alarme ? Si je déclenchais une fouille en règle du bâtiment ?

Si vous enfreignez une règle… des innocents mourront.

L'avertissement du Meneur de Jeu. Je savais qu'il ne bluffait pas.

Il avait déjà tué une fois. Je n'avais aucun doute qu'il était prêt à récidiver. Et il semblait avoir l'œil partout.

Le Meneur de Jeu pourrait se trouver dans cette pièce, à l'instant même.

Il fallait qu'on le batte au Jeu tout en respectant les règles. Mais comment ?

C'est rapidement devenu intenable. Il fallait que j'aide les autres Viraux.

Dès que Kit et Whitney m'ont tourné le dos, j'ai foncé dans la salle de bal. Ne voyant pas les garçons, je me suis dirigée vers la grande porte.

Je me suis arrêtée sur le palier, indécise.

J'ai senti un regard peser sur moi. Je me suis retournée. Chance était à quelques pas de moi.

— Tu as envie de t'enfuir ? a-t-il murmuré.

— Hein ? Non.

Pourquoi Chance me suivait-il ?

— Je comprendrais, tu sais. La soirée pourrait être chaude.

Son demi-sourire me mettait un peu mal à l'aise.

J'ai jeté un œil dans la salle de bal. Shelton était revenu à notre table. Il a croisé mon regard, m'a fait un signe vers la droite et a disparu par une porte.

— Il faut que j'y aille.

Je suis revenue dans la salle, m'attirant de nouveaux ricanements à la table du Trio. J'ai suivi Shelton sans leur prêter attention.

Pourvu que ce soit de bonnes nouvelles.

Shelton a aussitôt anéanti mes espoirs.

— Rien. Hi a regardé les pièces ici, et moi à l'étage du dessus. Pas difficile, aucune des portes n'a de serrure.

— Où est Ben ?

— Ici.

Ben nous rejoignait en hâte.

— J'ai inspecté le hall et le rez-de-chaussée. Rien d'extraordinaire. Aucun indice visible.

— La bombe pourrait se trouver dans un tuyau. Ou être cachée sous une tuile du toit.

— Peut-être... a dit Hi, peu convaincu.

— Quoi ?

— C'est juste que...

Hi a ôté son haut de forme, révélant une jungle de cheveux ébouriffés.

— Les cachettes précédentes se trouvaient toutes dans des endroits visibles. Avec des indices directs. Pourquoi la dernière serait différente ? Ça ne me semble pas être le style du Meneur de cacher quelque chose à un endroit où on n'a aucune chance de le retrouver.

Hi avait raison. Le Meneur de Jeu l'avait dit. On détenait déjà la clé pour retrouver le Danger. J'ai réfléchi à toute allure. Qu'est-ce qu'on avait oublié ?

J'étais tellement concentrée que je n'ai pas entendu Jason arriver.

— Hé les gars !

Il a tranquillement posé le bras sur mon épaule.

— Prêts à vous mêler à la meilleure société de Charleston ?

Ben a repoussé Jason avant que je puisse réagir.

— Va te faire voir ! Il se passe des trucs plus importants que ce bal débile !

Jason est allé se planter devant Ben.

— On avait un accord, Blue. Ne m'oblige pas à te ridiculiser devant tes amis.

— Arrêtez, tous les deux ! Ce n'est vraiment pas le moment de vous comporter comme des crétins !

La situation n'aurait pas pu être pire. Mais si.

Whitney nous est tombée dessus comme un drone Predator, son visage peint pincé par la colère.

— Ah, vous voilà ! La prochaine fois que vous comptez filer à l'anglaise, prévenez-moi. On est censés être en position !

Je ne comprenais pas.

— C'est l'heure, petite, m'a expliqué Kit en rajustant son nœud papillon. Allons faire tourner les têtes.

— Maintenant ?

J'étais à des années-lumière d'être prête.

— Bien sûr, maintenant ! a repris Whitney en tapotant sa montre couronnée de brillants. C'est l'heure !

— Mais... je...

Un larsen a résonné derrière la porte. Une voix de femme a souhaité la bienvenue à toutes les personnes présentes, pour « la soirée d'une vie ».

C'était vraiment ça.

J'étais paralysée comme un cerf qui sent les coyotes.

— On n'est pas en position ! a sifflé Whitney horrifiée en jetant un œil par la porte. Tout le monde est assis.

— Ce couloir donne sur le palier, a dit Kit. On n'est pas obligés de traverser la salle.

— Alors dépêchez-vous !

Whitney m'a poussée à deux mains dans le couloir, puis sur le grand palier.

Les autres débutantes étaient déjà alignées comme une procession de cygnes, flanquées de leurs pères et de leurs cavaliers. Une masse froufroutante et agitée qui s'écoulait sur l'escalier monumental.

Un épais rideau avait été tiré sur la porte, empêchant de voir la salle de bal. J'ai repéré Ashley au début de la file, Madison et Courtney plus loin. Aucune aide à attendre de ce côté-là.

Une femme paniquée m'a aperçue, et nous a indiqué en gesticulant frénétiquement de prendre la tête de la file. Le micro s'est tu et des applaudissements ont crépité à l'intérieur.

— Maintenant, rappelle-toi ce que tu dois faire, m'a dit Whitney en me toilettant comme un chat, traquant la moindre tache et me collant quelques cheveux rebelles avec de la salive. Tu remontes directement le podium, puis tu te retournes et tu fais la révérence. Ensuite, ton père viendra à ta rencontre, et il te fera défiler.

Comme un poney de concours. Tout à coup, un mot m'a percé le crâne.

— La révérence ? Pardon ?

Les sourcils de Whitney ont failli s'éjecter de sa figure.

— Enfin, on t'a forcément appris la révérence classique ? On ne te parle pas de Texas Dip, d'acrobaties à la texane, là !

— La révérence quoi, qui ?

Je commençais à paniquer.

Whitney s'est tournée vers Jason, le regard horrifié. Derrière moi, j'ai entendu Ashley ricaner.

— On ne l'a jamais travaillée, a dit Jason stupéfait. Ils ont cru qu'on la connaissait tous, et moi aussi je le pensais !

Whitney a fermé les yeux.

La foule s'est agitée dans la salle. Une autre femme a pris le micro.

Hi a passé la tête derrière le rideau :

— Hé les gars ! Dame Botox est là. Je pense que c'est à vous.

Shelton dansait d'un pied sur l'autre. Ben me regardait d'un air impuissant.

Je savais qu'il y avait une bombe dans le bâtiment. Je savais que ce bal ne représentait rien face au danger. Mais à cet instant précis, j'avais plus peur de me ridiculiser en public que de tous les pièges du Meneur.

Whitney a ouvert les yeux.

Elle m'a attrapée par les épaules.

— Regarde bien !

Elle a reculé un peu, inspiré profondément et fait un grand sourire de défilé.

— Comme cela.

Baissant pudiquement la tête, elle a plié les genoux et fait passer un pied derrière l'autre, tenant un éventail imaginaire à la main. Elle a incliné gracieusement la nuque, attendu une seconde puis s'est relevée, sans cesser de sourire tout du long.

Dans une robe aussi serrée, c'était un exploit. Les cavaliers ont souri.

— Compris ? a sifflé Whitney en se tordant les mains.

— Tu peux me montrer encore ?

De nouveaux applaudissements dans la salle, suivis de raclements de sièges.

— Pas le temps.

Whitney s'est tournée vers Ben et Jason.

— Lequel des deux t'escorte pour la sortie ?

— Lequel quoi ?

Ça finissait par faire trop.

Whitney s'est fait violence pour ne pas hurler.

— L'un des deux doit te prendre à Kit, et te faire dégager de la piste. Lequel ?

— Je ne… je n'ai pas…

Mon cœur battait à tout rompre. J'ai titubé. Des taches dansaient dans mon champ de vision.

Ben est venu à mon secours.

— Jason l'escortera.

Incapable de parler, j'ai remercié Ben d'un regard.

— Tu seras super, m'a chuchoté Ben en me tapotant la main. Tu n'as qu'à les imaginer tous en sous-vêtements.

J'ai poussé un ricanement fort peu convenable pour une demoiselle.

Ben s'est tourné vers Jason :

— Tu connais la marche à suivre. Au travail.

Jason s'est mis en position à mes côtés.

J'ai jeté un regard à la parade du lac des cygnes derrière moi. Ashley m'a fait son sourire de requin : c'était bien pour ça qu'elle m'avait cédé son tour. Elle espérait que je m'humilierais.

Curieusement, cela m'a aidée à retrouver mon calme.

— Je marche, je fais demi-tour, la révérence, j'attends Kit.

Le rideau s'ouvrait.

— Ensuite, on fait un aller-retour, puis Jason arrive et je sors avec lui. C'est ça ?

— Oui !

Whitney m'a serrée à m'étouffer.

— Tu vas être magnifique !

Une troisième voix de femme a retenti dans les haut-parleurs.

— On y va.

J'ai tendu la main à Whitney, l'ai serrée une seconde.

Puis, le corps en feu, je suis montée sur le podium.

44.

— Mesdames et messieurs, j'ai le plaisir de vous présenter Miss Victoria Grace Brennan.

Applaudissements.

Ashley s'est penchée vers moi pour me chuchoter à l'oreille :

— Stresse pas, la boat people.

J'ai failli en rire.

— Pousse-toi.

Sans réfléchir une seconde, j'ai commencé à marcher aussi élégamment que je pouvais, heureuse que ma robe longue masque mes jambes flageolantes.

Le dos droit. Le sourire figé. Les bras légèrement incurvés et écartés pour accentuer l'effet. Je comptais les pas dans ma tête, bien décidée à garder une allure constante. Puis, j'ai repéré un petit X collé au centre de la piste.

La révérence.

Je me suis repassé la démonstration de Whitney. Ça semblait assez simple. Pourquoi ne pas faire un petit essai… devant le Tout-Charleston ?

Écartant ces craintes, je me suis dirigée vers la marque.

Arrêt.

Demi-tour.

Tu vas y arriver.

J'ai fait la révérence aussi gracieusement que j'ai pu. Le temps s'est ralenti. J'ai incliné doucement la tête, jusqu'à regarder le parquet. Le sang battant aux tempes, j'ai attendu deux battements de cœur, imitant Whitney.

Des flashs. Quelqu'un a toussé.

Silence. Je l'avais bien fait ? Ou est-ce que tout le monde était gêné et réprimait un rire ?

En équilibre précaire, les yeux collés au sol, je n'en avais aucune idée.

On s'en fiche ! Il y a une saleté de bombe dans le bâtiment, et je ne sais même pas où.

Soudain, en contemplant le parquet, j'ai eu la réponse.

Où est-ce que nous avaient toujours menés les indices du Meneur ?

En bas. Sous terre.

Des endroits sombres, profonds.

Les entrailles de Castle Pinckney. Un trou dans la terre. Une vieille crypte souterraine.

On n'avait pas cherché aux étages inférieurs. C'était là qu'était le Danger !

La bombe fait tic-tac. Juste sous mes pieds.

Je me suis redressée, ne gardant mon calme que par un considérable effort de volonté. Tous les yeux étaient rivés sur moi, en train de m'évaluer, de me juger. De décider si j'avais ma place ici.

L'un d'eux était peut-être le Meneur.

Soudain, Kit avançait vers moi, le visage rayonnant de fierté.

Il m'a offert son bras et m'a fait faire l'aller-retour. Puis il s'est penché pour m'embrasser sur la joue. L'espace d'une seconde, j'ai oublié le danger, savourant ce rare moment d'intimité avec mon père.

Et Jason est arrivé, me prenant par la main. « Parfait », a-t-il murmuré. Souriant, il a fait demi-tour en saluant et m'a accompagnée pour mon dernier trajet sur la piste.

Des applaudissements ont éclaté. J'ai lu l'approbation sur de nombreux visages, tandis que mon beau cavalier blond m'escortait dans la foule. J'ai entendu des commentaires au passage.

— Splendide. Quel port royal !

— Une révérence impeccable. De quelle famille est-elle ?

— Ces deux-là forment un couple superbe.

— Elle vient de loin, celle-là. Quelle beauté !

Ils m'apprécient. Ces gens m'apprécient.

Je dois admettre que je savourais leurs louanges. C'était bon de se sentir intégré, d'être jugé et accepté. Dieu sait que j'avais ressenti le contraire bien assez souvent.

Une partie de moi-même se rebellait. Quelle importance, l'avis de ces snobs de la haute ? Pourtant, je buvais comme du petit-lait leurs commentaires approbateurs.

En approchant le fond de la salle, j'ai aperçu Whitney au dernier rang qui agitait les bras comme une folle, se tamponnant les yeux d'un mouchoir lavande.

Un rappel soudain de toute la bêtise de ce bal.

Jason et moi sommes sortis de la salle.

C'était fini. Tout cela avait pris moins de deux minutes.

— Vingt sur vingt ! a glapi Hi dès que les rideaux se sont refermés. Une princesse pour la nouvelle génération ! Kate Middleton à fond... Hé, peut-être même Pippa !

— Bien joué, Tory, a ajouté Shelton avec un rire étranglé. Je crois que j'étais plus nerveux que toi.

Les débutantes et leurs cavaliers faisaient la queue. Ashley se tenait près du rideau, attendant qu'on l'appelle.

Elle m'a jeté un regard noir – que je lui ai rendu.

Ashley s'est mise à rire, puis m'a gratifiée à contrecœur d'un geste approbateur.

Étonnée, je le lui ai rendu.

C'est vrai ce qu'on dit sur les persécuteurs...

J'ai vu Ben qui m'observait et me suis dégagée de Jason.

— Tu as fait fort, m'a dit Ben gêné. J'avais à moitié peur que tu tombes.

— Merci pour ta confiance !

La réalité m'a happée d'un seul coup.

J'ai indiqué aux Viraux un endroit où on pourrait parler librement.

— Il faut qu'on cherche au sous-sol ! Réfléchissez : les indices du Meneur menaient tous à des endroits souterrains. C'est ça le point commun qu'on n'a pas vu ! La cachette finale doit être au sous-sol, là aussi.

— Euh, Tory... a fait Shelton en lançant un regard appuyé sur ma gauche.

Jason. Mon cavalier non Viral, juste à côté de moi.

— Le Meneur de Jeu ? Fouiller le sous-sol ? a répété Jason, étonné. De quoi vous parlez ?

— Eh bien... euh... on joue une partie assez chaude de Donjons et Dragons, a bafouillé Hi. Je suis, genre le chef... le maître licorne, et Tory doit trouver mes haricots... euh... des graines magiques.

Ben a regardé sa montre.

— Huit heures cinquante. Il reste dix minutes.

— Pas le temps.

J'ai saisi Jason aux épaules :

— Voilà la vérité : on est en danger, là. Il y a une bombe dans le bâtiment qui doit exploser à 9 heures. Il faut qu'on la trouve !

— Une bombe ? Ici ? C'est sérieux ?

— Tout à fait sérieux, a confirmé Hi. Tellement sérieux que, si on ne la trouve pas, on est tous morts.

Ben et Shelton ont acquiescé d'un air sinistre.

— Oh, mon Dieu !

Jason a jeté un œil à la foule de jeunes qui encombraient l'escalier.

— Il faut le dire à tout le monde ! Les prévenir !

— Non. Si on en parle à qui que ce soit, le Meneur de Jeu déclenchera la bombe avant l'heure prévue. Il faut qu'on la trouve par nous-mêmes, maintenant, et qu'on termine le Jeu.

— Quel jeu ? a demandé Jason, l'air méfiant. Vous avez bu, les gars ? Parce que vous n'êtes pas très doués pour ça, croyez-moi, et je ne pense pas…

— Tory dit la vérité, a insisté Ben en martelant les syllabes. Bombe. Ici. Maintenant. Donc soit tu nous aides à la trouver, soit tu t'en vas.

— Je suis avec vous, a dit Jason d'une voix brisée. Ma petite sœur est dans la salle.

— Alors on y va !

J'ai dévalé l'escalier, longeant la foule de débutantes et de cavaliers qui attendaient leur moment de gloire. La plupart m'ont à peine prêté attention. Quelques-uns ont hoché la tête d'un air condescendant : c'est les réfugiés de l'île, ils sont bizarres, comme d'habitude.

J'ai virevolté dans le hall du rez-de-chaussée, cherchant un accès au sous-sol.

— Là !

Hi a foncé vers une porte métallique dissimulée dans un recoin sur notre droite.

— Escalier de secours. Vers le sous-sol.

On a dévalé vingt marches donnant sur une porte avec l'inscription « Électricité ».

Une image jaune était peinte à la main en dessous : un soleil levant.

— Gagné !

— Un soleil levant ? a demandé Jason en s'approchant pour mieux voir. Qu'est-ce que ça veut dire ?

— Ça veut dire que j'avais raison. C'est bien ça. Notre ennemi est passé par là. Quelle heure ?

— Huit heures cinquante-cinq, a annoncé Ben d'une voix tendue. Il faut se dépêcher.

Cette porte-là non plus n'avait pas de serrure. Ben est entré le premier, puis moi, puis les autres.

On a pénétré dans une longue pièce sombre remplie de machines bourdonnantes. L'air était renfermé, d'une chaleur étouffante, et rempli de siècles de poussière. De minuscules lumières palpitaient sur des panneaux de contrôle, renforçant la lueur jaunâtre des vieux néons du plafond.

Le lieu était oppressant.

Je savais qu'on était au bon endroit.

J'ai observé les environs immédiats, mais je n'ai rien vu d'inquiétant.

— Des idées ?

Jason scrutait la pénombre.

— Il y a un passage voûté tout au fond.

— Ça doit être par là.

Jason en tête, on s'est faufilés au milieu d'un labyrinthe de matériel. Je regardais partout à la fois – je savais bien à quel point le Meneur aimait les pièges. C'était la dernière cachette. Elle était forcément protégée.

Quelques secondes plus tard, on est arrivés dans le passage voûté, débouchant sur un court corridor qui donnait sur une autre porte sale. Sous le montant, des copeaux métalliques parsemaient le sol.

— Des débris de rouille qui se sont détachés. Cette porte a été ouverte récemment.

Jason allait tourner la poignée, mais Ben l'a saisi par l'avant-bras.

— Laisse-moi passer. Ce psychopathe aime les vilaines surprises.

Jason s'est écarté.

Ben a pris la poignée de laiton, qui a tourné sans résistance.

La porte s'est ouverte dans un grincement, révélant une pièce sombre. On est entrés sur la pointe des pieds, serrés les uns contre les autres.

J'ai entendu Hi passer la main sur le mur. Des ampoules se sont allumées au plafond.

— Waaah, a fait Shelton.

Cette pièce était plus petite que la première, occupée par deux imposants climatiseurs protégés par une cage grillagée. Un labyrinthe d'arrivées d'air et de tuyaux serpentait au-dessus de nous, avant de disparaître dans le plafond. Le seul accès était la porte par laquelle on était entrés.

Mais ce n'était rien de tout cela qui avait attiré l'attention de Shelton.

Au milieu de la pièce, un ballon rouge était pendu à un fil.

45.

— N'y touche pas ! avons-nous tous crié en chœur.

— OK, OK ! a dit Jason en levant les mains. Mais pourquoi il serait dangereux, ce ballon ?

— Dans ce jeu, tout est dangereux !

Le ballon était gonflé, mais il pendait du plafond. Tous mes instincts criaient gare.

— Personne ne bouge. Où on est, là ?

— C'est une clim, a indiqué Ben en montrant la jungle de tuyaux au plafond. On est dans une sorte de salle de ventilation.

Un premier doute s'est formé dans mon esprit.

— Le système de clim est allumé, ce soir ?

— Non, a dit Hi. Si ces machins fonctionnaient, on le saurait. Ils font autant de bruit qu'un réacteur.

— Et ça, c'est quoi ? a soudain demandé Hi.

Une boîte métallique se trouvait à gauche de la cage. Luisant de propreté, ce cube d'aspect récent tranchait sur le reste des machines crasseuses. Je l'ai regardé de plus près.

La boîte était faite de plaques métalliques vissées aux coins. Son extérieur était lisse et sans aucune marque, sauf le sommet, qui comportait deux cavités rectangulaires. La première contenait un écran tactile intégré couvert d'une pellicule de plexiglas transparent. La seconde était vide ; derrière le plastique épais, on pouvait voir les entrailles de l'engin.

Je me suis avancée en me mettant sur la pointe des pieds. Heureusement que Whitney m'avait choisi des sandales élégantes et pas des talons hauts assassins.

Le sang s'est figé dans mes veines.

Au-dessus de l'écran, on avait apposé un visage de clown ricanant sur le métal.

— Ça y est !! On a trouvé la bombe !

— Comment on l'arrête ? a demandé Jason.

Il s'est avancé avant que je puisse faire un geste. Au troisième pas, j'ai entendu un léger déclic.

— À terre ! j'ai hurlé.

Tout le monde a réagi instantanément sauf Jason.

Le ballon est tombé du fil.

Derrière moi, j'ai entendu le crissement du métal sur le métal.

BOUM !

Les lumières ont vacillé, puis se sont rallumées dans un bourdonnement électrique.

Le visage contre le sol crasseux, j'ai fermé les yeux, anticipant le pire.

Rien.

J'ai ouvert un œil, puis un autre.

Jason était figé, à moitié accroupi. Ben gisait à plat ventre. Hi avait pris la position de crash aérien, et Shelton était roulé en boule.

— Tout le monde va bien ?

J'ai vérifié que je n'étais pas blessée. Je n'avais rien, à part des traînées brunâtres sur ma robe en soie blanche.

— C'est bon, a dit Ben.

— Je crois, a bégayé Jason, sans bouger d'un pouce.

— J'en ai assez de ces conneries ! a gémi Shelton. Sinon, ça va.

— Heu… les gars ?

Hi s'était sorti de son mode tortue et regardait par là où on était entrés.

La lumière du couloir avait diminué.

Ben s'est précipité – puis a poussé un juron. Un raclement métallique a retenti.

Je me suis souvenue du coup qui avait ébranlé la pièce.

— Qu'est-ce que c'est ?

— Une espèce de… grille. Elle est tombée du plafond et elle bloque l'entrée.

— Non, non, non ! Lève-la ! s'est écrié Shelton.

J'ai rapidement évalué la situation. Dans le couloir, Ben secouait une grille en acier comme celles qui protègent les vitrines des boutiques. Elle était tombée directement entre la salle des machines et nous.

— Ça ne veut pas bouger.

Les biceps bandés, Ben s'efforçait de soulever la grille.

— Elle est sur glissière, donc elle devrait se soulever facilement, mais il y a un truc qui bloque.

Le visage écarlate, Ben a dû reconnaître :

— On est coincés.

— Toujours pris au piège ! Toujours ! a crié Shelton en tapant du pied. Et toujours sous terre ! Si jamais on s'en sort, je déménagerai en haut d'un gratte-ciel au sommet d'une montagne. Sur le toit, oui ! Et vous ne serez pas invités !

Du calme.

Je suis revenue dans la salle de clim. Jason, à genoux, récupérait un fil cassé.

— Oups. C'est de ma faute.

Le ballon était posé sur le sol carrelé. Je l'ai regardé d'un air inquiet. Est-ce qu'il y avait d'autres pièges ?

— Je parie qu'il nous observe en ce moment ! a chuchoté Shelton. Il pourrait y avoir une dizaine de caméras dissimulées dans les tuyaux du plafond.

Quelque chose me dérangeait, dans tout ce dispositif.

Si le bal des débutantes était la cible, pourquoi poser une bombe au sous-sol ?

Ce bâtiment était littéralement une forteresse, et on était à une bonne profondeur. La fête se déroulait deux étages au-dessus de nous.

Le Meneur de Jeu n'avait aucun scrupule. Il voulait sans doute faire un maximum de victimes. Ce qui ne serait pas le cas s'il enfouissait des explosifs au sous-sol.

— Pourquoi est-ce que le Meneur voulait qu'on descende ici, dans cette pièce ?

— Pour nous tuer ! s'est écrié Shelton, au bord de la panique. On ne peut pas sortir !

J'essayais de rassembler les pièces du puzzle.

— Mais on a failli ne pas trouver cet endroit. Et si on ne l'avait pas trouvé, effectivement ?

— Continue…

— D'après la règle du Jeu, si on échoue, des innocents mourront. Or, s'il y avait une explosion ici, on serait sans doute tués tous les cinq, d'accord… mais seulement à condition d'avoir bien deviné, et d'être au bon endroit.

— Quelle importance, maintenant ? a gémi Shelton.

— Est-ce qu'une explosion, ici, pourrait raser le bâtiment ? a demandé Jason.

— C'est peu probable, a répondu Ben. La Citadelle a été solidement bâtie. Il faudrait une déflagration colossale pour la détruire.

— Je suis d'accord avec Tory, a dit Hi. Si on ne réussit pas, le Meneur s'en prendra à beaucoup de gens. Le bal des débutantes est une cible évidente.

— Mais il voulait aussi que nous, nous soyons enfermés dans cette pièce… Il doit y avoir un lien.

Personne n'avait de réponse.

Jason, agacé, a donné un coup de pied au ballon.

Pop !

Un brouillard vert jaunâtre a suinté du plastique rouge déchiré. Jason s'est aussitôt mis à tousser comme un fou. Le visage écarlate, il a reculé, les mains sur la figure.

Des vapeurs toxiques se répandaient dans la pièce. J'avais les yeux brûlants.

Des rouages ont tourné dans ma tête.

Une clé. Soudain, j'ai eu une révélation terrible.

Combinez ce que vous avez appris pour découvrir le Danger.

— Oh, non !

Hi a traîné Jason vers la porte. Shelton a ôté sa veste, l'agitant pour disperser les fumées. Ben, la main sur le nez et la bouche, s'est jeté sur le ballon et l'a lancé dans un coin.

Quelques secondes de panique plus tard, l'air s'est dégagé.

On n'entendait plus que Jason qui toussait.

— Heurk… heurk… c'était… heurk… idiot, hein ?

— Détends-toi, a dit Hi en lui tapant le dos. Eh oui, t'es idiot.

Je restais plantée là, avec un mauvais pressentiment.

Combinez ce que vous avez appris.

Je suis revenue à la boîte du Meneur de Jeu, certaine d'avoir identifié le Danger. Et j'ai découvert ce que je craignais le plus : des tubes de plastique clair, reliant l'arrière de l'engin à des tuyaux au plafond.

Comme s'ils m'avaient vue, les gros climatiseurs se sont remis en marche dans un grondement.

— Hi, quelle heure ?

— Oh, non ! Il est 9 heures.

— On peut couper les climatiseurs ?

— Non, a dit Ben. Il y a trois cadenas sur leur cage. On n'y arrivera jamais.

Il n'y a presque plus de temps.

J'ai jeté un œil à la boîte. Je pouvais voir le fonctionnement de cet engin sinistre.

Une autre révélation : je savais pourquoi il y avait cette ouverture.

Le Meneur de Jeu veut me voir. Maintenant que c'est trop tard. Maintenant qu'il a gagné.

J'ai aperçu deux objets argentés à l'intérieur. Et j'ai deviné leur fonctionnement diabolique.

J'ai poussé un cri d'alarme.

— Qu'est-ce qu'il y a, Tory ?

— Ce n'est pas une bombe. En tout cas, pas du genre explosif.

J'ai montré les deux boîtes argentées à l'intérieur.

Leur étiquette bien lisible.

— Bromo... bromometh...

— Du bromométhane. Un pesticide toxique. Le ballon en contenait une petite dose. Un échantillon, pour qu'on y goûte.

— Et on est dans la salle de ventilation ! s'est écrié Hi.

Ben a frissonné, Shelton a gémi.

Jason, lui, ne comprenait pas.

— Donc, c'est inflammable ? Explosif ?

— C'est un gaz toxique, ai-je crié pour couvrir le grondement des climatiseurs.

— Hein ?

— Les tuyaux, Jason ! Au plafond ! Cet engin est relié au système de climatisation.

— Les climatiseurs enverront le gaz dans la salle de bal. Et les débutantes qui continuent leur présentation ! Que des cibles !

— Du gaz toxique ? C'est dingue ! a soufflé Jason.

Hi l'a attrapé par le col de sa veste :

— Exactement ! On a affaire à un fou. Tu piges ?

Je pensais à tous les gens au-dessus de nos têtes. Kit. Whitney. Mes camarades de classe. Une bonne partie de la haute société de Charleston. Tous entassés dans la salle.

Avec une telle foule dans un lieu si confiné, la température montait.

Et les gens entassés, engoncés dans leur tenue de soirée, seraient contents d'avoir de l'air frais.

Jusqu'au moment où il les tuerait.

— Il faut qu'on arrête ce truc !

Repoussant Hi, Jason s'est mis à cogner sur la boîte.

— On doit pouvoir couper l'électricité.

— Laisse-moi regarder.

J'ai étudié le mécanisme.

— L'extérieur est constitué de cinq plaques métalliques assemblées par des vis. Et chaque côté est riveté au sol. Je ne vois aucun moyen d'accéder au poison à l'intérieur.

— Ça a dû être un travail de dingue de construire ça ! Le Meneur a passé des heures enfermé dans ce souterrain.

— Bien d'accord. L'extérieur de la boîte a sans doute été assemblé sur place.

— Il faut l'ouvrir ! a dit Ben. Accéder au poison avant qu'il ne se déverse. Simple.

— Comment ? Cette boîte est étanche. Il nous faudrait des outils.

— Il y a forcément un moyen !

Mais je ne le voyais pas. La panique me reprenait.

— Le plexiglas ! On le fracasse !

— Pas une bonne idée.

Mon instinct m'avertissait de ne pas s'attaquer de front à la boîte.

— Ce plastique n'est pas facile à casser, et d'ailleurs l'ouverture est trop petite.

— Il faut qu'on fasse quelque chose ! s'est lamenté Shelton.

— Deux secondes. Laisse-moi réfléchir.

Il y a forcément un moyen d'y accéder. Un moyen de gagner au Jeu.

Sous le plexiglas, l'écran tactile s'est soudain allumé. Les clowns de dessin animé dansaient et tanguaient. Des lettres rouges sont apparues sur fond noir.

Prêts à jouer ?

— Ça y est. On n'a pas le choix.

— Oui, a dit Hi.
Shelton était apeuré, Jason paralysé.
— Pas d'autre moyen ? a demandé Ben en regardant la boîte avec colère.
— Soit on joue, soit ils meurent.
L'espace d'une seconde, Ben a paru frappé de désespoir.
— D'accord, a-t-il enfin articulé.
— On y va.
J'ai tapoté sur le plexiglas. Aucune réaction.
— Comment j'accepte ? Impossible de toucher l'écran.
Soudain, on a entendu des bruits de pas.
Toutes les têtes se sont tournées vers la porte, derrière nous.
Hi s'est précipité et arrêté net.
— Qu'est-ce que tu fais ici, toi ?
— Hi ?
Je ne voyais pas à qui il parlait.
— Il y a quelqu'un ?
— Oui, a répondu Hi d'une voix qui m'a glacé le sang.
J'ai bondi à ses côtés.
Et je me suis retrouvée nez à nez avec la dernière personne que je m'attendais à voir ici.

46.

De l'autre côté de la grille, Chance souriait froidement.

— Prise au piège dans une cage, hein ? On dirait que c'est une spécialité.

Les autres sont arrivés derrière moi.

Chance Claybourne.

Dans les entrailles de ce bâtiment, où il n'avait rien à faire.

Où seul le Meneur de Jeu savait que nous serions.

Comment j'avais pu être aussi bête ?

— Toi ! a hurlé Shelton. Tu es un monstre ! Fais-nous sortir.

— Alors là, je n'ai rien vu venir… a balbutié Hi.

— Qu'est-ce qui se passe ? a lancé Jason dans mon dos. Claybourne, fais-nous sortir !

— Chance, pourquoi ? Tous… tous ces gens !

Chance a froncé les sourcils :

— Quels gens ?

— Il faut que tu désactives l'engin !

— L'engin ? Victoria, je n'ai aucune idée de ce dont tu parles. Comment est-ce que vous vous êtes enfermés là-dedans ?

— Arrête de mentir ! a crié Shelton, d'une voix où la fureur se mêlait à la peur. Assassin ! Psychopathe !

— Et ancien patient psychiatrique, aussi, a ajouté Hi avec amertume. Bon sang, pourquoi je ne l'ai pas vu ? On le savait, que le Meneur de Jeu était fou à lier. Et en plus Chance nous déteste, et il est riche comme tout. Quel idiot je suis !

Chance n'a pas apprécié.

— C'est la dernière fois que vous me traitez d'assassin, bandes de malades. Ou de dingue. Bon, c'est quoi ces salades ? C'est qui, le Meneur de Jeu ? Et vous faites quoi, là ?

Un doute s'est insinué en moi. Chance avait l'air sincèrement perdu.

— Et toi, tu fais quoi ici ? ai-je répliqué.

— Je vous ai suivis. Votre sortie n'était pas précisément discrète, vous avez bousculé tout le monde dans les escaliers. Et maintenant, je vois que Jason est dans le coup. Je veux savoir ce qui se passe.

— Attends… a fait Shelton. Tu n'es pas le Meneur de Jeu ?

— Ça suffit, pauvre débile ! Vous jouez à quel jeu absurde, là ? Et ce soir, en plus.

Je le croyais. Chance était vraiment largué. Ce n'était pas lui le Meneur.

En revanche, il pourrait bien nous sauver la peau.

— Écoute, Chance ! Il y a une machine dans la pièce qui intoxiquera tout le monde en haut. On essaie de l'arrêter. Il faut que tu nous libères !

— Intoxiquer les gens ? Les tuer, tu veux dire ? Qu'est-ce que c'est, une blague de savant fou ?

— Mais non, sombre idiot ! a hurlé Ben en agitant la grille. Tout le monde en haut risque de mourir d'ici quelques minutes. Fais ce que te dit Tory !

— C'est vrai, a ajouté Jason. Ouvre ce truc le plus vite possible.

Chance a voulu parler, mais je ne lui en ai pas laissé le temps.

— Je t'en prie. Fais-moi confiance. Je t'expliquerai tout plus tard.

J'ai lu un millier de questions dans les yeux de Chance.

— Je t'en supplie !

— C'est bon !

Chance a examiné la grille.

— C'est une espèce de porte coulissante, comme pour un garage… et il y a deux tenailles qui bloquent la glissière. Il faut que je les dégage.

— Vas-y, vite !

On est retournés en courant dans la pièce des climatiseurs.

Sous le plexiglas, le compte à rebours indiquait :

15... 14... 13...

Je contemplais l'écran hors d'atteinte.

— Qu'est-ce qu'on fait ?

— On attend, j'imagine.

Un fracas métallique a résonné derrière nous.

Vite, Chance !

On restait là à observer l'engin tous les cinq, dans l'espoir de ne pas être trop en retard.

Les climatiseurs rugissaient toujours.

Shelton suivait du regard les tuyaux clairs qui sortaient de l'arrière de la boîte.

— Ils alimentent la canalisation marquée « premier étage ». Donc, le gaz sortira droit dans la salle de bal.

— On éclate les tuyaux, a dit Ben. Plus de problème.

— Et le poison se déversera ici, alors ? a demandé Hi, incrédule. T'es suicidaire ou quoi ? Chance doit d'abord ouvrir la grille.

— Donc, c'est soit eux soit nous ? a demandé Shelton d'une voix brisée.

Ce choix nous a tous réduits au silence.

Jason a fini par dire :

— On ne peut pas laisser le gaz passer dans la clim. Quoi qu'il arrive.

Des images horribles ont défilé à toute allure dans ma tête. Des débutantes qui s'effondraient. Des invités courant aux issues, paniqués. Kit et Whitney, hoquetant et étouffant, luttant pour respirer. Le parquet luisant couvert de cadavres.

— Ça n'arrivera pas. On va gagner à ce jeu de taré.

Le bourdonnement des climatiseurs s'est soudain atténué, et des lumières rouges se sont mises à clignoter dessus.

Hi est devenu tout pâle.

— Oh, non ! Le compteur est à zéro ?

Coup d'œil aux tuyaux.

— Non, je ne crois pas que le gaz soit sorti.

Ben s'est approché des climatiseurs.

— Ils sont en veille. La clim ne souffle pas, pour l'instant.

J'ai reporté mon attention vers le compteur.

3… 2… 1…

Une sonnerie de trompettes a retenti des haut-parleurs à l'intérieur de la boîte, puis elle s'est transformée en une musique de cirque bizarre.

La question a disparu de l'écran, remplacée par un nouveau message.

Tapez le Mot Magique pour désactiver l'engin !

Un clavier est apparu en dessous.

Avec un curseur clignotant.

Le compte à rebours est reparti à cinq minutes.

La musique a été remplacée par une cacophonie de cris et de bips.

J'ai regardé les tuyaux. Toujours rien.

Une nouvelle ligne est apparue sur l'écran.

Ne vous trompez pas, ou vous payerez le Prix !

Jason m'a regardée, plein d'espoir :

– Tu connais le mot magique, pas vrai ?

– Non. Si. Enfin… on doit déjà connaître la réponse, mais il faut qu'on devine ce que c'est. Le Jeu marche comme ça.

– Mais ce n'est pas un jeu, Tory !

Shelton appuyait sur la plaque de plexiglas.

– Et de toute façon, comment on peut taper le mot ? Impossible de toucher l'écran.

Sans l'écouter, j'ai essayé d'oublier le vacarme infernal de l'engin.

Combinez ce que vous avez appris pour découvrir le Danger.

– Qu'est-ce qui nous a emmenés ici ?

– Ta théorie du château. Avec une date et une heure précises.

– Non, ce soir je veux dire.

J'ai répondu à ma propre question :

– On a trouvé le symbole du soleil en haut, et à nouveau sur la porte au sous-sol.

– Ce qui nous a conduits au ballon rouge… et à ce cauchemar.

Combinez ce que vous avez appris.

Une connexion s'est formée dans mon cerveau.

— Il reprend des éléments des indices précédents.

Hi a sorti ma liste de sa poche.

— Il reste quoi, alors ?

— Plusieurs facteurs sont déjà en jeu. Château. Soleil. Bromométhane.

— Cette boîte a besoin d'un mot magique. Comme un code. La première lettre du Meneur, celle sur Loggerhead, était chiffrée. Il y a peut-être un lien.

— Mais il n'y a aucun message à déchiffrer ! s'est lamenté Shelton.

Je cherchais désespérément des liens, mais les bruits de ferraille dans le couloir, combinés aux parasites de la boîte, m'empêchaient de me concentrer.

— Je ne m'entends pas penser !

— Quel bruit !

— Ça nous déconcentre, a opiné Hi. Et il nous reste trois minutes.

— Non, écoutez ! Le volume augmente à mesure que le temps diminue. Peut-être que ce n'est pas un hasard.

— Écoutez voir si ça a un sens…

Mais tout ce que j'entendais, c'était une bouillie cacophonique.

— Des traits et des points ! s'est écrié Shelton. Le bruit, c'est le message !

— Tu peux le décoder ? a demandé Hi. Parce que ça serait vraiment utile, là, tout de suite.

Shelton a fermé les yeux, remuant les lèvres en silence.

— C'est du morse. Le premier que m'a appris mon père. Je l'ai.

— Je peux t'aider, a dit Ben en hâte. Je connais aussi.

Shelton écoutait, de la sueur perlant aux tempes.

J'ai regardé le compteur.

Dix secondes ont passé. Vingt. Trente.

Allez, Shelton Devers. Tu es le champion pour ces trucs-là.

— Deux mots, a enfin annoncé Shelton. Qui se répètent toutes les trois ou quatre secondes. La première lettre est un H, c'est sûr.

— Moi, j'ai un H et un I, a dit Ben, mais je ne comprends pas la suivante.

— Ça pourrait prendre un peu de temps, a avoué Shelton.
— Il reste deux minutes et demie.
— Je n'ai pas de réseau ici, a annoncé Jason en agitant son portable.
— Silence ! a ordonné Shelton.
Tout le monde a obéi. Pendant un long moment, les seuls bruits perceptibles ont été le grésillement de l'engin, le bourdonnement des climatiseurs, et le tapage métallique qui résonnait dans le couloir.
— Le troisième, c'est un M, ensuite il y a un I, mais après je sèche. Ça fait des années que je n'ai pas fait ça. Je ne me rappelle pas ce que veut dire un point !
H.I.M.I.
J'ai parcouru mon vocabulaire à toute allure. Rien.
— J'ai un dictionnaire sur mon iPhone ! s'est écrié Hi… Non, rien qui commence par « himi »…
Une autre connexion s'est établie. Ma tête a failli exploser.
— La boîte mystère ! C'était quoi son nom japonais ?
— Heu… heu…
— Himcho-Taco ? a essayé Hi. Ou Hiro-Bono ?
— Himitsu-Bako ! Ça y est !
— Vite ! Tape-le !
— Impossible d'atteindre le clavier, il y a toujours le plexiglas dessus !
— Il reste deux minutes. Il y a forcément un moyen d'ouvrir ce truc.
Réfléchis !
— C'est pas ça le mot magique ! ai-je crié. Himitsu-Bako, ça fait deux mots, d'ailleurs. Mais ça doit être un indice pour ouvrir le couvercle.
— Poussez-vous !
Shelton s'est penché sur la boîte et a posé les doigts des deux côtés du couvercle.
— On a ouvert la boîte mystère en poussant de chaque côté, puis en relevant le sommet…
Le plexiglas a coulissé.
Cris de triomphe.
— Mais c'est quoi, la réponse ? a demandé Ben. Le mot magique ?
— On n'a qu'un essai. Quelqu'un a une idée ?

Tous les yeux se sont tournés vers moi.
— Je peux voir mes notes ?
Hi me les a passées.
— Quatre-vingt-dix secondes, Tory.
Je suis rentrée en moi-même. J'ai repensé à toutes les tâches que le Meneur de Jeu nous avait données. J'ai essayé de créer l'ordre à partir du chaos.
Où nous a envoyés le Meneur de Jeu ? Où sont les clés ?
Castle Pinckney : on avait ouvert une boîte mystère et déchiffré un message codé.
Golf de l'océan : on avait résolu une équation chimique et déchiffré l'image.
Abbaye de Mepkin : on avait identifié une statue et le symbole sur son linceul.
— Il ne reste qu'une minute, a annoncé Hi, d'une pâleur mortelle. Il faut essayer quelque chose.
J'ai continué à trier les données, sans lui prêter attention.
Combinez ce que vous avez appris pour découvrir le Danger.
Qu'est-ce qu'on a utilisé ?
Le soleil. Le code Morse. Himitsu-Bako. Bromométhane.
Symbole. Code. Mystère. Équation.
Qu'est-ce qui restait ?
— Trente secondes.
— Tory, il faut qu'on fasse quelque chose ! Tout de suite !
Combinez ce que vous avez appris pour découvrir le Danger.
On n'a jamais utilisé l'équation.
— Bromométhane. C'est la pièce manquante.
J'en étais sûre.
Personne n'a bougé. Si on tapait un mot erroné, on condamnait tout le monde à l'étage.
La situation ressemblait à une mauvaise plaisanterie : cinq adolescents en tenue de soirée, enfermés au sous-sol, essayant de désactiver une machine à gaz toxique.
Pourtant, c'était on ne peut plus réel. Des vies dépendaient de la solution.
Et on était complètement à cours de temps.
— Quinze secondes.
— J'y vais.
Ben s'est approché de l'écran.
— Épelle-le-moi.

Hi s'est exécuté. Shelton se couvrait le visage. Jason a fermé les yeux, murmurant une prière.

Je regardais les mains de Ben, mon univers rétréci à un curseur clignotant sur l'écran.

Quelque chose n'allait pas.

Quoi ?

13... 12... 11...

Quoi ?

10... 9... 8...

On n'a jamais utilisé l'équation.

– Allons-y, a dit Ben en se signant.

Il a approché la main du clavier.

Une voix a hurlé dans ma tête.

L'équation !

– STOP !!

Ben s'est arrêté net.

Je l'ai poussé.

6... 5... 4...

J'ai martelé la touche « effacer » et j'ai tapé une nouvelle série de caractères aussi vite que je pouvais. J'ai appuyé sur « Entrée ».

3... 2...

Bip ! Bip ! Bip !

Le bruit assourdissant s'est arrêté.

Accepté.

Tout le monde a poussé un soupir de soulagement.

– Qu'est-ce que tu as tapé ?

– CH3BR. C'est la formule qui nous a conduits sur Kiawah, pas le nom chimique.

Un raclement métallique a retenti à l'intérieur de la boîte. J'ai entendu une série de cliquetis.

Les climatiseurs se sont arrêtés.

L'écran s'est rempli de ballons rouges qui rebondissaient partout. Les trompettes ont encore sonné, et un mot s'est inscrit en lettres de feu :

FÉLICITATIONS !

— On a réussi ! a crié Shelton en décochant une bourrade à Hi.

Jason et Ben se sont claqué les paumes comme des fous – et se sont arrêtés net en comprenant ce qu'ils venaient de faire. Une seconde après, ils se sont serré la main d'un air appréciateur. Hi et Shelton les regardaient, incrédules.

J'ai fermé les yeux, trop soulagée pour me réjouir.

— Qu'est-ce qui se passe ? a dit Chance dans le couloir. Ces saletés de tenailles ne veulent pas se défaire.

J'allais lui expliquer, quand un nouveau message est apparu sur l'écran.

Mon enthousiasme s'est transformé en inquiétude.

— Les gars…

Ils ont regardé l'écran. Toute joie a disparu.

Bien joué, Joueurs !

Grâce à votre vivacité d'esprit et à votre talent, vous avez gagné au Jeu et réussi à éviter les Dangers. Cependant, vous avez enfreint les Règles, et vous devez donc subir une Pénalité. Faites votre choix.

Sincèrement,

Le Meneur de Jeu

D'autres clics. Bourdonnement. Un cylindre de gaz a tourné dans la boîte.

Les climatiseurs se sont brusquement remis en marche.

— On n'a enfreint aucune règle ! a hurlé Shelton. On a tout suivi à la lettre !

— Oh, mon Dieu !

Hi regardait Jason.

Oh, non !

Jason. Chance.

On avait parlé du Jeu à d'autres personnes.

On avait demandé une aide extérieure, ce qui était strictement interdit.

On avait bel et bien enfreint les Règles.

Et le Meneur avait l'intention de nous châtier.

J'ai entendu un bruit à mes pieds. Un petit orifice s'était ouvert à la base du panneau frontal.

J'ai eu un coup d'adrénaline.

Je savais ce qui allait advenir.

Oh, mon Dieu !

On avait sauvé les gens du bal.

Maintenant, le gaz était pour nous.

47.

— Il faut qu'on sorte d'ici !

J'avais les mains qui tremblaient. Je ne voyais plus que le petit orifice qui cracherait bientôt la mort.

Hi était aussi cramoisi que son smoking.

— C'est ce que je pense ?

— On n'a pas triché !

Shelton était au bord des larmes.

— On a gagné sans aide !

Ben a foncé dans le passage et tenté de défoncer la grille.

Surpris, Chance a fait un bond en arrière.

— Tu fais quoi, là ?

— Sors-nous de là ! a mugi Ben.

— Ça ne veut pas bouger !

Chance avait l'air épuisé.

— Ces saletés de tenailles doivent être en kevlar. Je n'arrive pas à les enlever !

— Trouve un moyen ! On va mourir ici, Claybourne !

Les coups ont repris, plus frénétiquement encore.

Un cylindre mortel a tourné dans la boîte. Il est tombé dans un goulet. Le dernier message du Meneur a disparu de l'écran.

Le second capot de plastique a glissé d'un coup.

Un objet métallique est apparu à la place.

— C'est quoi ce truc ?

J'ai contemplé l'étrange mécanisme. Il ressemblait à une poignée, avec des flèches tournant dans les deux sens.

— On dirait une vanne, a dit Hi. Mais ça ouvre quoi ?

Je réfléchissais à la question quand j'ai entendu un léger sifflement.

— Écartez-vous !

Tout le monde a reculé sauf moi. On n'avait plus le choix.

J'ai saisi la poignée et je l'ai tournée à fond, dans le sens des aiguilles d'une montre.

— Tu as réussi ! a crié Jason. Le trou s'est refermé.

— Oui mais... regardez les tuyaux, a dit Shelton en montrant les tubes qui sortaient de la boîte. Une vapeur vert sombre les embrumait déjà, remontant lentement vers les conduites d'aération.

J'ai eu une révélation écœurante.

Un dilemme diabolique.

— Le gaz sort. Mais on peut choisir l'endroit où il va.

— Choisir comment ?

— Avec la poignée. Si tu la tournes à droite, le gaz partira dans les tuyaux, passera dans la clim et finira dans la salle de bal. Si tu la tournes à gauche, le gaz sortira ici.

— Ici ?

— D'une manière ou d'une autre, le Meneur de Jeu veut tuer des gens.

Hi avait compris l'horrible dilemme qui nous attendait.

— Mais maintenant, c'est à nous de décider qui va mourir.

— Je le tuerai ! a grondé Ben, pris d'une rage impuissante.

— Donc, c'est vraiment eux ou nous ? Il faut qu'on choisisse !

Jason m'a regardée dans les yeux :

— On ne peut pas tuer tous ces gens. C'est impossible.

— Impossible...

On a encore une carte à jouer.

Le Meneur de Jeu croyait qu'il avait pensé à tout. Qu'il nous tenait. Qu'il avait tout prévu.

Mais il ne connaissait pas mes pouvoirs.

Ceux des Viraux.

Cette fois-ci, je n'ai pas hésité. De toutes mes forces, j'ai tourné la poignée dans le sens contraire des aiguilles d'une montre.

La vapeur verte s'est dissipée dans les tuyaux.

Et l'orifice de la boîte s'est ouvert d'un coup.

— En arrière ! a crié Hi en traînant un Shelton paralysé vers la porte. Ben ! Tory ! Venez !

Figée d'horreur, j'ai contemplé l'épais brouillard verdâtre se déverser de l'orifice et s'accumuler au sol. Plus lourd que l'air, le nuage nauséabond a serpenté dans un coin avant de revenir lentement vers la porte.

Il nous restait quelques minutes. Au maximum.

Vite !

— Dans le couloir !

Les garçons ne se le sont pas fait dire deux fois. Je les ai suivis, claquant la porte de la salle derrière moi.

— Il me faut une veste !

Hi a enlevé sa monstruosité mauve et l'a fourrée sous la porte. Ce tampon de fortune n'empêcherait pas le poison de s'infiltrer, mais il nous ferait gagner quelques précieuses secondes.

Je me suis collée à la grille :

— Chance, on n'a plus de temps. Tu peux nous libérer ?

Chance dégoulinait de sueur dans son costume souillé. Il pesait sur une barre de fer rouillée, les doigts en sang.

Clang !

Il m'a jeté un regard douloureux :

— Je suis désolé. Les tenailles refusent de bouger. Je ne sais pas quoi faire d'autre.

— Regarde dans le coin ! Il y a peut-être une clé.

— Non. J'ai vérifié.

— Tu as regardé dans la cage d'escalier, si elle était cachée là ? Vite !

Chance s'est éloigné d'un pas titubant.

Un en moins.

Une odeur toxique s'infiltrait dans l'air. Hi et Shelton ont commencé à tousser.

Ben avait manifestement compris mon plan et, à en juger par les coups d'œil qu'il jetait de côté, il avait aussi saisi le reste du problème.

— Hiram, éteins les lumières.

— Quoi ? a répondu Hi entre deux quintes de toux. À quoi…

Ben a jeté un regard vers Jason.

— Mais comment… il remarquera quand même…

Ben a répondu avec un léger sourire :

— Aie confiance en moi.

Hi a chuchoté quelques mots à l'oreille de Shelton.

— Oui !

Shelton a bondi sur l'interrupteur.

— Oh, mais quoi ! lui a crié Jason. On a besoin de lumière ! Il faut qu'on appelle…

Boum !

Le coude de Ben a rencontré sa tête.

J'ai rattrapé Jason dans sa chute.

— C'était ça, ton plan ! a hurlé Hi. Le mettre KO ?

— Ça a marché, a répondu Ben.

— Un peu d'aide, les gars…

Les garçons ont saisi Jason et l'ont déposé au sol.

Plus de témoins indiscrets.

Gorge brûlante. Yeux larmoyants. Vertige. Des taches noires flottaient dans mon champ de vision. J'ai jeté un coup d'œil derrière la grille. Aucune trace de Chance.

— Prêts ?

— Prêts.

Trois voix en chœur.

J'ai saisi le bas de la grille à deux mains.

Hi s'est mis à ma droite, Ben et Shelton à ma gauche.

J'ai fermé les paupières.

SNAP.

La flambée m'a brûlée comme mille soleils, électrifiant mes sens.

Mon nez démultipliait la puanteur acide, qui a failli m'étouffer. Mes yeux perçaient la pénombre. Mes oreilles amplifiaient le sifflement du gaz toxique qui s'infiltrait sous la veste de Hi.

Sans prêter attention à ce bombardement sensoriel, j'ai cherché un autre pouvoir.

Tout au fond de moi. La vigueur du loup.

La meute me suivait. Des liens incandescents traversaient nos esprits, brûlant d'une force surhumaine.

J'ai lancé un ordre dans leurs cerveaux.

MAINTENANT.

Nous avons forcé ensemble. La grille ne cédait pas.

Les muscles noués, j'ai tout donné dans cet effort. Les garçons de même. La grille a tremblé, mais n'a pas bougé.

L'odeur infecte se renforçait, m'étouffant. J'ai senti le désespoir s'emparer des Viraux. Connectés comme nous l'étions, leurs pensées égarées me frappaient tels des éclats de verre.

… on va échouer…

… veux pas mourir ici…

… impossible…

… on a perdu…

… tout ça par ma faute…

NON !!

Repoussant ma terreur, j'ai étreint l'émotion qui rôdait derrière.

Bouillante. Grondante. Tempétueuse. Dévorante.

La fureur.

Je ne laisserai pas le Meneur de Jeu nous tuer.

Ce ne serait pas la fin. Jamais.

Les neurones en feu, j'ai senti une brûlure parcourir mes extrémités.

J'ai expulsé l'énergie vers les liens incandescents qui connectaient ma meute.

Les garçons ont poussé un hurlement.

Il m'a fallu plusieurs secondes pour comprendre que je hurlais aussi.

Un flot d'énergie pure a envahi ma poitrine. Mes muscles. Mon être tout entier.

Bien trop. Il fallait que je la libère. Que je la détourne.

ENCORE.

On a tiré ensemble.

La grille a tremblé… S'est soulevée de quelques centimètres. N'a plus bougé.

Non ! JE NE PERDRAI PAS !

Je me suis concentrée. J'ai envoyé encore plus d'énergie dans les liens enflammés.

Quelque chose a cédé brusquement.

J'ai entendu le grincement du métal tordu.

J'ai ouvert les yeux, hébétée.

Le tiers inférieur de la grille était tordu vers l'intérieur, ses barreaux d'acier pliés comme de la pâte à modeler. Les fixations étaient arrachées du mur.

– Allez ! Allez ! Allez !

Shelton et Hi se sont glissés sous la grille, puis se sont retournés pour tirer Jason par les bras, tandis que je le poussais avec Ben. Puis Ben et moi sommes sortis à notre tour.

On a traîné Jason dans la salle électrique. Une fois à l'abri des vapeurs toxiques, on s'est écroulés en haletant.

J'ai envoyé un message aux autres Viraux : « Éteignez vos flambées ! »

SNUP.

Le lien s'est brisé. Mes forces m'ont abandonnée.

— Je vais déclencher l'alarme, a dit Chance.

— Non.

Tout le monde m'a regardée.

— Les Conséquences, vous vous rappelez ? On ne peut en parler à personne.

— Quelles conséquences ? a demandé Chance. De quoi tu parles ?

— Le malade qui a fait ça nous a également menacés de s'en prendre à nos familles si on parle, ai-je expliqué d'une voix enrouée. Je ne crois pas qu'il bluffait.

— Mais il faut qu'on prévienne les gens ! Le gaz pourrait sortir du sous-sol ! a protesté Shelton.

— Non. Le bromométhane est plus lourd que l'air. Il ne peut pas s'élever.

— Il vous faut tous voir un docteur, a dit Chance en s'agenouillant à côté de son ancien partenaire de lacrosse. Jason est inconscient, bon sang ! Et si le poison était en train de le tuer ?

— Ce n'était pas le gaz, a expliqué Ben en évitant le regard de Chance. Il a… trébuché. Et il s'est cogné. Fort.

— Aidez-moi à me relever.

Après la fin de ma flambée, j'étais encore affaiblie.

— J'ai un plan.

Chance m'a regardée bizarrement, mais il m'a tendu la main.

Je me suis traînée vers l'escalier.

— Suivez-moi.

Les garçons ont obéi, Chance et Ben tirant le poids mort de Jason. Sur le palier, j'ai repéré ma cible. L'alarme incendie. Je l'ai déclenchée sans hésiter.

Des sirènes se sont mises à hurler, des lumières bleues à clignoter dans l'escalier de secours.

— Ça va faire sortir les gens ! Avec un peu de panique, notre tenue devrait passer inaperçue. Mais personne ne dit un mot de ce qui s'est passé au sous-sol !

— C'est dingue ! a gémi Shelton. On devrait appeler la police tout de suite !

— On va attraper le fou furieux qui a fait ça.

Je me suis sentie plus forte en faisant cette promesse.

— Le Meneur de Jeu est toujours en liberté. Il pense sans doute qu'on est morts. Je parie qu'il fête sa victoire en ce moment même. Montrons-lui qu'il a choisi les mauvais pions pour son divertissement.

Là-dessus, je me suis penchée pour vomir sur le béton.

Dans le couloir, des gens ont commencé à dévaler l'escalier monumental. Le hall s'est rempli d'invités nerveux qui se hâtaient vers la sortie.

J'ai voulu arranger ma robe froissée, mais j'ai abandonné. J'étais raisonnablement sûre qu'on devrait la payer. Whitney allait hurler. Grâce à cette seule pensée, je me suis sentie un peu mieux.

Les garçons n'étaient pas plus présentables, avec leurs vestes perdues, pantalons déchirés, chemises tachées. Le tout trempé de sueur, après une telle panique. J'espérais qu'il ferait noir dehors.

— Bon. Ce cauchemar va se terminer, d'accord ? N'oubliez pas : j'ai des cadeaux pour tous mes accompagnateurs.

Hi et Shelton gloussaient ; Ben ricanait en aidant Jason à se relever.

— Quoi ? a marmonné Jason.

— Du calme, mon grand, a dit Ben en lui tapotant le dos. Tu t'es cogné dans un poteau.

Chance n'a pas souri une seconde. Et il ne me quittait pas des yeux.

Je me suis souvenue de son expression en voyant le métal tordu. Cette grille défoncée, qu'il avait en vain attaquée à la barre de fer.

Plus tard.

Hi a ouvert la porte.

— Les dames d'abord.

— Je vous remercie, mon bon monsieur.

Histoire de plaisanter, j'ai fait une nouvelle révérence.

Les garçons ont ri. Puis, rajustant leurs vêtements sales du mieux possible, ils m'ont applaudie poliment.

— Allez, on y va. Il y a encore un bal et des gâteaux au programme.

On s'est glissés dans la nuit, en se mêlant au flot de fêtards inquiets.

Quatrième partie

FACE À FACE

48.

– Comment vous êtes-vous mis dans ce pétrin ?

La question de Jason m'a tout à fait réveillée. La conversation s'était tarie, et le fauteuil bien rembourré de Chance était trop confortable pour mon niveau de fatigue.

– Tu as entendu toute l'histoire, a grommelé Shelton. Ce n'est pas de notre faute si un taré aime jouer à des jeux de taré.

– On a gagné, a dit Ben les yeux fermés. Personne n'a souffert. C'est tout ce qui importe.

– Je suppose que la caisse enregistreuse ancienne n'existe pas ? a demandé Jason.

Personne n'a pris la peine de répondre.

Minuit moins le quart au manoir Claybourne. On était réunis tous les six dans le bureau de Chance, sans prêter attention aux festivités qui se déroulaient un étage plus bas.

Je parcourais la pièce d'un regard fatigué. J'avais de mauvais souvenirs de cet endroit.

Peu de choses avaient bougé depuis l'époque où Hollis Claybourne régnait sur cette pièce caverneuse. Des fenêtres et des bibliothèques hautes comme le mur. Des rideaux écarlates. Un bureau en acajou de la taille d'un tank.

J'ai aperçu la rampe circulaire en fer forgé, tout en haut. J'ai repensé au jour où Chance m'avait surprise là. À notre face-à-face.

Oui, vraiment un mauvais souvenir.

Ce n'est pas le moment. Concentre-toi.

Des bûches de cèdre crépitaient dans la cheminée, les flammes jaune-orangé projetant de longues ombres dans la pièce. Shelton, Ben et moi étions assis en face du grand âtre de pierre. Chance était adossé à son bureau. Jason était affalé par terre, le dos à une table basse, tenant une vessie à glace contre la tête. Hi gisait sur un tapis persan.

J'avais mis Jason et Chance au courant des événements de ces deux dernières semaines. Notre découverte sur Loggerhead. La série de cachettes. Le Jeu. Nos expéditions risquées. L'album photo menaçant du Meneur de Jeu. Je n'avais omis que les secrets impossibles à partager.

Une avalanche de questions s'est ensuivie. J'y avais répondu de mon mieux.

— Alors, pourquoi on n'appelle pas la police ? avait demandé Shelton. Je suis le seul à penser que c'est à eux de s'occuper des meurtres et des alertes à la bombe ?

— Nous ne devons pas prendre le risque, avais-je dit d'un ton ferme. Le Meneur de Jeu peut estimer que les règles s'appliquent toujours.

— Capitaine Psychopathe connaît nos parents, nos maisons, et même le chien de Tory. Si on parle, qui sait ce qu'il fera ? Rendez-vous compte, ce type est branché clowns ! a dit Hi.

J'ai pris une profonde inspiration :

— On peut l'attraper nous-mêmes.

— Et comment on va faire ?

— Je vais y réfléchir.

Certainement.

— Tu es absolument sûre que le gaz ne va pas s'échapper ? m'a demandé Jason pour la troisième fois.

— Oui. J'ai encore vérifié sur mon smartphone. Le bromométhane est plus lourd que l'air, il devrait donc s'accumuler dans la salle électrique. Et si quelqu'un descend au sous-sol, il sentira les vapeurs et sortira en vitesse. Un léger retard dans le signalement du danger, ça ne devrait pas constituer un risque.

J'espérais.

Le Meneur de Jeu était à moi, désormais. Je voulais du sang.

Une vague de musique et de rires nous est parvenue d'en dessous. Personne n'a réagi. Un bruit de verre brisé. Chance n'a pas réagi.

Deux heures plus tôt, mon exercice d'alerte à l'incendie avait déclenché une légère panique. Des débutantes agitées titubaient dans l'herbe sur leurs talons hauts, au péril de leurs chevilles. Des cavaliers ne trouvaient plus leur partenaire. Des parents se cherchaient mutuellement. Chance s'était éclipsé pour rejoindre Madison, nous laissant heureusement seuls. Shelton avait pris à part un Jason mal réveillé et l'avait mis au courant.

En me voyant, Whitney avait failli faire une crise d'apoplexie. Cheveux décoiffés. Robe tachée. Cavaliers sans veste. Kit avait exigé une explication.

Dieu merci, Hiram était là.

Il s'est lancé dans une sombre histoire de malchance. On s'était retrouvés dans le noir. Perdus et désorientés, on s'était égarés en prenant une sortie de secours. Ensuite, on avait dégringolé dans un escalier en tombant les uns sur les autres comme des dominos.

L'histoire était étrange, confuse, et hautement improbable.

Kit et Whitney l'ont crue sans hésitation.

Avec l'efficacité d'un chirurgien militaire, Whitney avait arrangé ma robe et refait mon maquillage avec sa propre trousse. J'avais tranquillement demandé la permission d'aller à la soirée de Chance, et Kit avait aussitôt donné son accord.

Le pompier de service avait annoncé que c'était une fausse alerte, et tout le monde était rentré en vitesse. Les débutantes restantes s'étaient présentées dans toute leur splendeur, nous évitant des crises cardiaques et calmant quelques attaques de nerfs.

Ensuite, il y avait eu le bal. J'avais supporté trois danses officielles – deux fois avec Kit, et une maladroite avec Jason – pour sauver les apparences. Le reste de l'équipe était assis en rang le long du mur. J'avais gardé un œil sur Chance tandis qu'il faisait tourbillonner Madison sur le parquet.

Enfin, heureusement, le bal avait pris fin. J'avais remis aux garçons leurs boutons de manchette à monogramme, selon la tradition, et Kit nous avait conduits chez Claybourne. La fête de Chance devait se terminer tard : il avait même loué des chauffeurs pour ramener les invités chez eux.

Kit m'avait dit de bien m'amuser. Il informerait les parents des autres.

Dès notre arrivée, Chance avait exigé des réponses. Il nous avait fait vivement monter à l'étage, laissant un domestique s'occuper de ses invités.

Une heure plus tard, on était donc là.

En bas, c'était le délire. La moitié du lycée était invitée.

Mais on aurait pensé à tout, sauf à faire la fête.

— Comment vous y êtes-vous pris pour détruire la grille ? a demandé Chance.

— L'adrénaline, a répondu Hi en gonflant les biceps. Le corps humain est capable de prouesses stupéfiantes.

— On était quatre, a ajouté Shelton. C'est sans doute ça qui a fait la différence.

— Quatre...

Jason s'est tourné vers Ben.

— Parce que moi, j'étais inconscient. Vu que je m'étais cogné dans un poteau. Et je ne m'en souviens pas.

— Pas ma faute si t'es maladroit.

Jason m'a demandé, sceptique :

— C'est bien comme ça que ça s'est passé, Tory ?

— Oui, ai-je menti. Tu étais plié en deux à cracher tes poumons, et tu as perdu tes repères. Le couloir était étroit et sombre. Trop de gens, trop d'agitation.

— Ça paraît logique... a reconnu Jason en se tâtant la mâchoire.

Il a ajouté avec un sourire tordu :

— C'est la seconde fête où je me fais assommer. Vous êtes un vrai danger pour mon cerveau, mademoiselle Brennan.

Chance est allé tisonner le feu. Il a lancé sans se retourner :

— J'ai attaqué ces tenailles à la barre de fer pendant dix bonnes minutes. Elles étaient toutes les deux en fer massif, plus grosses que le poing. Je ne les ai même pas abîmées.

Chance s'est tourné vers nous :

— Et pourtant, à vous quatre, vous avez soulevé cette grille de sa glissière. Et ensuite, vous avez arraché la glissière du mur, en tordant les barres en métal comme si c'était des pailles. Comment ? Comment est-ce que c'est possible ?

— J'ai lu une fois qu'un type à Oulan Bator avait soulevé un tank chinois à mains nues après...

— Boucle-la, Stolowitski. Laisse Tory expliquer.

Je me suis redressée, et d'une voix ferme, j'ai demandé :

— Quoi expliquer de plus ?

— Donc, c'est ça ton histoire ? Une énorme bouffée d'adrénaline ? Les hormones à la rescousse ?

— Qu'est-ce que ça pourrait être d'autre ?

— Et ce malheureux Jason, qui par une heureuse coïncidence s'est cogné contre un poteau, n'a pas pu assister à cet exploit impressionnant ?

— Oui, ai-je répondu à Chance les yeux dans les yeux.

— Moi non plus je n'y étais pas, a repris Chance. Parce que tu as suggéré que je cherche une clé dans l'escalier. À ce moment-là, ça paraissait peu vraisemblable, mais j'étais épuisé et je n'avais plus d'idées. Heureusement que tu as eu la présence d'esprit de m'envoyer voir... ailleurs.

— Qu'est-ce que tu veux dire ? a demandé Jason. On s'en est sortis. Sois content.

— Ce que je veux dire, Jason, c'est que cette histoire n'est qu'un ramassis de mensonges.

Le visage de Chance s'est durci.

— Un de plus dans une longue liste. Et pas un très bon.

— Fais attention, a grondé Ben. Je n'aime pas le ton que tu emploies.

Sans y prêter garde, Chance s'est tourné vers moi.

— Je veux la vérité, Tory. La vraie histoire. Que tu m'expliques ce qui se passe depuis plusieurs mois, comme on le sait tous les deux.

— Ça s'est passé comme j'ai dit. Jason a heurté un poteau. On a réussi à démolir la grille en forçant tous ensemble. Tu peux me croire ou non, mais tu n'auras aucune autre version. De personne.

J'ai soutenu le regard de Chance, pendant ce qui m'a paru une éternité.

Soudain, son rictus est revenu.

— Qu'il en soit ainsi.

Là-dessus, Chance est sorti de la pièce.

49.

Hi a été le premier à nous annoncer la nouvelle.

Kit et moi étions en train de prendre le petit déjeuner du samedi, quand il a tambouriné à la porte.

Coop a bondi voir qui c'était. En apercevant Hi derrière la vitre, il est retourné dormir dans son panier.

— L'ouragan Katelyn a viré sur la gauche, a déclaré Hi hors d'haleine. Il s'approche de Charleston.

Kit cherchait la télécommande.

— Que disent les responsables locaux ?

— Il y a un ordre d'évacuation pour le centre-ville et les îles barrières, y compris Morris. Presque toute la zone.

— Ah !

Un millier de questions me passaient par la tête.

— C'est pour quand ?

— Il faut qu'on soit partis d'ici demain midi.

Tout en me piquant la moitié de mon muffin, Hi m'a jeté un regard significatif. Tout à coup, on avait beaucoup moins de temps.

— Il faut que je file. Ma mère m'a envoyé sonner l'alarme.

Hi a foncé dehors.

Kit regardait CNN, l'air sombre.

— L'ouragan s'est renforcé pendant la nuit. Il est maintenant en catégorie 4, avec des vents soutenus de presque 200 km/h.

— Aïe.

— Tu peux le dire. La Caroline du Sud n'avait pas été frappée par une catégorie 4 depuis Hugo, en 1989. Et avant lui, il faut remonter jusqu'à Hazel, en 1954. C'est du sérieux.

J'ai allumé mon portable et regardé les sites météo.

— Notre État n'a été touché par aucun ouragan depuis presque dix ans. Ça doit être notre tour.

— On dit que celui-ci ne devrait pas ressembler à Katrina.

Kit regardait les chaînes d'info continue, passant d'un météorologue sous caféine à un autre.

— À cause de sa rotation, je crois. Mais la vitesse des vents est dangereuse.

J'ai ressenti une bouffée d'inquiétude.

— Loggerhead est prêt ?

— Autant que possible. On s'était préparés à cette éventualité. Les singes ont des abris, et ils sont assez malins pour s'en servir. Pareil pour la famille de Coop. Les bâtiments du LIRI ont été conçus pour résister à des vents de plus de 220 km/h, mais nous verrons. Ce qui est sûr, c'est qu'il nous faudra un nouvel enclos.

Kit est monté téléphoner. Je suis restée en bas, à gamberger.

Avec l'ouragan Katelyn, mes projets tombaient à l'eau.

Mon instinct me disait qu'on disposait d'une petite ouverture pour attraper le Meneur. En cas d'évacuation forcée, on n'aurait plus aucune chance.

Quelle chance ? On n'a aucune piste, aucune preuve. Rien.

— Aargh !

J'ai débarrassé la table, et je suis allée m'asseoir sur l'escalier du perron.

La brise était légère, le ciel gris. J'ai senti l'odeur saumâtre du marais salant au bout de la route. Et le chèvrefeuille grimpant sur le palier des Stolowitski.

L'Atlantique semblait d'un calme peu naturel. Je savais qu'au loin, derrière l'horizon, un maelström fonçait sur ma petite île.

Morris Island se trouve à l'embouchure du port de Charleston. Après, c'est la pleine mer.

J'ai examiné les rangées de maisons. Des murs de brique cuite. Des structures en bois, des fondations en pierre. J'ai prié en silence pour notre vieux fortin. Il allait prendre un sacré coup.

Kit a passé la tête par la porte :

— Je vais sur Folly. Nelson Devers a acheté un chargement de contreplaqué, mais il a besoin d'aide pour le rapporter ici. Ensuite, on clouera ces planches sur toutes les ouvertures.

— Je ne bouge pas.

— Si quelqu'un du LIRI appelle, donne-lui mon numéro de portable.

— Entendu.

Kit est parti. Je suis restée sur le perron, abattue.

On avait déjoué un attentat contre la Citadelle, mais ça ne semblait pas suffire. En l'état actuel des choses, le Meneur s'en sortirait impuni. Cette idée me rendait malade.

En plus, je m'inquiétais.

Tous les éléments du Jeu trahissaient une obsession. La planification. Les efforts. Toutes ces ruses habiles. L'attention délirante portée aux détails.

J'ai ajouté deux conclusions incontournables : le Meneur de Jeu avait déjà sévi avant. Peut-être de nombreuses fois. Et s'il avait déjà sévi, il sévirait encore.

Ma colère montait. Ce fou élaborait peut-être son prochain jeu à l'instant même. Construisant des pièges mortels. Concevant des énigmes sophistiquées.

Combien de géocaches avait-il enfouies ? Combien de vies avait-il gâchées ?

Il ne s'arrêterait jamais.

À moins qu'on l'arrête, nous.

J'ai repensé au corps dans la crypte, à ce pauvre être dont la vie avait pris fin quelques minutes avant qu'on ne le trouve. On n'avait même pas appris son nom.

Le Meneur de Jeu était un psychopathe. Un prédateur narcissique et sans pitié. Peut-être même un tueur en série.

Impossible de le laisser s'échapper. De le laisser faire du mal à d'autres gens.

Je n'abandonnerai pas.

— T'as l'air prête à manger des clous, m'a lancé Shelton en souriant, assis sur son perron.

— Il y a un certain meurtrier à qui j'aimerais dire deux mots.

— Pas moi. Je veux bien attraper ce fou, mais pas passer du temps avec lui. Qui sait ? C'est peut-être contagieux !

On est allés se promener sur les quais.

— Il paraît que ton père a trouvé du super-matos contre la tempête ?

— Il a dû aller dans trois endroits différents. Katelyn, tiens, encore un que je préférerais éviter. C'est flippant. Regarde l'horizon : tu ne peux même pas savoir qu'il arrive.

— Il faut qu'on ferme le bunker.

— Je sais. Tu penses que tout tiendra dans la pièce du fond ?

— Oui. Si on obstrue deux fenêtres, qu'on bouche la petite entrée et qu'on cloue la porte intérieure, ça devrait aller. Ce qui va vraiment être compliqué, ça va être de rentrer le panneau solaire à l'intérieur.

— J'espère que tu as raison. On n'a pas l'argent pour tout remplacer si le matériel prend l'eau.

— Le bunker est en haut de la colline. Aucune vague ne pourra monter si haut.

— Attention à ce que tu dis. On a assez tenté le destin pour cette semaine.

On a cherché le *Sewee* sur le quai, mais il ne s'y trouvait pas. On a fait demi-tour.

— Tu as vu Ben ?

— Pas depuis hier soir. Je pense qu'il est encore énervé qu'on soit allés chez Claybourne après le bal.

Ça m'a exaspérée.

— Il croyait vraiment qu'on pourrait juste rentrer chez nous, sans rien expliquer ? Jason et Chance étaient au sous-sol avec nous. Ils avaient le droit de savoir.

— Je ne dis pas le contraire, a dit Shelton d'un ton apaisant.

— Si tu vois Ben avant moi, dis-lui qu'il faut s'occuper du bunker. On devra s'esquiver à un moment dans la journée pour le fermer.

— Je sens qu'on va s'amuser dans les deux jours qui viennent…

Shelton a baissé la voix :

— Tu as du nouveau sur le Meneur de Jeu ? Je me suis trituré les méninges, mais je ne vois aucune piste.

— J'y travaille.

Je n'étais pas prête à avouer que j'en étais au même point. Pas encore.

— Tu auras une idée. Comme d'habitude.

Shelton bâillait.

— Je vais aller faire la sieste avant que mon père ne revienne pour transformer le quartier en Super Déco Spécial Ouragan.

— Ciao.

Coop m'a foncé dessus à l'entrée, tout contrarié que je sois sortie me promener sans lui.

— Les absents ont toujours tort, chien-chien !

50.

J'ai lâché mon marteau en jurant.

— Aïe !

J'ai agité mon pouce en l'air, mais ça n'a pas aidé – alors je me le suis fourré dans la bouche.

— La construction, ce n'est pas ton fort, m'a dit Hi au pied de l'échelle.

— Hé, mes clous sont mieux plantés que les tiens.

— C'est vrai. Mais moi, je ne me suis pas tapé sur le pouce. On dirait que tu es dans un dessin animé.

On était en train de clouer une planche sur les portes vitrées des Stolowitski. Les voisins travaillaient autour de nous ; tout le monde se dépêchait de renforcer les dix maisons solitaires perchées sur l'isthme de Morris Island.

L'ambiance était cordiale, mais on sentait une tension sous-jacente. Katelyn était un monstre. Notre île était exposée, au beau milieu de son chemin. Personne ne savait vraiment si nos maisons – bâties sur les restes d'un avant-poste datant de la guerre de Sécession – pourraient résister à un ouragan de catégorie 4.

Que ça nous plaise ou non, on le saurait assez vite.

— Ça va, Tor ?

Shelton portait un sac de sable sur l'épaule, rapporté de la plage.

— On n'a pas le temps de te faire un électrocardiogramme.

— On pourrait amputer, a proposé Hi. Va chercher le whisky, Shelton.

— Qu'est-ce que vous êtes amusants, tous les deux.

J'ai descendu l'échelle et jeté un coup d'œil à ma maison. Coop pressait la truffe contre nos baies vitrées. Il jappait, grattant le verre de ses griffes.

Désolé, mon chien. Aujourd'hui, tu dois rester à l'intérieur.

— C'est le dernier, a dit Hi. Kit a encore besoin de nous pour ranger le barbecue ?

— Ton père s'en est occupé. Je crois qu'on a presque fini.

— Dieu merci. Mon corps n'est pas fait pour le travail manuel.

J'ai failli saisir la perche qu'il me tendait. Cela dit, Hi avait raison. L'après-midi avait été long.

On avait organisé une réunion de quartier pour coordonner les travaux d'étanchéité, et pour vérifier que tout le monde pourrait quitter l'île. Ensuite, j'avais filé au bunker avec les garçons. On avait transpiré pendant trois heures, mais notre club était désormais bien protégé. Enfin, on l'espérait.

De retour à la maison, il nous restait des dizaines de choses à faire. Condamner les vitres. Sceller les portes de garage. Ranger les meubles du dehors à l'intérieur. Ben et son père déplaçaient des bateaux du côté protégé de Palms Island. Seules leurs deux embarcations, le *Hugo* et le *Sewee*, restaient à quai.

Ayant choisi sa cible, l'ouragan Katelyn prenait de la vitesse. Chaque nouveau bulletin confirmait un passage direct sur Charleston.

Nos parents travaillaient vite, en essayant de dissimuler leur inquiétude. Le départ était prévu demain au petit matin. Kit avait déjà dû subir un ouragan, et il n'avait aucun désir de revivre cette expérience.

Ma conscience me tourmentait. Chaque heure que je perdais à clouer des planches, j'aurais dû la passer à traquer le Meneur de Jeu. Mais il fallait le faire. Impossible de s'esquiver.

Menaces ou pas, je commençais à me sentir très coupable de ne pas avoir appelé la police. Si le Meneur s'échappait, est-ce que ça serait de notre faute ?

Je m'appliquais de la glace sur la main quand j'ai vu deux silhouettes apparaître au coin de la maison. La surprise m'a fait oublier la douleur au pouce.

— Qu'est-ce qu'ils font ici, ceux-là ? a sifflé Hi.

— C'est pas bon. Je ne sais pas ce qu'ils veulent, mais ça ne va pas me plaire, a dit Shelton, nerveux.

Jason m'a aperçue et a pressé le pas. Chance le suivait, plus tranquille.

Je n'ai pas perdu de temps en politesses.

— Qu'est-ce qui se passe ?

— Je ne sais pas exactement, a dit Jason. Mais j'ai pensé que tu devrais être mise au courant tout de suite.

— Au courant de quoi ?

J'ai jeté un regard à Chance, mais son visage était impénétrable.

— J'ai dormi chez Chance la nuit dernière. La batterie de mon téléphone était vide, et je ne l'ai pas rechargé avant de rentrer chez moi ce matin. C'est à ce moment-là que j'ai remarqué un message de Greg Kirkham, le type que j'avais appelé la semaine dernière pour le prélèvement que tu voulais faire analyser.

— D'accord.

Mais je ne voyais pas l'intérêt de Kirkham. Eric Marchant m'avait déjà contactée ; il avait déterminé que l'accélérateur était du gas-oil.

— Kirkham travaille au labo de la police avec Marchant, a expliqué Jason, soucieux. Et donc, il a appelé pour s'excuser de ne pas m'avoir rappelé à propos du prélèvement. Il a dit que Marchant ne venait plus au travail depuis une semaine.

— C'est ridicule. J'ai parlé à Marchant lundi. Je l'ai rencontré, d'ailleurs.

— Quand est-ce que Marchant t'a contactée pour la première fois ? m'a soudain demandé Hi.

— Vendredi dernier, le jour de la fête chez Jason. Il m'a appelée pour me dire que le prélèvement de Castle Pinckney était couvert de diesel. Ensuite, on est allés au stand de tir le lendemain matin et on lui a donné le pistolet piège et les morceaux de balle.

Je me suis tournée vers Jason :

— J'ai appelé le bureau de Marchant lundi, mais il n'a pas répondu, donc j'ai laissé un message. Il m'a rappelée tout de suite, et je l'ai rencontré dans un café.

— D'après Kirkham, Marchant n'a pas été au labo de toute la semaine. Il ne répond ni au téléphone ni aux e-mails. Hier, quelqu'un est allé voir chez lui. Marchant vit seul. Il n'était pas là et sa boîte aux lettres débordait, a dit Jason, mal à l'aise.

À cet instant, Ben est arrivé du quai, grimpant la colline d'un bon pas. Il a regardé Jason et Chance de travers, et entraîné Shelton à l'écart. Étonnée des informations que m'apportait Jason, je n'ai pas prêté attention à leurs messes basses.

— Pourquoi est-ce que Marchant n'irait plus au travail ? ai-je demandé. Je l'ai vu de mes yeux ce lundi, et il n'a parlé ni de vacances ni de déménagement.

— Comment est-ce qu'il aurait analysé notre prélèvement sans le matériel du labo ? a demandé Hi, d'un ton préoccupé.

Exact. Quelque chose ne collait pas.

Chance semblait aussi inquiet que moi.

— J'ai posé la question à Kirkham, a repris Jason. Il a dit qu'il n'y a aucune trace de cette analyse. D'après lui, ça n'étonnerait personne, parce que ce test ne coûte pas cher et qu'il n'est pas officiel. Mais Kirkham m'a assuré que Marchant enregistre toujours son travail, toujours.

— Marchant aura voulu faire vite, a suggéré Shelton.

— C'est ce que je pensais aussi, mais Kirkham n'est pas d'accord. Il dit que Marchant est très pointilleux et qu'il n'utilise qu'un certain type de matériel. Au labo, ils l'appellent le Chuck Norris du TOC.

— Chuck Norris ?

— À cause de sa barbe et de ses cheveux roux. D'après Kirkham, ce Marchant est sympa, mais un peu dans le genre petite crevette tatillonne. Vraiment pas le genre à manquer une semaine au travail sans prévenir.

Le monde s'est écroulé autour de moi.

J'ai revu le City Lights Coffee. L'homme assis en face de moi, sirotant son capuccino géant.

— Des cheveux roux ?

J'ai saisi Jason par le bras.

— La barbe aussi ?

— C'est ce qu'il a dit, a répondu Jason, en regardant ma main qui étreignait son poignet.

— L'homme qu'on a rencontré était grand, rasé, avec des cheveux châtain clair, a énuméré Hi. Pas de barbe, pas de roux, et absolument pas une crevette.

Chance l'a regardé, étonné.

— Hein ? Qu'est-ce que tu dis ? a demandé Jason.

J'ai essayé d'organiser mes pensées.

Un fait : l'homme que j'avais vu au café n'était pas Eric Marchant.

Question : qui était-il, alors ?

J'avais la réponse sous le nez.

Oh, mon Dieu !

J'ai répondu avec une assurance qui m'a étonnée :

— Il semblerait que j'aie bien rencontré le Meneur de Jeu, finalement.

Hi retenait son souffle, Shelton avait l'air perplexe, et Ben s'est brusquement détourné.

— Il jouait le rôle de Marchant. Nom de Dieu ! a lâché Hi.

Jason écarquillait les yeux, Shelton semblait au bord de l'asphyxie, et Ben était tendu, même si je ne le voyais que de dos.

— Pourquoi ce dingue ferait semblant d'être un rat de laboratoire ? a demandé Chance.

— Pour nous approcher.

Cette révélation me terrifiait et m'écœurait à la fois.

— Pour observer ses jouets de près.

— Mais pourquoi Marchant ? Comment le Meneur de Jeu serait-il capable d'endosser cette identité ?

— Il nous observe depuis le début.

Tout à coup, j'en étais sûre.

— Il suit nos mouvements. Nos communications. Il nous nargue, mon Dieu !

— Seigneur… a balbutié Shelton. Les cheveux roux… Tory, ça veut dire…

— Oui.

Je me suis repassé une série d'images dans ma tête. Une crypte obscure. Un sarcophage de pierre. Un visage pâle comme la mort, sous des cheveux rouges.

Cette fois-ci, je n'ai pas pu dissimuler le tremblement dans ma voix.

— Nous savons maintenant qui était dans ce cercueil.

J'ai prié en silence pour l'âme d'Eric Marchant.

51.

On n'a pas eu le temps de réfléchir aux implications.

Kit est arrivé avec une nouvelle série de travaux à faire. Il a salué nos visiteurs, exprimant son étonnement de les voir si loin de chez eux alors que Katelyn approchait. Hi a théâtralement remercié Chance et Jason de lui avoir rapporté sa veste de smoking. Ils sont partis tous les deux, en promettant qu'on se reverrait après la tempête.

J'ai suivi les instructions de Kit comme un zombie. Charger la voiture. Nettoyer la cage de Coop. Remplir une glacière d'eau minérale.

J'avais l'esprit enfiévré. Je frissonnais sans cesse d'avoir approché un tel meurtrier.

Deux heures se sont écoulées dans le brouillard. Finalement, Kit m'a annoncé que j'avais fini.

J'ai expédié un SMS aux autres Viraux. Je les ai retrouvés sur le quai avec Coop.

— Il faut qu'on examine toutes nos interactions avec le tueur, a dit Hi, pour voir si on a raté quelque chose. Il faut assembler toutes les pièces du puzzle.

— Il roulait en Ford F-150. Noire, avec des pneus surdimensionnés.

— Et tout un arsenal. Le Meneur de Jeu avait plein d'armes dans son stand. Des fusils. Des pistolets. Un fusil de chasse… et une Kalachnikov, a conclu Hi en pâlissant un peu.

— Quoi d'autre ?

Ben, assis sur le quai les jambes pendantes, regardait au loin, perdu dans ses pensées.

Coop a commencé à renifler sur la plage. Je l'ai laissé aller – il faudrait attendre un bon moment avant qu'il puisse se promener dans l'île.

Le soleil tombait à l'ouest. L'air était lourd et épais, comme si le ciel retenait son souffle. L'Atlantique avait rarement été si plat, si vitreux. Ce calme trompeur semblait une ruse de mère Nature : *Venez en mer. Tout va bien. Ne faites pas attention à la tempête derrière le rideau…*

— On perd notre temps, a dit Ben. Le Meneur de Jeu efface toujours ses traces.

— Non. On a peut-être raté quelque chose.

— Tu crois ? a grogné Ben. Tu as pris le thé avec ce taré.

Le rouge m'est monté aux joues, mais j'ai tenu ma langue. Pourquoi une mauvaise humeur pareille ?

Puis je me suis souvenue. Ce matin-là au stand de tir, Ben avait vomi sur ses chaussures. Terrassés par la gueule de bois, Shelton et lui étaient allés attendre sur le parking.

Pas vraiment le Grand Moment dans la vie de Ben. Il était sans doute encore gêné.

— Le Meneur est un tireur d'élite, a repris Hi. Je l'ai vu s'entraîner sur les cibles. Il a mis dans le mille à chaque fois. Et il connaissait un tas de choses sur la balistique. Je ne sais pas qui on a vu, mais c'est un expert en armes, c'est sûr.

Je me suis repassé notre première rencontre. Rien d'extraordinaire.

L'imposteur du stand de tir s'était montré amical, serviable. Pour la énième fois, je me suis demandé comment le Meneur avait su qu'on avait contacté Marchant.

— La toute première fois qu'on a appelé, tu penses que c'était qui, au téléphone ? m'a demandé Shelton. Marchant ou le Meneur ?

— Le vrai Marchant.

J'y ai réfléchi un instant. J'en étais sûre.

— Quand on s'est rencontrés au stand de tir, je me rappelle avoir été surprise par son apparence. Il ne ressemblait pas du tout à l'idée que je m'étais faite. Mais je n'y ai pas repensé. Ça arrive tout le temps.

Une autre pièce du puzzle s'est soudain mise en place. J'ai frissonné.

— Mon e-mail.

— Oui ?

— J'avais presque oublié. Lors du premier appel, Marchant et moi avions décidé de nous rencontrer au labo. J'ai envoyé un e-mail sur son compte professionnel pour qu'il puisse nous dire où c'était. Et quelques minutes plus tard, j'ai eu une réponse : Marchant voulait qu'on change d'endroit et qu'on se voie au stand de tir.

— Donc, tu as parlé à Marchant, et ensuite, tu lui as envoyé un e-mail au travail… mais c'est le Meneur qui t'a répondu.

— Il interceptait tes communications, a poursuivi Shelton. Mon Dieu… C'est ce coup de téléphone qui a pu signer l'arrêt de mort de Marchant.

Silence.

— Au stand de tir, vous êtes restés sur le parking, a dit Hi à Shelton et Ben. Vous vous souvenez de sa voiture ? Comme par exemple son numéro d'immatriculation ?

— Je n'étais pas dans mon meilleur jour. Désolé, a dit Shelton.

On a attendu la réponse de Ben… en vain. Ma patience épuisée, j'ai insisté :

— Ben ?

Encore quelques secondes, puis :

— Il y avait un M sur la vitre arrière. Violet.

— Quoi, un M comme Meneur ? a grogné Shelton. Quel ego ! Mais ça ne nous aide pas. Autre chose ?

— Non.

— Et toi, Tory, quand vous avez bavardé au café ?

— J'ai appelé le bureau de Marchant pour laisser un message. Moins d'une minute après, mon téléphone a sonné et March… non, le Meneur de Jeu m'a demandé de le retrouver au City Lights Coffee. Ce que j'ai fait.

— Quelle bêtise ! a marmonné Hi. Et c'était bien un assassin.

— Donc, il surveillait la messagerie de Marchant après s'être… débarrassé de lui. Et son e-mail, aussi.

Je revoyais les yeux noisette fixés sur moi, dans le café.

— On ne peut pas croire un mot de ce qu'il nous a dit sur le pistolet piège.

— Et donc, aussi bien, ce pistolet ne vient pas du LIRI.

— Le Meneur sait des choses sur nous. Peut-être qu'il attendait une réaction. Encore des énigmes pour ses amusements pervers.

— Dans tous les cas, on ne peut rien dire sur le pistolet. Qu'est-ce que c'est frustrant ! On n'a rien pour enquêter.

— On devrait peut-être laisser tomber, est intervenu Ben, toujours tourné vers la mer. Pour une fois. On ne l'attrapera pas. La police a de meilleures chances.

— Tu as des problèmes de mémoire ? a demandé Shelton. Tu as oublié les photos de nos familles ?

— Oui, ça ne ressemblait pas à du bluff, a ajouté Hi.

Ben a haussé les épaules, le regard tourné vers l'horizon.

— On n'a pas le temps d'en parler. Pas encore.

J'ai sifflé Coop et j'ai pris le chemin de la maison.

— Je vais réfléchir à quelque chose.

*

* *

Cette nuit, le sommeil ne voulait pas venir. J'ai fini par m'assoupir, mais mes rêves étaient sombres et inquiétants.

J'étais seule dans les bois, la nuit – dans un endroit inconnu.

Aucun bruit. Pas même le chant d'un criquet.

Pan ! Pan !

Des coups de feu dans le noir. Je me suis retournée. Marchant – l'homme que j'avais pris pour Marchant – était accroupi dans l'ombre, souriant derrière un masque de clown à la peinture écaillée.

J'ai baissé les yeux vers le canon de sa Kalachnikov.

Marchant a appuyé sur la détente. Les balles grêlaient le sol autour de moi.

J'ai hurlé. Couru.

Les pins des marais me dominaient de toute leur hauteur, masquant la lune. La végétation touffue du sous-bois me déchirait les jambes. J'avançais à l'aveugle, titubante, sans jamais regarder derrière moi.

J'ai entendu qu'on me poursuivait. Un rire dément. Tous les trois ou quatre mètres, j'entendais une rafale. Les balles lacéraient les branches et les troncs.

Je suis arrivée à un parking. J'ai reconnu l'endroit. Le stand de tir.

Le F-150 du Meneur était garé à ma gauche. Devant moi le râtelier à fusils, les pneus surdimensionnés et le M d'un mauve fluorescent sur la vitre arrière. Ben avait raison.

Pas d'autres voitures. Pas de Viraux. Pas de 4×4 de Kit.

Une brindille s'est cassée.

Je me suis retournée. Le Meneur de Jeu était à moins de un mètre. Ses yeux noisette brûlaient dans l'obscurité, fixes et étrécis.

Lâchant sa mitraillette, il a sorti un couteau à découper de vingt-cinq centimètres de sa ceinture. Du sang congelé recouvrait la lame affûtée comme un rasoir.

Impossible de bouger. Impossible de crier.

Le Meneur s'est approché. Il a fait courir sa lame sur ma joue.

— Le Jeu est terminé, Victoria, a-t-il chuchoté.

J'ai hurlé. Je me suis réveillée.

Baignée de sueur, je me suis redressée dans mon lit. Le cauchemar semblait si réel. J'en avais la chair de poule.

Les premiers rayons du soleil matinal se glissaient à travers la fenêtre.

Coop, qui avait perçu ma détresse, grattait à la porte.

Je sortais du lit quand j'ai eu une révélation.

Je me suis jetée sur mon téléphone.

*

* *

— Le M sur la voiture du Meneur !

Je faisais les cent pas, trop excitée pour rester immobile.

— Ça doit correspondre à une autorisation de parking en centre-ville. Il y a une lettre différente par zone résidentielle !

— Et comment tu sais ça ? a demandé Shelton, encore dans son pyjama Batman.

Les garçons n'étaient pas ravis de cette réunion à 7 heures du matin. On était serrés sur le perron de Shelton, essayant de ne pas frissonner dans l'air embrumé. Il faisait encore sombre. Le soleil s'efforçait de sortir derrière un hématome nuageux qui s'étendait à l'est.

— Je l'ai rêvé.

— Ah, ah ! Tu l'as rêvé, a dit Hi en bâillant. Il est temps de te mettre sous cachetons, je pense.

— J'ai déjà vérifié, ai-je expliqué sans relever sa pique, et le M ne concerne qu'une zone de quatre rues, du côté ouest de la péninsule.

Comme cette précision ne suscitait pas les réactions attendues, je leur ai tendu un papier.

— Regardez. Le M est violet, cette année.

— Elle pourrait bien avoir raison… Ça correspond à la lettre que j'ai vue, a dit Ben.

— Très bien, a dit Shelton. Quand on pourra revenir en ville, on cherchera la Ford du Meneur dans ce quartier-là.

Je l'ai regardé comme s'il était fou.

— On ne peut pas attendre ! Si on évacue, on perdra deux ou trois jours. Le Meneur de Jeu aura filé depuis longtemps. Mais… si on part maintenant, on peut le prendre par surprise ! ai-je conclu en baissant la voix.

L'idée n'a pas eu un gros succès.

— Il y a un ouragan qui arrive, Tory ! a mugi Shelton.

— Katelyn avance bien plus vite que prévu, a confirmé Hi. Comme si l'ouragan avait décidé de piquer un sprint vers la côte. D'après les nouvelles, il devrait être là avant midi, et peut-être plus tôt encore. Mon père m'a dit qu'on évacuait dans une heure.

— Et pourquoi le Meneur serait-il chez lui ? a demandé sèchement Ben. Il va évacuer lui aussi, non ?

— Non. Il aime le danger. Je suis sûre qu'il restera pour profiter du grand spectacle. C'est son truc. Et c'est comme ça qu'on l'aura !

— Tu nous demandes l'impossible, a objecté Shelton. Les routes sont fermées. La circulation ne se fait que dans un sens, celui du départ. Et nos parents nous attendent dans leur voiture d'ici une heure.

— La police s'occupe d'évacuer les touristes, a ajouté Hi. Elle ne va pas s'intéresser à notre histoire d'armurier psychopathe avec plus de flingues que la Syrie. On se fera enfermer dans un abri, c'est tout.

— On ne sait même pas où il habite !

Face à leur plaidoyer, j'ai dégainé le mien :

— Le Meneur de Jeu est un assassin. Peut-être un tueur en série. Mais nous, nous savons comment le trouver – et l'attraper. Si nous partons avec nos parents, on sera absents plusieurs jours. Shelton, tu le sais, ça. Le Meneur de Jeu se sera enfui avant qu'on ne revienne ! Et dans ce cas, combien d'autres personnes mourront ? Tu pourras vivre avec ça ?

Je me suis tournée vers Ben et Hi :

— Et vous deux, vous êtes prêts à partir aussi ? Il y a un malade en liberté qui sait ce que vos mères mangent au petit déjeuner. Ça ne vous pose pas de problème ?

— Bon… a soupiré Shelton. Et comment tu veux t'y prendre ?

— On laisse un mot aux parents. On va jusqu'à la marina de Charleston avec le *Sewee*, puis on ratisse rapidement la zone M. Si on ne repère pas la voiture du Meneur, on va au commissariat et on leur parle du Meneur de Jeu. Et ça bardera pour nous, tant pis… mais si on trouve le Meneur, on s'en débarrassera nous-mêmes, ai-je conclu d'une voix métallique.

— On s'en débarrassera ? a répété Hi mal à l'aise.

Je n'ai pas cillé. Cet homme tuait pour s'amuser.

— À n'importe quel prix.

— Mon bateau… a fait Ben, choqué. Je comptais l'amarrer dans la crique sous le bunker. Si je mets le *Sewee* dans la marina, il sera détruit.

— Tous les autres bateaux seront partis, donc tu pourras l'amarrer où tu veux, ai-je rétorqué avec espoir.

— On envisage sérieusement ce truc, alors ? a demandé Shelton, effondré.

— Nos parents vont devenir fous, a dit Hi. Je suis sérieux. Ils vont tous paniquer.

— Quoi qu'il arrive, on leur dira tout… après, l'ai-je rassuré.

— Tu veux capturer un meurtrier fou de flingues pendant un ouragan de catégorie 4, a résumé Shelton en levant les yeux au ciel. Tu as une idée du danger ?

— C'est bien qu'on soit des Viraux, a dit Ben.

J'ai croisé son regard. Ma parole, il m'a souri.

— Je suis avec Tory, a déclaré Ben. Jusqu'au bout.

Je l'ai remercié, saisie d'une bouffée d'affection.

Pour les choses vraiment importantes, je peux toujours compter sur Ben.

J'ai dévisagé Hi et Shelton.

— Dans tous les cas, on y va, Ben et moi. Vous venez ou pas ?

*
* *

— Dépêche ! ai-je sifflé à Hi qui sautait à bord.

Shelton s'est accroupi à la poupe tandis que Ben défaisait les amarres du *Sewee*. Même à quai, la passerelle tanguait sur les vagues qui forcissaient rapidement. Pendant les quarante minutes qu'on avait déjà perdues, la mer avait beaucoup grossi.

L'ouragan Katelyn se rapprochait. Tout le monde le sentait.

— Je suis mort, a gémi Hi en s'asseyant sur un banc du *Sewee*. Mort de chez mort. Mes parents vont me couper en tranches. Vous aussi, les gars.

Désolé, Kit. Cette fois, c'est de ma faute.

J'ai fait signe à Ben :

— On y va !

— Attendez ! a crié Shelton.

Coop bondissait sur le quai.

Je l'ai repoussé du geste.

— Non, mon chien ! Rentre !

Sans m'écouter, Coop a sauté du quai et s'est installé à la proue.

J'hésitais.

— Mouvement sur la colline ! a crié Hi.

— J'y vais ? a demandé Ben.

— Oui.

Il a démarré le moteur et on s'est éloignés du quai.

52.

Le Meneur de Jeu attisa le feu jusqu'à ce qu'il lèche la voûte de l'âtre.

Des tentacules lumineux dansaient devant ses yeux.

Satisfait, il commença à nourrir le feu. Permis de conduire. Carte de crédit. Bail. Papiers de la voiture. Des fragments d'une identité désormais inutile.

Dehors, le vent agitait le jasmin jaune qui grimpait sur la paroi de bois ébréchée. Un panneau « Stop » s'agitait dans la brise qui se renforçait.

Le Meneur de Jeu sourit. Enfilant sa cape de tissu brun grossier, il poussa un rire suraigu.

Cela avait été une partie merveilleuse. Exquisément orchestrée.

Il réprima le sentiment de perte qui l'assaillait chaque fois que le Jeu se terminait. Bientôt, il écrirait un nouveau scénario, plus élaboré que le précédent. Il le faisait toujours. Et le ferait toujours.

Cette fois, c'était un véritable don du Ciel qu'il recevait. Une puissante Tempête pour célébrer son final.

Il éprouvait une légère inquiétude. En général, à ce stade, il était déjà parti, savourant les reportages sur son triomphe tout en s'installant dans une nouvelle vie.

Sa nouvelle couverture était prête. Comme ses papiers et son nouveau travail. Il ne restait plus qu'à choisir les joueurs et une cible finale. Le Jeu recommencerait bientôt.

Mais le courroux de la Nature était un appât trop délicieux.

Il voulait être aux premières loges pour assister à sa fureur – un crescendo écrasant de vent et de pluie, pour acclamer son génie. Sa victoire. Puis il disparaîtrait pour ne jamais revenir.

Sa tâche accomplie, le Meneur de Jeu se rendit à la cuisine, passant devant une demi-douzaine de paquetages militaires vides, empilés dans le couloir. Il lui faudrait bientôt emballer sa collection bien-aimée, avant que la tempête n'arrive en force.

Le Meneur de Jeu pensa à son pistolet piège, et sourit. Il avait failli perdre cette arme astucieuse, sans savoir s'il en retrouverait une autre du même genre. Mais même l'affection qu'il portait à cet engin ne l'avait pas arrêté : les outils étaient faits pour qu'on s'en serve.

Il se mit à rire, se rappelant comment il avait à peine dissimulé sa joie quand les gamins lui avaient rendu l'arme ! Pour de la chance, c'en était ! Magnifique !

Le Meneur de Jeu se mit à faire la vaisselle en chantonnant.

Dehors, de grosses gouttes commencèrent à taper sur les vitres.

Une partie spéciale. Ses joueurs étaient jeunes, mais incroyablement débrouillards. Tant de Jeux n'avaient pu atteindre le stade final – et voilà que ces quatre adolescents avaient relevé tous les défis. Remarquable !

À la fin, ils avaient échoué, bien sûr. Et ils étaient morts, bien sûr.

Jamais auparavant il n'avait été si près d'échouer. Et ces petites fripouilles avaient même évité le Danger. Cela faisait des années que personne n'y était parvenu. Extraordinaire !

Soudain, il se figea.

Cette Tory Brennan, il l'avait appréciée. Respectée. Il s'était méfié d'elle.

Il repensa à leur rencontre au café. Brillante. Dégourdie. Prête à relever le défi. Brennan était la perle rare : un adversaire de valeur. Dommage qu'elle et ses amis aient triché.

Tt-tt. Il ne faut pas enfreindre les Règles.

Il avait été très clair. Les jeunes avaient bien mérité le Châtiment.

Au total, une partie très satisfaisante, vraiment.

Un seul détail le dérangeait : personne n'avait signalé leur mort. Bizarre. D'habitude, les médias s'affolaient quand des enfants étaient tués.

Du calme. Il ferma le robinet et se sécha les mains, riant de son impatience.

Le Jeu n'avait pris fin qu'hier. L'ouragan perturbait tout, sans doute. La police cacherait les détails aux médias jusqu'à ce qu'elle ait mis les familles au courant. Ou peut-être que les corps n'avaient pas été découverts.

Sois patient. Les trophées viendront.

Le Meneur de Jeu avait un regret, pourtant.

Il ne travaillerait plus jamais avec un partenaire.

Trop de variables. Pas assez de contrôle.

Le frisson de ce danger supplémentaire ne valait pas tous ces tracas.

Sifflotant faux, le Meneur de Jeu revint au salon et alluma son ordinateur portable. Il fit défiler des images, lentement.

Bientôt, il enrichirait sa collection.

Souriant, le Meneur de Jeu s'installa pour profiter de la tempête.

53.

Le ciel était couleur de sang séché.

Une immense tache d'encre écrasait l'horizon à l'est.

L'ouragan Katelyn approchait. Et vite.

Des rafales giflaient mon K-way tandis que le *Sewee* sautait sur les crêtes écumantes des vagues. Dans le ciel, les mouettes volaient vers la terre, précédant le vent qui se renforçait.

Sortir en bateau à un moment pareil, ça ressemblait à du suicide.

Le *Sewee* a contourné Morris, dépassé Fort Sumter, et foncé vers le port de Charleston. Je n'ai vu aucun autre navire sur l'eau. J'étais à la proue, le museau de Coop enfoui dans mes genoux. Le chien-loup n'appréciait pas les bateaux.

Qu'est-ce que je vais faire de lui ?

— Est-ce qu'il peut aller plus vite, ce sabot ? a demandé Shelton, médusé par l'arrivée du vortex. Si ce truc nous rattrape sur l'eau, c'est fini.

— Du calme.

Ben allait à pleine puissance.

— On va y arriver.

J'essayais de me concentrer sur notre mission, mais la culpabilité me dévorait.

La note que j'avais laissée était vague, et pas du tout rassurante. J'imaginais Kit à ce moment précis, terrifié, faisant les cent pas dans notre cuisine barricadée, sans comprendre ma décision.

Cher Kit,

Les garçons et moi, on doit faire un truc tout de suite. C'est extrêmement important. On va en ville avec le Sewee et on se réfugiera au poste de police. NE NOUS SUIS PAS, S'IL TE PLAÎT !!! J'expliquerai tout dans quelques heures. Promis. Ne t'inquiète pas, on va faire très, très attention.

Bisous, Tory.

PS- Ne m'en veux pas. Je te jure que c'est important. S'il te plaît, fais-moi confiance.

PPS- Ne nous suis pas !

J'avais griffonné un second message sur mon carnet, que j'avais laissé sur le quai : « J'ai pris Coop ! »

Je ne pouvais rien faire de mieux.

Je savais que c'était nul. Quel parent lirait ça sans paniquer ? On était partis vers une ville évacuée dans un bateau ouvert de cinq mètres, avec un ouragan catégorie 4 qui nous soufflait sur la nuque. Pour mon père, c'était un mauvais film d'action, avec sa fille dedans.

Je te revaudrai ça, Kit. Promis.

Malgré l'heure matinale, le ciel s'obscurcissait rapidement. Les rafales devenaient plus fortes, plus lourdes, chargées d'humidité, et plus fréquentes. Comme s'il sentait la terre ferme, l'ouragan grondait et sifflait. Plusieurs minutes inquiétantes se sont écoulées, avant que la marina ne soit finalement en vue.

Ben a ralenti et glissé jusqu'à une rangée de quais. Il a choisi un débarcadère bien à l'écart des quelques bateaux encore amarrés. Ensuite, on a perdu vingt précieuses minutes à attacher le *Sewee* avec tous les cordages de la région.

Enfin satisfait, Ben est parti en tête dans les rues. Coop agitait la queue, heureux d'être de retour sur la terre ferme. C'était valable pour tout le monde.

Plus de distractions. On avait un fou à attraper.

On a rapidement traversé Lockwood Boulevard en direction de Calhoun Street, puis tourné à gauche dans Courtenay Drive, avant de nous diriger vers le nord, par le quartier des hôpitaux. Les rues et les trottoirs étaient déserts. Les maisons et les boutiques étaient barricadées par des planches, ou protégées par des volets métalliques spéciaux. Quelques lumières brillaient dans la pénombre. Une atmosphère sinistre d'abandon régnait dans la ville, comme une zone de guerre ou une apocalypse.

Une rafale de vent humide m'a giflée par-derrière, manquant me renverser. Un avant-goût du cauchemar à venir.

Katelyn est en train d'arriver sur le port. Il ne nous reste pas beaucoup de temps.

En arrivant dans Spring Street, la pluie a commencé à tomber en rideau. De grosses gouttes me frappaient le front et les joues. Je me suis penchée en avant pour conserver l'équilibre : une série de bourrasques soufflait dans la rue. La tête basse, j'ai serré ma capuche.

— On est à la limite sud de la zone M, a crié Hi par-dessus le vacarme. C'est petit, comme l'a dit Tory. Si le Meneur habite ici, son F-150 devrait être garé dans l'une des trois rues suivantes.

— Sauf s'il a un garage. Ou qu'il a quitté la ville avec les gens normaux, a grincé Shelton.

— S'il a un garage, pourquoi achèterait-il un permis de stationner ? a répliqué Hi.

— Inutile de se disputer, a crié Ben. Allons voir.

— On va remonter Norman Street, puis faire des allers-retours pour quadriller le quartier jusqu'à ce qu'on repère le véhicule.

— On se sépare ? a demandé Ben. Comme ça, on couvrira davantage d'espace ?

Avant que je puisse répondre, le ciel s'est ouvert, nous inondant d'un déluge salin. La visibilité s'est réduite à quelques dizaines de mètres. Coop s'est ébroué en geignant.

— Restons ensemble, ai-je proposé. Le Meneur est armé et dangereux. On ne doit séparer la meute sous aucun prétexte.

— On s'allume ? a demandé Hi en regardant le ciel courroucé. On risque d'avoir besoin de nos flambées plus tôt qu'on ne pense.

— Pas encore.

Même si c'était tentant.

— On ne peut pas risquer de flamber trop tôt. On aura besoin de nos pouvoirs quand on coincera ce serpent.

— Et… tu as des idées pour ce moment-là ? a demandé Shelton sans enthousiasme. Tu ne précises jamais comment on va mener notre « arrestation citoyenne ».

— Bien sûr que j'ai une idée : on improvisera.

— Super. Bien pensé.

Une rafale s'est engouffrée dans Spring Street, agitant les lampadaires et les panneaux. La pluie tombait à l'horizontale, me cinglant le visage. Cette fois-ci, la vitesse du vent restait constante, ne donnant aucun signe de faiblesse.

L'ouragan Katelyn était arrivé.

— On bouge.

Ben en tête, on a remonté la rue en vitesse et tourné à gauche dans Ashton Street. Une rangée de maisons mitoyennes et de résidences modestes. On a regardé dans toutes les allées, les parkings, les ruelles. Aucune Ford noire.

Au bout, on a tourné à droite et quadrillé la rue suivante. Coop trottait à mes côtés, vif mais hésitant, s'arrêtant çà et là pour s'ébrouer.

Des duplex bon marché longeaient le côté gauche. Au milieu se trouvait une petite épicerie.

Je suis allée me réfugier sous l'auvent de cette boutique. Les bourrasques se prenaient dans mon K-way, m'arrachant ma capuche et la remplissant de pluie. J'ai laissé tomber l'idée de remettre ce truc détrempé sur ma tête. La main au-dessus des yeux, j'ai examiné les alentours.

Et je l'ai vue.

Mon cœur est parti à deux cents à l'heure.

— Qu'est-ce qu'il y a ? m'a crié Hi.

— Enfin de la chance !

Je leur montrais une maisonnette en bois, à une dizaine de mètres de là.

Et la Ford F-150 noire, garée dans la cour.

54.

— Ben et Shelton, filez à l'arrière. Jetez un œil par la fenêtre.

J'ai noué mes cheveux détrempés en queue de cheval. Le vent et la pluie avaient doublé d'intensité. Des débris volaient dans la rue, montant en spirale avant de redescendre puis de remonter. Les caniveaux charriaient des bouteilles et des sacs plastique.

L'état de grâce était terminé. Cette fois, on était pris dans l'ouragan.

Serrés sous l'auvent de l'épicerie, on a élaboré notre plan. Coop avait les yeux blancs et écarquillés de peur. Je le tenais par le collier pour qu'il ne s'enfuie pas.

— Pourquoi c'est moi qui dois partir en éclaireur ? a gémi Shelton. Je suis nul pour espionner les gens !

— Je croyais que tu avais dit qu'on ne se séparait pas ? a demandé Ben.

— Juste quelques secondes. Il ne faut pas que le Meneur nous voie tous ensemble. On perdrait tout avantage !

— On peut passer en flambée ? a demandé Hi, rouge et haletant. Il faut qu'on soit prêts.

J'hésitais. Et si le Meneur n'était pas chez lui ?

Alors, toute cette aventure n'avait aucun sens.

— Il faut qu'on soit certains de sa présence, a dit Ben. On n'aura qu'un seul essai.

— Oui. Pas encore de flambée. Shelton et toi, vous passez en premier. Vous allez à la Ford. Hi et moi, on comptera jusqu'à trente, puis on foncera sur l'avant de la maison. Si vous voyez le Meneur, sifflez deux coups. Sinon, on se retrouvera dans la cour.

— Tu ne nous entendras pas siffler dans un ouragan pareil, a protesté Ben. Tu n'entendras rien, d'ailleurs.

— Dans ce cas, ne bougez pas. Si on ne vous voit pas dans l'allée, on fera le tour de la maison et on se retrouvera à la Ford.

— Et Coop ?

— Il reste avec moi.

J'ai saisi le chien-loup par le museau.

— Tu entends ça, mon chien ? Avec moi.

Coop m'a léché la main.

Je ne l'aurais pas cru possible, mais le vent a encore forci. Il devenait même difficile de se tenir debout. Je me suis arcboutée contre le mur, priant pour avoir un répit.

On n'avait plus de temps. Il faudrait nous réfugier à l'intérieur d'ici quelques minutes.

Après ce qui nous a paru une éternité, le vent s'est un peu calmé. On s'est tous redressés, péniblement.

J'ai serré Shelton dans mes bras pour le rassurer :

— Bonne chance.

— C'est le truc le plus stupide que j'aie jamais fait, a marmonné Shelton derrière ses lunettes dégoulinantes. Enfin, si le Meneur me tue, ça évitera à mes parents de le faire.

— Reste avec moi, lui a dit Ben. Il ne va rien t'arriver.

Pliés sous le vent, ils ont disparu derrière la boutique.

Au-dessus de moi, une forte rafale a arraché une enseigne publicitaire du mur. J'ai regardé le panneau métallique foncer dans la rue, heurter une voiture, puis virer de côté et disparaître dans l'ombre.

Je comptais en silence avec Hi. À trente, on a contourné l'épicerie. On s'est arrêtés pour observer notre objectif. Une maison mitoyenne de plain-pied, petite et délabrée, couverte d'une peinture bleue délavée et écaillée. De l'extérieur, c'était un affreux fouillis de planches tordues, de bardeaux disjoints et de fenêtres sales.

Pas barricadée. Katelyn va la détruire.

Une allée de béton fissuré reliait la porte d'entrée à la rue. Des deux côtés, la pelouse galeuse était envahie de mauvaises herbes. Ni arbres ni arbustes.

J'ai désigné deux fenêtres de part et d'autre de la porte d'entrée.

— Hi, tu prends la droite, je vais à gauche.

On s'est avancés sous la pluie, Coop à mes côtés. Je me suis accroupie sous la fenêtre.

J'ai essuyé précautionneusement la saleté sur la vitre et examiné l'intérieur. Canapé. Table basse. Deux fauteuils. Meuble télé. Murs dénudés.

La pièce était sombre. Personne à l'intérieur.

J'ai reculé et fait signe à Hi. Il s'est rapproché, collé au mur. Coop, sentant qu'on devait être discrets, s'est assis en silence à mes pieds.

La propriété était entourée d'un grillage qui bordait une allée gravillonnée. À l'arrière, une fenêtre donnait sur cette allée.

On s'est avancés discrètement, tête basse, muscles tendus.

Je ne vois rien dans ce déluge. Je pourrais trébucher dessus.

Près de la fenêtre, Hi m'a aidée à me soulever un peu. J'ai vu une pièce minuscule contenant un matelas et un grand coffre noir. Pas de lumières. Vide.

Hi m'a lâchée et m'a demandé à l'oreille :

— On fait quoi maintenant ?

— La voiture.

On a trouvé Ben et Shelton accroupis derrière la Ford. Dans la cour, j'ai aperçu une brouette, un tas de briques et un appentis délabré. Puis je me suis retournée vers la maison.

Il y avait une petite terrasse protégée par un treillis, dont la porte en bois battait sous les rafales.

Ben a montré une rangée de trois fenêtres minuscules, à gauche de la terrasse.

— La cuisine ! Pas de lumière. Rien qui bouge.

— Pareil pour la chambre et le salon ! a crié Hi.

— Donc, personne n'est là, a dit Shelton soulagé.

Coop a choisi ce moment pour s'ébrouer, projetant ses poils trempés autour de lui.

Ben a montré l'endroit d'où Shelton et lui étaient venus.

— Je pense qu'il y a une autre pièce de ce côté. Sans fenêtres.

— Alors, il faut qu'on entre.

J'avais l'air plus courageuse que je ne l'étais en réalité.

— Pour être absolument sûrs.

Ben a acquiescé, le visage tendu. Il allait se lever quand je l'ai rattrapé.

— Attends. C'est le moment.

— Dieu merci, a soufflé Shelton. Maintenant ?

— Maintenant.

SNAP.

La transformation s'est passée facilement. Sans lutte. Sans effort de concentration.

Le pouvoir se déversait en moi comme si j'avais actionné un interrupteur.

La chaleur me brûlait les vaisseaux sanguins. Mes iris se sont embrasés d'un feu doré.

Tous mes sens sont passés en mode hyper. La vue. L'odorat. L'ouïe. Le goût. Le toucher.

Autour de nous, l'ouragan a pris mille dimensions nouvelles. Mon cerveau détectait le détail le plus infime avec une précision de laser. Je n'étais plus aveuglée par la tempête, je n'étais plus submergée par la fureur de la Nature.

Coop me regardait.

Il savait que j'avais libéré le loup en moi. Que sa meute était pleinement éveillée.

Avec une telle proximité, les sensations étaient plus fortes, la puissance s'accumulait. Ma flambée me semblait plus vivace que jamais.

C'est donc ça, être au sommet de ses forces.

Les garçons me regardaient de leurs yeux jaunes incandescents. J'ai senti leur stupéfaction.

— Waow, a fait Hi. C'est comme une flambée sous crack.

— Intense… a soufflé Shelton en ôtant ses lunettes.

Ben a fait craquer ses jointures.

On était prêts.

Je viens te chercher, Meneur de Jeu.

— On y va, ai-je chuchoté.

Plus besoin de crier.

J'ai bondi sur la terrasse et ouvert doucement la porte. Je me suis glissée dans la cuisine, m'écartant le long du mur pour que les autres puissent me suivre.

Tous mes sens étaient en alerte maximale.

Aucun mouvement. Aucune alarme.

Ben est passé par une porte sur la gauche, silencieux, Coop sur ses talons. Une seconde après, ils revenaient. Ben n'avait rien vu.

Désireuse de conserver l'avantage de la surprise, j'ai marché sur la pointe des pieds dans un petit couloir menant vers l'avant. Ma meute me suivait sans un bruit, à la queue leu leu.

Chambre. Salle d'eau. Salon.

Personne. Nous étions seuls dans la maison, tous les cinq.

Mais un petit feu crépitait dans la cheminée.

– Qu'est-ce qu'on fait ? a chuchoté Hi. Il y a du feu. Le pick-up du Meneur est encore là. Il va sans doute revenir.

Shelton a ouvert une porte. Un placard. Vide.

– Où est-ce qu'il irait ? C'est une ville fantôme, là. Il peut pas aller se chercher un hamburger.

– Regardez, les gars !

Hi nous montrait un ordinateur portable sur le canapé.

Je l'ai posé sur la table basse et l'ai allumé. Les garçons regardaient à côté. Dénué de compétences informatiques, Coop a entamé une inspection olfactive des rideaux.

– Pourvu… pourvu qu'il y ait des trucs utiles dedans… a supplié Shelton.

Le fond d'écran est apparu : le faux Eric Marchant que j'avais rencontré, torse nu, chargeant un énorme poisson à l'arrière de sa Ford.

Le Meneur de Jeu.

J'aurais voulu lui effacer son rictus à coups de poing.

Il n'y avait qu'un dossier sur le bureau. J'ai cliqué dessus. Un diaporama.

Les images défilaient. Des photos de scènes de crime. Des scans de coupures de journaux. Des photos de voitures renversées, de bâtiments dévorés par les flammes. Des nécrologies. Des rapports d'autopsie.

Chaque image renvoyait à un accident ou un crime.

J'ai mis sur pause pour parcourir plusieurs articles. J'ai détecté le thème commun.

Aucun crime n'était résolu. Tous les accidents étaient épouvantables et inexpliqués.

Beaucoup d'accidents avaient fait de nombreuses victimes. Certains étaient vraiment horribles. Tous étaient effrayants.

J'ai relancé le diaporama. Quelques endroits étaient identifiables. New York. Las Vegas. Seattle. La majorité n'étaient pas reconnaissables.

— Quoi alors, il est branché rapports de police ? a demandé Shelton. Catastrophes ?

— Non, c'est son œuvre, ai-je dit, révulsée. Tout est ici. Ce sont les archives privées du Meneur. Un journal de ses jeux pervers.

— Ses trophées, a continué Hi. Sa collection. Tous les tueurs en série en ont une.

Ben a tapé du poing sur la table.

— Je vais le tuer, ce malade !

Tout à coup, l'écran s'est éteint. On a entendu des bruitages de jeu vidéo, puis un nouveau programme s'est ouvert.

Le visage du Meneur est apparu.

Souriant.

— Bonjour, Tory. Bienvenue dans mon humble demeure.

55.

Yeux noisette. Menton énergique. Des traits que j'avais déjà vus, deux fois.

— C'est dommage que je ne puisse pas vous voir, mais le son passe dans les deux sens, donc on peut bavarder. Franchement, je suis stupéfait que vous soyez tous encore en vie.

Le Meneur de Jeu se trouvait à l'intérieur, à l'abri de l'ouragan. Il portait une étrange robe marron ; ses cheveux bruns, secs et clairsemés lui collaient au crâne. Son corps remplissait l'écran. Impossible de deviner où il était. J'avais l'impression qu'il nous parlait depuis un smartphone.

— Monstre, ai-je sifflé, ma flambée attisée par la colère.

Shelton et Hi contemplaient l'écran, leurs yeux jaunes écarquillés de surprise. Ben a pâli, s'est levé d'un bond et s'est mis à faire les cent pas. Sentant la tension, Coop est venu s'asseoir à mes pieds.

— Pas du tout, a répondu calmement le Meneur. Je suis un artiste.

— Un artiste ? a craché Hi. On a vu votre diaporama répugnant. Vous êtes un terroriste !

Le tueur s'est mis à rire.

— Pas vraiment ! Je crée des chefs-d'œuvre de violence. J'orchestre des symphonies de la destruction. Votre jeu était tout simplement mon dernier triomphe.

— Jouer avec des vies, ce n'est pas un jeu ! Vous êtes un malade mental !

— Tout est un jeu, a répondu le Meneur avec patience, comme s'il parlait à un enfant. Je me contente de créer des exemples fantastiques de cette vérité. Dommage que vous ne compreniez jamais !

— On vous a battu, l'a nargué Hi. On est ici, et en vie ! Le bal des débutantes n'a pas été un massacre, vous ne l'avez même pas effleuré. Tout ce que vous avez fait, c'est assassiner un scientifique innocent. Vous n'êtes qu'un banal gangster.

— Vous avez triché, a lancé le Meneur.

Grâce à ma flambée, j'ai détecté un léger tic sur sa joue.

— Vous avez enfreint les Règles.

— On n'a jamais accepté de jouer ! a crié Shelton.

— MAIS SI !! a grondé le Meneur. Ma première lettre était une *invitation*. Vous l'avez acceptée en cherchant la cachette suivante. C'était votre choix !

— C'était une ruse. Une ruse de lâche.

— Je vous ai donné une chance de vous couvrir de gloire !

Cela faisait un moment que le Meneur n'était plus amusé.

— Une opportunité de vous libérer de vos vies pitoyables et ennuyeuses. Vous devriez me remercier !

— Vous êtes fou. Vous jouez à Dieu pour cacher ce qui est brisé en vous.

Le visage du Meneur restait de pierre, mais son tic le trahissait. Je voyais qu'il luttait pour contenir sa fureur.

— C'est le monde qui est fou, a-t-il lancé. Moi, je l'aide juste à danser.

— On a votre ordi ! a crié Shelton. Il va aller droit chez les flics !

— Tout ce qu'il y a sur le disque est public, a répondu l'autre d'un ton méprisant. Je ne suis pas assez téméraire pour garder des éléments me reliant à un crime. Vous ne savez même pas qui je suis, Mr. Devers. Aucun de vous ne le sait. Rien sur cet ordinateur ne peut me nuire.

Son arrogance m'exaspérait.

— Combien de gens avez-vous tués ? Le savez-vous seulement ?

— Moi, je n'ai tué personne, a-t-il répliqué, presque blessé. Ces malheureux ont perdu au Jeu.

— Ce Jeu est truqué ! Ils n'ont jamais eu la moindre chance !

— MENSONGE.

Le Meneur s'est rapproché de la caméra.

— Il y avait une réponse à tous les indices, une solution à toutes les énigmes. Ces gens ont échoué !!

– Quelqu'un s'en est tiré ? Un joueur a survécu ?

– Non, a reconnu le Meneur en haussant les épaules. Mais tout le monde a eu sa chance.

– Comment pouvez-vous vivre avec ça ? Tous ces morts.

– Nous ne sommes que de la viande, Victoria Brennan. Des sacs fragiles de fluides et d'os, dérivant sans but et peinant dans la vie jusqu'à ce qu'un accident y mette fin. J'offre une échappatoire à cette sinistre réalité. Une chance de briller une fois dans une existence terne et lamentable, avant d'affronter l'abysse, a conclu le Meneur d'une voix douce.

– Vous êtes fou à lier, a dit Hi. Vous le savez, ça ? Comment faites-vous pour vous en tirer depuis si longtemps ?

– Un malheur peut toujours arriver, Hiram, a répondu le Meneur avec un étrange petit rire. Des freins de voiture qui lâchent. Un pont qui s'écroule. Une maison qui explose lors d'une violente tempête. La plupart du temps, personne n'a le moindre soupçon. « La malchance », dit-on. Un mauvais karma. Le destin. Même quand les autorités confirment qu'il y a du vilain – lorsque j'ai laissé l'un de mes jouets derrière moi, comme cette boîte magique à la Citadelle –, cela ne fait aucune différence. Je ne me répète pas. Je ne laisse aucune signature. Je suis un fantôme. Je suis le Meneur de Jeu, a-t-il conclu dans un geste théâtral.

– On vous a suivis jusqu'ici. On vous retrouvera.

– Douteux. Même si, je dois l'admettre, vous m'avez impressionné. Vous avez failli me prendre au dépourvu. Ce qui n'arrive jamais.

L'image s'est brouillée. Le Meneur de Jeu se levait sans doute. Son visage a rempli l'écran.

– À présent dites-moi, où est le jeune Benjamin Blue ?

Ben s'est figé sur place. Les sens amplifiés, j'ai senti qu'il arrêtait de respirer. Et se mettait soudain à transpirer.

– Remerciez Ben de ma part, a continué le Meneur. Je n'avais jamais travaillé avec un partenaire avant. Cela a rendu ce Jeu plus intense que les autres, de pouvoir s'approcher autant…

– NON !!

Ben s'est jeté sur l'ordinateur et l'a lancé dans la pièce.

L'engin a cogné le mur et s'est fracassé.

On s'est levés d'un bond. Coop s'est jeté entre Ben et moi, grondant avec perplexité.

Non. Impossible.

— De quoi parlait-il, Ben ?

Je l'observais, tous les sens en éveil.

— Pourquoi il t'a appelé son « partenaire » ?

— C'est un menteur ! Je n'ai jamais essayé de…

Ben n'a pas achevé.

À cet instant, une série de rafales puissantes a frappé la maison, ébranlant murs et fondations. La pluie martelait le toit et les fenêtres. L'ouragan, hurlant, atteignait de nouveaux sommets.

Je ne me suis pas laissé déconcentrer. Je voulais des réponses.

— Explique. Tout de suite.

— Vous avez entendu ça ? a demandé Shelton en levant une main tremblante.

— Entendu quoi ?

Je ne quittais pas Ben des yeux. Il regardait ses chaussures.

— Ce sifflement, a dit Shelton. Comme celui dans le sous-sol de la Citadelle.

Un coup sourd a résonné dehors, mais je n'y ai pas prêté attention.

La mise en garde de Shelton m'avait alertée. Mais pourquoi ?

J'ai réfléchi à toute vitesse. Les derniers mots du Meneur retentissaient dans ma tête.

Un malheur peut toujours arriver, Hiram. Des freins de voiture qui lâchent. Un pont qui s'écroule. Une maison qui explose lors d'une violente tempête.

Sifflement.

— Oh, mon Dieu !

J'ai fermé les yeux et me suis concentrée sur mon odorat. J'ai remarqué une odeur âcre. Huileuse. Subtile, mais elle s'intensifiait à chaque seconde.

Le gaz.

Sans ma flambée, je ne l'aurais jamais repérée.

J'ai tourné la tête pour suivre la trace.

L'odeur s'infiltrait dans le hall.

Une maison explose.

Le gaz.

La cuisine.

Des phares ont balayé la pièce.

Hi s'est précipité à la fenêtre.

— L'allée !

J'ai foncé à la cuisine. Là, la puanteur était suffocante.

J'ai regardé la cuisinière. Et vu le tuyau de gaz sectionné.

Le feu dans la cheminée !

Je suis revenue dans le salon à toute allure, terrifiée qu'il soit trop tard.

— Tout le monde dehors !

Hi a voulu ouvrir la porte d'entrée.

— Verrouillée ! Et pas de clé !

Ben a repoussé Hi. Ses yeux dorés semblaient brûler dans ses orbites. Il a pris son élan et enfoncé la porte d'un coup d'épaule. Il s'est retrouvé catapulté au-dehors, dans l'herbe gorgée d'eau.

Le vent a balayé le salon en hurlant, chargé d'une odeur nauséabonde de sel, de végétation morte, de détritus et de pétrole. Une pluie battante a inondé la moquette et les meubles.

— Hi, Shelton, vite, vite, vite !

Pas besoin de les pousser. On est sortis à toute allure dans la tempête, Coop derrière nous.

J'ai entendu un chuintement, comme une inspiration.

Le feu a jailli de toutes les fenêtres.

La force de l'explosion a projeté des briques et des lattes dans le ciel tourmenté, me catapultant comme une balle de ping-pong. J'ai heurté le sol et fait un roulé-boulé, me protégeant instinctivement la tête.

Les garçons étaient déjà allongés dans l'herbe.

— Tout le monde va bien ?

Ils m'ont fait signe que oui. Grâce à la partie la plus calme de mon cerveau, j'ai remarqué que les autres Viraux étaient encore en flambée.

Coop tournait autour de moi, protecteur, les oreilles aplaties sur le crâne, la fourrure détrempée, dansant dans la tempête.

Derrière nous, la maison brûlait comme un feu de joie, défiant les trombes d'eau qui se déversaient du ciel.

Légèrement hébétée, j'ai jeté un œil dans la rue.

La Ford F-150 noire était garée là.

Ma vision de flambée a percé le pare-brise dégoulinant. J'ai vu le Meneur, les yeux écarquillés, sa bouche formant un ovale noir stupéfait. Ses lèvres ont articulé un mot, un seul : « impossible ».

Six sacs militaires étaient entassés à l'arrière de la Ford.

Les pièces du puzzle se sont mises en place.

Comment avais-je pu être aussi aveugle ?

Le feu dans le salon. L'ordinateur. Les phares dans l'allée.

On avait espéré que le Meneur revienne. On n'avait pas soupçonné un instant qu'il n'était pas parti.

L'appentis ! On n'a pas fouillé cette saleté d'appentis !

Ben s'est précipité vers le pick-up.

Surpris, le Meneur a écrasé l'accélérateur. La Ford a foncé jusqu'au carrefour et tourné à gauche, l'eau dégoulinant de ses pneus.

Ben lui a couru après, son jean mouillé collant à ses jambes, ses manches de blouson agitées par le vent violent. J'ai vu le véhicule et le garçon disparaître.

— Ben, attends !

Mon cri a été englouti par la tempête.

Une tache grise est passée sous mes yeux.

— Cooper, non !

Sans m'écouter, le chien-loup a continué sa poursuite.

Hi et Shelton ont couru me rejoindre.

— Qu'est-ce qu'on fait ? a demandé Hi, courbé pour résister au vent.

Shelton m'a pris le bras et crié :

— Qu'est-ce que le Meneur voulait dire, pour Ben ?

— Je ne sais pas ! Il faut qu'on les rattrape !

Une poubelle a décollé dans la rue. Des bardeaux se sont envolés d'un toit.

C'était de la folie de se trouver dehors, mais quel choix on avait ?

— On y va !

En m'avançant, j'ai aperçu Ben une rue plus loin, courant à fond, Coop le suivant à quelques mètres. Même en flambée, je ne voyais pas la Ford.

L'ouragan Katelyn était totalement déchaîné.

Les arbres se tordaient et s'inclinaient. Des ordures et des palmes tourbillonnaient dans la rue, se collant aux murs. Un piquet de clôture a roulé sur le trottoir, suivi d'une boîte aux lettres en plastique, d'une botte, et d'un tas de magazines détrempés.

La pluie tombait à l'horizontale, m'emplissant la bouche et me giflant partout.

Même en flambée il était difficile de voir, de respirer.

Il nous faut tout le pouvoir possible. Jusqu'à la dernière miette.

J'ai fait signe à Shelton et Hi de se rapprocher.

Les yeux fermés, je me suis concentrée sur ma flambée. Sur les liens incandescents qui connectaient nos esprits, la racine de notre contact psychique. En allant au plus profond, j'ai puisé à la source de puissance cachée, celle qui nous avait servi à détruire la grille.

La chaleur s'est répandue dans mes membres. Le vent semblait un peu moins dangereux.

Instinctivement, j'ai communiqué cette chaleur à ma meute. Hi, Shelton, Coop. Même Ben.

Hi s'est redressé. Shelton a arrêté de frissonner.

– Restez groupés. Maîtrisez votre puissance.

– Et ne l'épuisez pas ! a crié Hi. Sans flambée, on ne fera pas trois mètres.

On a avancé de concert vers Spring Street, péniblement, mais Ben et Coop avaient disparu. Médusée, j'ai regardé l'auvent d'une station-service se faire arracher par le vent et projeter dans un parking.

– Là !

Hi nous montrait l'hôpital. En flambée, c'était lui qui avait les meilleurs yeux.

– J'ai vu Ben !

– Pourquoi le Meneur de Jeu n'est pas allé ailleurs ? ai-je hurlé. Cette avenue mène à l'autoroute !

– Il ne peut pas passer par les ponts ! a expliqué Shelton. La police les bloque. Le Meneur de Jeu ne peut pas quitter la péninsule.

Il est pris au piège. Et on le suit à la trace.

On a donc avancé, revenant sur le chemin qu'on avait emprunté une heure plus tôt.

On aurait plutôt dit une éternité. *Une époque différente, celle où je faisais confiance à Ben.*

Ce n'est pas possible.

Mais pourquoi, sinon, Ben paniquerait ? Pourquoi détruire l'ordinateur et s'enfuir ?

L'espace d'un instant, j'avais croisé son regard. J'avais perçu la douleur atroce derrière ses iris dorés.

Ben a bien un secret.

Il faut que je découvre lequel.

Trois pénibles rues plus tard, on est revenus à l'hôpital de Charleston. Un médecin est sorti du grand hall et nous a fait énergiquement signe de nous abriter à l'intérieur. On a continué, stoïques.

Hi a soudain désigné un endroit à gauche, dans la direction opposée au port.

— Ils ont descendu Calhoun Street !

Encore une rue, et je les ai vus.

Le F-150 était arrêté au milieu de la rue. Ben et Coop n'étaient qu'à cinquante mètres de lui et s'en rapprochaient.

— Il y a des arbres tombés qui bloquent la route, a dit Hi. Le Meneur a sans doute décampé.

J'ai aperçu au loin une silhouette en robe brune jetant un sac trempé sur son épaule. Le Meneur s'est retourné pour regarder dans notre direction. Je sentais presque sa fureur d'être poursuivi.

Nous arrivons.

Ben, lui, a laissé la Ford derrière lui, s'est glissé sous un palmier tombé et a continué sa course. Coop s'est arrêté pour renifler à l'intérieur du véhicule, derrière la portière ouverte, puis il s'est dépêché de suivre Ben.

Shelton, Hi et moi, on s'est approchés du pick-up.

Le Meneur de Jeu nous observait, se tapotant la jambe en rythme.

Qu'est-ce qu'il fait ?

— Il y a une antenne CB ! a crié Shelton. Je vais demander de l'aide par radio !

Shelton et Hi ont foncé vers la Ford, mais je ne les ai pas imités. Contournant l'engin, j'ai continué la poursuite.

Devant moi, Coop s'est soudain arrêté. Il s'est tourné vers moi dans un hurlement.

Concentrée sur le Meneur de Jeu, j'ai failli rater son message.

Des morceaux d'images se sont formés dans mon esprit.

Camion noir. Porte ouverte. Brique en plastique sur le siège. Lumière rouge qui clignote.

Danger. Mauvaise odeur. Mauvaise chose.

Demi-tour.

Hi et Shelton étaient au niveau du pare-chocs arrière.

J'ai hurlé.

56.

Les cordes enflammées grésillaient dans mon inconscient.

Elles vibraient d'intensité, plus fortes que jamais.

J'ai expédié un message à Hi et Shelton.

Écartez-vous de la Ford !

Instinctivement, je leur ai renvoyé l'image mentale de Coop, avec ma propre peur.

Ils ont titubé sous la force du message. Sans réfléchir, sans hésiter, ils ont plongé dans les buissons en bord de route.

Le pick-up a explosé en une boule de feu titanesque, projetée à deux mètres de hauteur. Des éclats de métal et de plastique ont fusé dans toutes les directions. Le souffle m'a jetée à terre. Sans prêter attention à la douleur, j'ai foncé à l'endroit où se trouvaient mes amis.

Pourvu qu'ils n'aient rien, pourvu que…

Coop m'a dépassée, bondissant dans les buissons carbonisés.

Cette fois-ci, l'eau a vaincu le feu. La pluie battante éteignait les flammes, dégageant un nuage de fumée étouffant dans la rue.

— Hi ? Shelton ?

De l'eau jusqu'aux genoux, je pataugeais dans un torrent qui dévalait la rue.

— Où êtes-vous ?

— Aaah ! Vire-moi ce chien ! a crié une voix juste devant moi.

La fumée s'est dissipée, révélant Hi sur le dos, de l'eau jusqu'au menton. Coop, les deux pattes sur sa poitrine, lui léchait le visage.

Un gémissement s'est fait entendre à droite. J'ai vu Shelton qui émergeait péniblement d'une flaque.

— J'ai failli mourir noyé dans une explosion de camion. Tu y crois, toi ?

Malgré leur bain forcé, tous deux avaient encore le feu dans les yeux.

— Vous êtes blessés ?

— Non.

— Alors on y va ! Il faut qu'on attrape Ben !

On a repris péniblement notre chemin. Coop a voulu ouvrir à nouveau la marche, mais cette fois, je l'ai rappelé.

Obéis. Attends.

Coop a ralenti et est revenu vers moi.

— On va y aller tous ensemble, lui ai-je ordonné à haute voix.

J'ai laissé mes compagnons trempés reprendre leur souffle. Shelton toussait. Hi a expédié une énorme chandelle de son nez. Enfin, ils ont fait signe que tout allait bien. On a remonté la rue à toute allure, cherchant la moindre trace de Ben ou du Meneur.

Les minutes s'écoulaient. Rien.

— Le vent se calme, a haleté Shelton. Je pense que l'ouragan est passé.

Hi lui a montré un trou énorme entre les nuages :

— Katelyn n'est pas fini. On est dans l'œil du cyclone. Il y a encore la suite qui va arriver.

Le vent est complètement retombé quand on est entrés dans le quartier commerçant. Un calme étrange pesait sur la ville. Après le chaos de la dernière heure, cette tranquillité me tapait sur les nerfs.

On a regardé l'œil du cyclone passer au-dessus de nous.

— Cet ouragan bouge super vite, a expliqué Hi. Le calme ne va pas durer.

On a traversé Street et on passait devant le magasin de Gap lorsqu'une main a jailli d'une porte. Terrifiée, j'ai bondi, frappant des pieds et des mains, de toutes mes forces.

— Du calme !

Les yeux jaunes de Ben brillaient dans sa cachette obscure.

— Qu'est-ce que tu fais ?

— Chut. Il est juste devant.

Ben est sorti de l'encoignure et s'est faufilé jusqu'à l'angle du bâtiment, nous obligeant à le suivre.

— Il nous attend.

Ben a jeté un œil sur l'espace dégagé de Marion Square.

— Je l'ai vu traverser la place.

— On l'attrape, alors.

J'étais en colère. Contre Ben. Contre le Meneur de Jeu. Contre moi-même, pour ne pas avoir affronté Ben tout à l'heure.

— Pendant qu'on est là à bavarder, il pourrait bien s'échapper.

— Ce taré est un tireur d'élite. À ton avis, qu'est-ce qu'il a dans son sac ?

— Et c'est l'endroit rêvé pour une embuscade, a observé Hi. En plus, le vent vient de s'arrêter.

Shelton s'est tourné vers Ben, l'air accusateur :

— Le Meneur de Jeu a dit que tu étais…

— Pas maintenant ! a coupé Ben. C'est un menteur et un tueur ! Il faut qu'on l'attrape d'abord.

Shelton a croisé les bras, l'air peu satisfait par la réaction de Ben.

Moi, j'hésitais. Ben cachait visiblement quelque chose.

Mais il avait aussi raison. On avait une mission. Un meurtrier à arrêter.

Les réponses devraient attendre.

— S'il vous plaît, a dit Ben, d'un air presque suppliant. Je vous expliquerai tout après.

— D'accord, ai-je répondu froidement. Mais tu t'expliqueras, je te le garantis.

— Oui… a marmonné Ben. Bon, il nous faut un plan.

— Quelles sont nos hypothèses de départ ?

— Il y a un tireur dans le parc.

— Lourdement armé, et très compétent.

— Il a eu le temps de trouver un bon poste de tir, pour monter une embuscade.

— Et il veut sans doute régler ça tant qu'on est dans l'œil du cyclone et que le vent ne pose pas problème.

— Quels sont nos choix ? a demandé Shelton.

— On le fait sortir de sa tanière et on le chope, a fait Ben.

— Magnifique, a commenté Hi. Tu as une idée de comment on procède ?

— Non…

Tous les regards se sont tournés vers moi.

Faire sortir un tireur embusqué ? Qu'est-ce que j'en savais ? La seule stratégie militaire que j'avais apprise, c'était en regardant la série *Frères d'armes*.

— J'aurais dû acheter *Call of Duty*, a gémi Hi. Mais mon imbécile de mère ne me laisse pas jouer à ce genre de jeu.

Coop est venu se frotter contre moi. J'ai eu une révélation.

— On va profiter de nos pouvoirs, et le suivre comme une meute de loups.

— Hum ! a fait Hi. D'accord, mais si tu inspectes le disque dur de mon cerveau, évite mon historique Internet. Ça risque de ne pas te plaire.

J'ai fermé les yeux et plongé dans mon subconscient.

Saisie d'une impulsion, j'ai tendu les mains vers mes amis. Hi en a pris une, Shelton l'autre. J'ai senti Ben rejoindre le cercle. Puis Coop, au milieu.

Concentrons nos forces.

Les liens sont apparus, pulsant d'énergie.

Nous étions connectés par cinq lignes brillantes.

Sous l'effet d'une si grande proximité, elles bourdonnaient de puissance.

J'ai forcé.

Les liens se sont soudain allongés, creusés, et sont devenus des tunnels.

C'est la première fois.

Sur mon front, la sueur s'est mêlée à la pluie.

Par réflexe, j'ai forcé mes pensées à entrer dans le tunnel le plus proche.

Hiram.

Une sensation de flottement, puis un déclic.

Des yeux se sont ouverts brusquement. Quelqu'un a tourné la tête.

Je contemplais une rousse dégoulinante de pluie à ma droite. Une fille.

C'est moi. C'est moi que je vois.

Hi a poussé un petit cri. Surprise, j'ai battu en retraite.

J'ai ouvert une autre paire d'yeux, et me suis retrouvée dans ma peau habituelle.

— Waa, a soufflé Hi. Oh, waaow.

— Hallucinant, ai-je reconnu. Mais c'est pas ça qu'il nous faut.

Concentre-toi. Tu y es déjà arrivée.

J'ai visualisé les cordes brillantes. Cette fois, j'en ai attrapé une mais sans y entrer.

De la lumière pulsait sur toute sa longueur. Des bribes de pensée m'ont submergée. Des images. Des émotions.

Shelton.

J'ai saisi une autre ligne, expulsant mon pouvoir. D'autres fragments sont apparus.

Hi.

Une autre. Le chaos neuronal s'est amplifié quand Ben a rejoint notre cercle.

J'étais assaillie par leurs sentiments, leurs impressions, leurs peurs. Mais je contrôlais la situation. Je pouvais contacter leurs esprits. Leur envoyer des images ou des pensées, à tous.

Soudain, j'ai remarqué un vide, comme un membre manquant. Le cercle était incomplet.

La silhouette de Cooper s'est matérialisée dans mon esprit. Tous les liens passaient par lui.

Coop est la clé. Le centre de la meute.

Je suis allée chercher le chien-loup pour l'attirer parmi nous.

Un éclair. Fusion. Cinq esprits mêlés en un.

Notre meute était enfin au complet.

Coop a poussé un cri de joie canine.

J'ai senti le lien télépathique avec tous les Viraux.

Le niveau manquant. Nous y sommes.

Les garçons l'ont perçu aussi. Ils échangeaient des pensées, stupéfaits de ce nouveau niveau de connexion, de communication fluide. Une sensation unique.

Sans réfléchir, je me suis concentrée sur Ben, jetant un œil derrière sa carapace.

Mon cerveau n'a saisi qu'une image : Ben, à bord du *Sewee*, plongé dans une conversation.

Noooooooooooooooooon !

J'ai levé les yeux. Ben inclinait la tête, l'air perplexe. Soudain, un mur mental est retombé, me barrant l'accès à son esprit.

Trop tard. J'avais vu la vérité – et reconnu l'interlocuteur de Ben.

Ce souvenir volé me brûlait le cerveau.

Ben avait parlé au Meneur de Jeu.

57.

Le choc de cette révélation a failli éteindre ma flambée.

Je regardais Ben, effarée, incapable de parler.

Mon ami. Mon confident. Celui à qui je faisais le plus confiance sur terre. La douleur de cette trahison m'a mis les larmes aux yeux.

Coop m'a mordillé la main, m'éloignant du bord du gouffre.

Meute. Coop m'envoyait un message parfaitement clair. *Meute.*

Le chien-loup avait raison. Quoi qu'ait fait Ben, j'avais besoin de lui pour l'instant. Il fallait que la meute soit au complet pour qu'on réussisse.

Shelton et Hi se donnaient de petits coups de doigts sur la poitrine.

– Hallucinant, envoyait Hi.

– Sans aucun doute, pensait Shelton en retour.

Je les entendais tous les deux. L'union de nos esprits était parfaite, ce n'était plus la connexion difficile et imparfaite d'avant. En un clin d'œil, on pouvait adopter le point de vue d'un autre Viral. On pouvait communiquer par télépathie, sans interférence.

J'ai regardé Coop.

Est-ce que c'est cela, une meute ?

Coop m'a regardée à son tour, avec une intensité animale. J'ai senti le contentement, la joie. Comme si sa famille était enfin arrivée chez elle.

– On devrait attaquer, a dit Ben à haute voix. Et faire sortir le Meneur de son trou avant… avant que *ça* s'arrête.

J'ai répondu mentalement :

– *D'accord. Et plus un mot.*

Ce pouvoir incroyable coulait en moi, me remplissait de confiance.

J'ai envoyé à la meute une série d'images et d'instructions.

C'était tout ce qu'il nous fallait. On s'est avancés vers la place en file indienne.

Marion Square occupe tout un pâté de maisons ; c'est un vaste espace dégagé souvent utilisé pour les concerts et les festivals. Deux chemins se croisent au centre, dessinant un X géant sur la pelouse. L'endroit était bordé de chênes et de petits bosquets, mais la place elle-même n'offre aucun couvert.

On s'est approchés du coin sud-ouest, nous faufilant derrière les arbres. Coop était accroupi à mes côtés, les oreilles et la queue dressées. J'ai jeté un œil au site devant nous.

En face de la place s'élevait un hôtel imposant, dont l'architecture imitait une forteresse. Le toit était orné de fausses tourelles et de créneaux.

Un poste de tir parfait, m'a envoyé Ben, qui regardait par mes yeux.

Bien d'accord. Il faut qu'on revoie notre plan.

PAN.

J'ai senti une brûlure au bras.

Je suis tombée à plat ventre, essayant de repérer l'origine du bruit.

Pas l'hôtel.

TORY ! Shelton a expulsé sa pensée si fort que la tête m'en a tourné.

Coop a poussé un gémissement de détresse.

Puis Hi m'a traînée à couvert, derrière le chêne. Shelton et Ben regardaient autour d'eux, paniqués.

— Oh, mon Dieu ! a soufflé Hi. C'est grave ?

Qu'est-ce qui est grave ? De quoi tu parles ?

— Ton bras ! *Tu as été touchée.*

J'ai baissé les yeux. Ma manche de K-way était proprement coupée en deux. Une tache écarlate suintait sur le nylon. Ouille.

— Elle est en état de choc, a bafouillé Ben. Hi, regarde la blessure.

Ça va. J'ai tout de même laissé Hi examiner la déchirure.

Quelques secondes se sont écoulées, puis Hi a repris des couleurs.

— C'est bon. Ce n'est qu'une égratignure.

J'ai suivi du doigt le tracé de l'écorchure.

— Quelqu'un a vu le tir ? a chuchoté Shelton.

On ne parle plus ! ai-je crié dans leurs têtes, en arrachant ma manche de K-way.

La blessure était droite, propre et parallèle au sol. Elle avait touché mon biceps en suivant une trajectoire bien horizontale.

Il est à notre niveau. Pas sur un toit.

J'ai réfléchi à ma position au moment de l'impact : vers l'avant, les épaules perpendiculaires au parc. Pour m'écorcher le bras gauche, la balle devait soit venir d'en face, soit d'un endroit sur notre gauche.

J'ai examiné la place dans cette direction. Et j'ai repéré un groupe de trois chênes verts qui encombraient le coin nord-est. *Là-bas.*

Tout à l'autre bout de la place ! a protesté Shelton.

Coop m'a donné un coup de museau. Il m'a transmis une série d'images : Shelton et Ben contournant par la gauche. Coop, Hiram et moi sur la droite. Puis il a refermé les mâchoires sur notre proie qui se tortillait.

Surmontant ma stupéfaction, j'ai retransmis le plan du chien-loup. *Lui, il doit savoir.*

Le tonnerre a retenti. Une bourrasque isolée a balayé la place, nous aspergeant d'eau marine. L'œil du cyclone s'éloignait. Katelyn allait de nouveau se déchaîner.

Allez !

Tout le monde a réagi aussitôt. Coop, Hi et moi, on a foncé dans Calhoun Street, en nous cachant derrière les arbres. On est arrivés au bout et on s'est glissés dans des buissons.

À l'ouest, je sentais Ben et Shelton qui remontaient l'autre rue. Ils sont arrivés au bout et se sont mis à couvert derrière des arbres.

Les deux groupes se sont arrêtés, haletants, pour partager leurs impressions.

Pas de coup de feu. Aucun mouvement. J'étais inquiète que le Meneur se soit déjà enfui.

À l'est, j'ai aperçu un mur de pluie qui balayait la péninsule. Une rafale a failli me faire tomber : Katelyn revenait en force. Crachant et mugissant, l'ouragan projetait des branches sur la place comme si c'étaient des allumettes.

On va refermer les mâchoires.

Tout en envoyant ce message, je me suis rapprochée du coin nord-est.

Des éclairs. L'espace d'un instant, j'ai cru entendre le vent hurler mon nom. Puis j'ai fait un bond de côté pour éviter un pneu qui arrivait sur le trottoir.

PAN ! PAN !

Le métal incandescent a sifflé à mes oreilles.

Hi a bondi dans une haie. Je l'ai imité, et on a rampé jusqu'à un bosquet de chênes, suivis par Coop.

Je suis passée en perception Shelton. Ben et lui étaient réfugiés derrière un muret d'hôtel. Shelton a enfoui son visage dans le polo de Ben.

Tout le monde va bien ?

Coop a jappé.

Hi m'a fait un pâle sourire. *Je ne suis pas touché, si c'est ça que tu veux dire.*

C'est bon. Ben contemplait un bosquet à vingt mètres de sa position.

Ça va. Shelton se recroquevillait derrière Ben. *Je crois que je ne vais plus bouger.*

Hi m'a montré quelque chose.

Une silhouette sortait de l'ombre, le fusil braqué sur l'hôtel. Sans nous voir, Hi et moi, le Meneur de Jeu s'est engagé sur la place. Il se positionnait pour avoir un axe de tir dégagé sur Ben et Shelton.

Dans quelques secondes, il les aurait dans son viseur.

J'ai signalé le danger aussitôt. *Dégagez !*

Sans hésiter, Ben a poussé Shelton devant lui et foncé dans la rue.

L'espace d'un instant terrifiant, tous deux étaient totalement à découvert.

Le Meneur de Jeu a soudain levé son arme et tiré.

PAN ! PAN !

Des étincelles ont jailli du mur.

Ben et Shelton ont plongé derrière un banc de pierre.

Le Meneur de Jeu s'est avancé vivement, le fusil braqué vers eux, passant devant notre cachette.

La panique a afflué dans mes veines. À cause de moi, Ben et Shelton étaient coincés.

Avant que j'aie pu réagir, Hi a bondi des arbres, chargeant lourdement le Meneur qui lui tournait le dos.

Non !

Coop a filé après Hi, et je l'ai imité.

Concentré sur sa cible, le Meneur n'a pas remarqué ce qui se passait derrière lui. Il s'est approché à dix mètres du banc.

J'ai senti Ben entrer dans ma tête et regarder par mes yeux.

Soudain, stupéfaite, je l'ai vu jaillir du banc et agiter les mains.

Le Meneur s'est figé, étonné. Il a rapidement retrouvé ses esprits et levé le canon. Ben a replongé derrière le banc.

Hi fonçait toujours sur le Meneur. Trente mètres. Vingt.

À dix mètres, l'ouragan l'a trahi.

Un éclair a jailli. Le Meneur de Jeu a perçu un mouvement à la limite de son champ de vision.

Il s'est retourné d'un coup et a visé Hi.

Hi a trébuché et a glissé sous la pluie battante, tombant à genoux.

Le Meneur de Jeu a souri.

Oh, non ! a pensé Hi.

J'ai hurlé, impuissante.

Soudain, une silhouette a bondi du centre de la place, fonçant droit sur le Meneur qui s'est retourné, stupéfait de cette nouvelle attaque.

La silhouette était familière. Je devais avoir une hallucination.

Rugissant comme un fou, Kit a décoché un coup de poing magistral au Meneur.

Lâchant son fusil, l'autre s'est écarté, esquivant le coup et projetant Kit en avant d'une poussée. Kit a dérapé et roulé dans l'herbe détrempée.

Riant, le Meneur a sorti un Glock de sous sa robe.

Trop tard.

Coop a attaqué le premier,

Le Glock est parti dans les airs.

Le Meneur de Jeu allait se relever. Je lui ai expédié un coup de pied dans la mâchoire.

Il a roulé des yeux. Puis Ben et Shelton lui sont tombés dessus, lui écrasant la figure dans la pelouse boueuse.

— Sale malade ! hurlait Ben en le pilonnant à coups de poing.

Il a fallu que Shelton m'aide pour qu'on parvienne à l'écarter.

Hi fouillait les habits du Meneur, révélant trois armes de poing supplémentaires.

— Eh ben, ça c'est du renfort ! Je n'ai jamais douté de vous une seconde, les gars !

Il s'est fourré les flingues dans les poches.

— Bon, d'accord, c'est pas tout à fait vrai. Mais vous êtes quand même arrivés à temps !

Katelyn faisait rage, nous assaillant de plus belle.

Aucune importance. C'était fini. Le Meneur de Jeu gisait inconscient à mes pieds. On avait gagné.

Soudain, panique : Kit était là.

J'ai aussitôt expédié le message : *Coupez les lumières !*

Quatre flambées se sont éteintes.

Je me suis tournée vers Kit qui haletait, le visage dégoulinant de pluie.

Il avait l'air totalement perdu.

— Salut, papa.

58.

L'ouragan grondait et tempêtait à l'extérieur.

Et moi, j'éprouvais la même sensation à l'intérieur.

On était assis dans un hall de l'hôpital de Charleston : un groupe de réfugiés parmi tant d'autres.

Malgré un personnel réduit au minimum, le bâtiment fourmillait encore de médecins, de patients et d'égarés surpris par l'ouragan. Un centre médical n'est jamais totalement évacué, et cet hôpital était l'un des rares endroits en ville équipé d'un groupe électrogène indépendant.

J'ai effleuré mon pansement, évitant encore de me dire que j'avais été blessée par balle. Je n'en avais certainement pas parlé à Kit. Ni aux soignants harassés – un oubli qui durerait le plus longtemps possible. Coop dormait à mes côtés, épuisé par les événements de la journée.

Shelton et Hi expliquaient toute l'affaire. Kit avait exigé que ce soit moi, mais j'étais restée obstinément silencieuse jusqu'à ce que le duo dynamique prenne les choses en main. Les yeux écarquillés, Kit écoutait leur version « presque » complète de ces deux dernières semaines.

Kit leur avait déjà expliqué comment il nous avait retrouvés, lui.

Après avoir découvert mon message, Kit avait couru au quai… pour voir le *Sewee* disparaître sur l'Atlantique. Une panique totale avait suivi, tous les pères réclamant une place sur le *Hugo* pour nous poursuivre.

Finalement, profitant de son statut de patron, Kit avait ordonné à ses employés d'évacuer Morris Island. Puis il avait foncé en ville dans son 4×4, après avoir suffisamment intimidé la police pour pouvoir passer le pont. Une fois sur la péninsule, il avait séché, n'ayant aucune idée de l'endroit où aller.

Katelyn était arrivé.

Craignant le pire, Kit avait essayé l'hôpital, où un médecin lui avait affirmé avoir vu un groupe d'adolescents courant dans Calhoun Street. Sans autre plan, Kit avait repris son 4×4 et était arrivé jusqu'aux arbres tombés et à la Ford en flammes.

C'est là qu'il avait entendu les coups de fusil. Terrifié, il avait couru jusqu'à Marion Square.

En me voyant, Kit avait hurlé mon nom.

Je ne m'étais pas retournée. En fait, j'avais couru dans l'autre sens.

Kit allait me poursuivre quand un couvercle de poubelle l'avait cogné en vol. Il était tombé à genoux, un peu étourdi. Quand il avait repris ses esprits, j'avais disparu. Puis il avait repéré un tireur sur la place, qui visait Hi. Il avait chargé le type par pur réflexe.

Depuis, Super Père ne m'avait pas quittée des yeux.

J'écoutais à peine Hi et Shelton réciter nos exploits. J'observais Ben.

Il ne parlait pas. Il évitait mon regard. Puis il s'est levé et est parti dans le hall.

Je lui ai couru après. Coop a voulu me suivre, mais je lui ai fait signe de rester là. Il a obéi à contrecœur.

— Ne va nulle part ! m'a crié Kit. Tu ne dois pas quitter l'hôpital !

— C'est terminé, papa.

Kit m'a regardée un long moment, puis il a acquiescé.

Une heure plus tôt, on avait fait signe à un véhicule d'urgence envoyé pour enquêter sur l'explosion de la Ford. La police avait conduit tout le monde à l'hôpital. En entendant notre histoire, et en voyant les armes, ils avaient embarqué le Meneur de Jeu. L'enquête complète devrait attendre la fin de l'ouragan.

Il y aurait des interrogatoires. Des témoignages. Tout le tralala.

Mon interrogatoire, lui, ne pouvait pas attendre.

J'ai retrouvé Ben assis sur un tabouret dans une salle d'examen déserte, la tête entre les mains.

Il m'attendait. Inutile de tourner autour du pot.

— J'ai vu.

— Dans ma tête ?

— Oui. Tu as rencontré le Meneur à bord du *Sewee*.

— Deux fois.

Ben s'est redressé, mais sans oser me regarder.

— Il s'appelle Simon Rome. Du moins, c'est le nom qu'il a utilisé au LIRI.

Je m'étais crue prête. Je me trompais.

— Ben ! Non ! Pourquoi ?

Le monde s'écroulait autour de moi.

Ben s'est levé d'un bond, donnant un coup de pied dans une poubelle.

— Il ne devait pas y avoir de victime ! C'était juste un jeu débile !

Il s'est écarté. J'ai senti qu'il pleurait.

— Dis-moi tout.

Ben a reniflé, s'est essuyé les yeux, puis s'est tourné vers moi, le visage totalement décomposé.

— Dis-moi, ai-je chuchoté.

J'étais au bord des larmes, moi aussi.

Ben s'est rassis. Silencieux.

Je me suis assise en face de lui.

— Dis-moi.

— J'ai rencontré Rome sur le quai du LIRI, a dit Ben d'une voix sourde. C'était le nouveau mécano, il ne travaillait à l'institut que depuis quelques mois. Je le voyais tous les trois ou quatre jours, et on est un peu devenus amis.

— Pourquoi tu n'as jamais parlé de lui ?

— Je ne sais pas. Je n'ai pas beaucoup d'amis, je ne suis pas comme toi. Je pense que c'était sympa de voir quelqu'un d'autre. Quelqu'un de plus âgé.

Pas comme moi ? Mais de quoi parlait Ben ?

— Je lui ai dit... des trucs, a avoué Ben, rougissant. Des trucs personnels. Après, il m'a parlé de sa super-idée.

Je voulais savoir quels trucs Ben avait dits au Meneur, mais il fallait qu'il continue.

— Cette idée... c'était le Jeu ?

— Ça allait être drôle, a dit Ben amèrement. Une série de codes et d'énigmes. Et le meilleur, c'est que moi, j'aurais l'air cool et futé. On allait inventer tous ces mystères, et puis je résoudrais les indices et je serais un héros.

— Mais pourquoi ?

Je ne comprenais pas sa logique.

— Tu n'avais pas besoin de nous impressionner, nous. On te connaît. On est tes amis. Ta famille !

Ben est resté silencieux un long moment. Et puis :

— Que je suis bête !

J'allais répondre, mais il ne m'en a pas laissé le temps.

— C'est moi qui ai poussé Hi à acheter ce détecteur à métaux. Il croit que c'était son idée, mais c'est faux. Ensuite, j'ai commencé à me moquer du site des géocaches, tout en sachant pertinemment qu'il finirait par avoir envie d'y jouer. Ça a marché, ça aussi. Et en deux temps trois mouvements, j'ai mené tout le monde à la cachette de Loggerhead.

— La boîte mystère. Le message codé.

— La boîte était simple, et je savais que Shelton déchiffrerait le code. Mais je me suis réservé le grand moment. Regardez Ben ! Il a résolu les coordonnées modifiées. Comme il est fort ! Allez, on va à Castle Pinckney ! a-t-il conclu d'une voix moqueuse.

Il a donné un coup de pied dans un placard.

— Quel crétin !

— La deuxième cachette a explosé, lui ai-je rappelé d'une voix sèche. Cooper a été blessé.

— C'est à ce moment-là que j'ai su. Il m'avait doublé.

J'ai attendu que Ben continue, ce qu'il a fait.

— Le Jeu n'était pas censé être dangereux. Et puis il y a eu Pinckney. Ce monstre a piégé la cachette avec du gas-oil, puis il a fait exploser une saleté de bombe dans Battery Park. Ce n'était absolument pas prévu. Je n'avais jamais vu cet iPad avant, et je ne connaissais ni le pictogramme ni l'équation chimique. Et voilà que Rome menaçait de faire du mal à des gens. Ça n'était pas dans le contrat, ça !

— Mais… pourquoi tu n'as rien dit ? Pourquoi tu ne nous as pas prévenus ?

— J'étais stupéfait. Gêné. J'ai essayé de contacter Rome dès qu'on est rentrés, mais le numéro de portable qu'il m'avait donné n'existait plus. Quand j'ai appelé le LIRI, on m'a dit qu'il était en vacances. Je ne savais pas quoi faire.

J'ai repensé aux fois où Ben avait disparu ces derniers temps. Il s'était montré distant. Et à la façon dont il s'était énervé quand j'avais effleuré son esprit à Castle Pinckney.

J'avais mis tout ça sur le compte de ses sautes d'humeur habituelles, ou de sa vieille inimitié avec Jason. Je n'avais jamais soupçonné que ce pouvait être une raison bien plus sinistre.

— Tout est parti en vrille. Je... je croyais... j'espérais que peut-être je pourrais l'empêcher. Le faire disparaître.

— Le pistolet piège. Kit vient de me dire que le LIRI n'en a jamais eu.

— J'ai été aussi soufflé que toi. On n'avait jamais parlé d'armes, avec Rome ! Quand tu m'as dit ce que Marchant t'avait appris au café, je ne savais pas quoi penser. Je supposais que Rome aurait pu voler l'arme au LIRI, puisqu'il y travaillait. Mais maintenant, je ne serais pas surpris qu'il ait menti du tout au tout.

— Le Meneur de Jeu a assassiné un homme, Ben.

Je l'ai forcé à me regarder dans les yeux.

— Eric Marchant a été tué de sang-froid. Sans aucune raison, sauf nous faire exploser la tête.

— Jamais !

Ben commençait à trembler.

— Personne n'était censé... jamais, jamais ! C'était un jeu, bon sang !

J'ai pensé à quelque chose.

— Ben, tu l'as bien vu, Marchant. Au stand de tir.

— Pourquoi tu crois que j'ai été malade ? a-t-il ricané tristement.

— C'était *après* Castle Pinckney...

Cette révélation a attisé ma colère.

— Après la cache piégée qui a brûlé la gueule de Coop. Après l'explosion du kiosque de Battery Park. Après le pistolet piège qui m'a tiré dessus !

Ben a détourné le visage.

— Et quand j'ai émis l'hypothèse que le Meneur travaillait au LIRI, tu t'es moqué de moi !

À mesure que le puzzle se mettait en place, ma fureur grandissait.

— Et quand je me suis demandé si le Meneur nous avait choisis comme cibles précises ? Tu le savais, et tu m'as menti ! Tu nous as menti à tous !

— J'ai paniqué ! Je ne savais pas quoi faire. Quand je suis revenu, j'ai essayé de contacter Rome une dernière fois, pour exiger qu'il arrête le jeu. J'ai même essayé d'accéder à son dossier personnel sur le terminal du LIRI. C'est pour ça que je vous ai envoyés jeter un œil dans le couloir. C'était inutile. Les dossiers avaient disparu.

— Tu aurais dû nous en parler !

— Vous ne m'auriez pas laissé vous aider ! a répliqué Ben. Tout ce cauchemar, c'est de ma faute. Je devais retrouver ce fou et l'arrêter. Si je vous avais dit la vérité, vous m'auriez mis hors circuit. Et puis on a découvert le cadavre et… et… c'était trop tard. Ça devenait fou. Tout ce que je pouvais faire, c'était essayer d'empêcher les horreurs que Rome avait prévues.

J'ai levé la main. Impossible d'en entendre davantage.

Volontairement ou pas, Ben avait aidé un monstre. Un tueur. Il connaissait la vérité depuis plusieurs jours, mais il ne nous avait jamais rien dit. Il avait menti. Même au moment où le Jeu menaçait nos vies.

— Dis-moi pourquoi, Ben. Pourquoi est-ce que tu voulais nous mener en bateau, au départ ?

Ben m'a regardée droit dans les yeux.

— Tu ne sais pas ?

— Non…

Je ne comprenais pas.

— Pour t'impressionner, Victoria Brennan.

Sa voix s'est brisée.

— Je voulais que tu voies en moi quelqu'un de spécial.

Ces mots m'ont bouleversée.

Oh, Ben.

Il s'était lancé dans ce délire… pour moi ?

— Tu passais tout ce temps avec Jason, a repris Ben à voix basse, en contemplant ses chaussures. À t'amuser en ville avec ton nouveau mec parfait. Bal ceci. Soirée cela. Je détestais ça ! Et je le détestais, lui. J'ai fini par en parler à Rome, et il m'a dit que je devais t'étonner. Que je devais trouver un moyen pour que tu me regardes !

Je lui ai pris la main :

— Mais je te regarde, Ben. Ça a toujours été le cas. Tu fais partie de ma meute.

Il s'est dégagé.

— Et si faire partie de la meute, ça n'est pas assez pour moi ?

J'en suis restée sans voix.

Un silence gêné s'est abattu dans la pièce.

Soudain, Kit a passé la tête par la porte.

— Tory ?

— Moui ?

— Le pire de l'ouragan est passé. La police veut nous interroger, maintenant.

Kit nous a regardés l'un après l'autre. Il sentait forcément la tension ; peut-être même qu'il entendait mon cœur cogner dans ma poitrine.

— Vous êtes prêts à y aller ?

Vraiment ? Et qu'est-ce que je déclarerai ?

J'ai pris une décision.

— Oui… mais je n'ai rien à ajouter à ce que je t'ai déjà dit.

Je sentais le regard de Ben dans mon dos.

Je ne pourrai jamais te dénoncer. Même après ce que tu as fait.

— D'accord, a dit Kit d'un air sceptique. Mais il faut encore qu'on fasse notre déclaration.

J'allais acquiescer quand Ben m'a saisie à l'épaule.

— Non, Tory.

Sa voix était lasse, mais ferme.

— Il est temps de dire la vérité. Toute la vérité.

— Ce n'est absolument pas nécessaire ! Ça ne fera aucune différence.

La peur m'enserrait la poitrine.

— Ça en fera une pour moi.

Ben s'est redressé et a dit à Kit :

— Je vous suis, monsieur.

Mon ami est sorti de la pièce d'un air décidé, juste avant que je ne fonde en larmes.

Au revoir, Ben.

59.

— Combien de temps va-t-on rester coincés à Charlotte ?

Hi a jeté un bâton dans le patio de la maison. On était chez tante Tempe, par un bel après-midi. Le bâton a décrit un arc de cercle sous les rayons inclinés du soleil, avant de disparaître dans un bosquet de magnolias. Coop a couru après avec joie.

— Quelques jours, ai-je répondu. Le pont de Folly à Morris Island a été emporté, et il n'y a ni électricité ni eau courante dans notre résidence. D'après Kit, on a de la chance que les bâtiments soient encore debout.

Hi s'est jeté dans une chaise longue.

— Je m'inquiète pour le bunker.

— Moi aussi. Il faudra pourtant attendre.

— Au total, on a eu une sacrée chance.

— Oui. Katelyn est passé sur Charleston en moins de trois heures.

L'ouragan s'était déplacé bien plus vite que prévu. Après avoir inopinément viré vers le continent, il avait accéléré rapidement, prenant les météorologues au dépourvu et gênant l'évacuation. Des milliers de personnes avaient été surprises dans leur voiture, obligées d'y rester confinées, prises au piège pare-chocs contre pare-chocs, sur les routes et les ponts. La caravane de Morris Island avait fait partie de ces malchanceux.

Katelyn s'était déchaîné sur la ville comme un pachyderme enragé. Les dégâts étaient horribles. Puis l'ouragan avait foncé sur le continent, et s'était arrêté au-dessus de Columbia, une ville voisine, avant de virer au nord-est, traversant le centre de la Caroline du Nord et la Virginie. Le lendemain, ce n'était plus qu'un vilain déluge qui se déversait sur la Nouvelle-Angleterre.

— Le type de la météo a décrit Katelyn comme instable, a expliqué Hi. Il était beaucoup plus gros d'un côté que de l'autre. Le côté « maigre » a frappé la ville en premier – c'est pour ça qu'il a soufflé moins d'une heure avant l'arrivée de l'œil. Heureusement, ce côté était aussi le plus faible. Si on avait été pris dehors pendant la suite…

Inutile d'achever. Les vents qui avaient soufflé pendant qu'on était réfugiés à l'hôpital avaient atteint 200 km/h. Bien à l'abri à l'intérieur, on avait été protégés du pire.

— C'est sympa que Tempe ait accueilli tout le monde, a dit Hi, même si on est entassés comme dans une auberge de jeunesse.

— Les parents s'en occupent. Ta famille et le clan Devers vont être relogés chez mon oncle Pete. C'est beaucoup plus grand.

— Super, a dit Hi avec un sourire. Whitney et toi, vous allez avoir encore plus d'intimité.

— Ah, ne m'en parle pas. En plus, Kit vient de me dire que sa maison, à Charleston, a été aplatie par un arbre. Elle est effondrée. Devine qui va venir squatter chez nous à notre retour ?

— Vous allez resserrer vos liens. Sortir entre filles !

Hi a esquivé mon coup de pied. Coop a bondi sur la terrasse et lâché le bâton enduit de salive. Je le lui ai relancé dans les magnolias.

— Pendant combien de temps on va être consignés à la maison ? ai-je demandé.

— Moi, je ne crois pas que je serai libéré un jour…

— Pareil pour moi, a dit Shelton. Cette fois-ci, ça va faire mal.

— Du nouveau sur le Meneur de Jeu ? a demandé Hi en prenant ses aises sur sa chaise.

— Seulement ce qu'on a entendu hier soir.

Je leur ai résumé ce que la police avait appris à Kit.

— Le vrai nom de Simon Rome est Anthony Goodwin. C'était un expert en munitions des Marines, qu'il a quittés avec certificat de bonne conduite après avoir été blessé au combat en Irak. Il y a déjà des dizaines de chefs d'inculpation qui pèsent sur lui. Meurtre. Tentative de meurtre. Incendie criminel, terrorisme, blablabla…

— J'espère qu'il aime vivre en boîte.

— Les autorités n'ont pas identifié publiquement le corps retrouvé dans l'appentis de Goodwin, mais tout le monde est sûr que c'est Eric Marchant. On ignore encore la cause de sa mort.

— Je parie pour le poison, a dit Shelton. Et il y a une émission télé qui prévoirait une édition spéciale de deux heures.

— Que c'est merveilleux !

— J'ai de nouvelles infos, a ajouté Hi. Le dossier militaire de Goodwin a été publié sur un blog. Apparemment, il effectuait une patrouille de routine à Ramadi quand l'une de nos bombes intelligentes a touché une école. Des dizaines de morts. Goodwin a été le premier sur le site. C'était vraiment horrible. Les villageois s'en sont pris à lui, ils n'arrêtaient pas de crier que c'était lui le responsable.

— Quelle horreur !

— Ensuite, de retour à la base, son Humvee a heurté un engin explosif artisanal.

— Mon Dieu !

— Oui, hein ? D'après le dossier, ça a traumatisé Goodwin. Il a subi ce qu'on a décrit comme un « grave traumatisme émotionnel ». Une sorte de dédoublement de la personnalité. Le dossier utilisait des termes comme « régression à un état infantile » et « déconnexion périodique avec la réalité ». On pourrait dire qu'il a totalement pété les plombs. Le syndrome de stress post-traumatique dans toute sa splendeur.

J'ai repensé à mes rencontres avec Goodwin. Il avait semblé compétent et sûr de lui en public. Mais lors de notre dernière confrontation, j'avais vu un homme différent. Infantile. Imprévisible. Grandiloquent. Je n'avais aucun mal à croire le dossier qu'avait lu Hi.

Quelles impressions me laissaient ces nouveaux éléments ? J'ai décidé que ça ne changeait rien. Le Meneur de Jeu avait peut-être connu l'horreur, mais ça ne l'excusait pas d'en être devenu une.

— Qu'est-ce qui est arrivé à Goodwin après l'Irak ? ai-je demandé.

— Personne ne sait. Il a arrêté de suivre sa thérapie et a disparu du paysage.

— Et donc, il a commencé à prendre de nouvelles identités.

L'histoire collait.

— Il parcourait le pays et préparait ses jeux sous de fausses identités. Mais comment pouvait-il se le payer ?

— Le matériel utilisé dans le Jeu n'était pas si cher que ça, a dit Hi. Et Goodwin touchait une pension régulière. Moi, je suis curieux des machines qu'il a construites. Il a dû acquérir des compétences à l'armée.

— Sans doute. On en apprendra plus au procès, j'imagine.

— Chic.

Les garçons et moi, on serait presque à coup sûr appelés à témoigner, avec Ben comme témoin principal.

Ben.

Non. Pas encore prête.

— Et comment Goodwin a trouvé un boulot sur Loggerhead, d'ailleurs ? a demandé Hi.

— Le LIRI a engagé « Simon Rome » comme aide-mécanicien il y a quatre mois, pendant la période où l'institut n'avait pas de directeur, l'été dernier. Kit a dit qu'il n'en savait pas grand-chose. Ils n'ont pas trop dû vérifier son CV, j'imagine.

— Goodwin a sans doute utilisé une fausse identité. Dans ce cas, il aurait passé les vérifications de base pour un boulot de mécanicien. Je parie que Goodwin avait tout un tas de faux papiers au nom de Simon Rome.

— Ce n'est pas dur d'en trouver ?

— Naann... Tu regardes pas la télé ? C'est bien plus facile d'obtenir une fausse identité qu'on ne le croit.

— En tout cas, Kit a dit à Hudson de revoir toutes les procédures de sélection au LIRI.

— Le chef de la sécurité Hudson, a grimacé Hi. Quel gros blaireau !

— Kit a avoué qu'il avait envoyé Hudson nous espionner. Il s'est douté qu'on mijotait quelque chose quand on lui a demandé un labo. J'ai tenté de jouer les indignées, mais ça n'a pas marché... puisqu'on mijotait en effet quelque chose.

— Hum, ça promet bien du plaisir pour les prochaines expéditions sur Loggerhead, a grogné Hi.

— Au moins, les animaux vont bien. Kit a dit que tous les singes ont été retrouvés, et quelqu'un a vu la meute de Whisper ce matin, en train de renifler les débris rejetés sur Turtle Beach.

Coop a proposé le bâton-salive à Shelton qui a grimacé, mais l'a tout de même accepté – et relancé aussitôt.

— Qu'est-ce que tu as appris, toi ? ai-je demandé, retenant mon souffle.

— Ben ne sera pas mis en examen.

— Ouf !

Shelton s'est lentement installé dans la dernière chaise longue.

— Les flics pensent qu'il n'était pas au courant des crimes du Meneur.

— Bien sûr que non ! s'est écrié Hi.

J'ai détourné les yeux.

Shelton et Hi avaient déjà pardonné à Ben. Pour l'instant, cela m'était impossible.

Il aurait dû nous en parler.

— Le témoignage de Ben sera essentiel pour l'accusation, a continué Shelton. Il peut établir que Goodwin avait organisé le Jeu, et le relier à la première cache de Loggerhead. En ajoutant notre témoignage, plus les éléments qu'on a rassemblés en chemin, Goodwin n'a aucune chance de s'en sortir.

— Pas d'inculpation pour Ben, a dit Hi. C'est ça l'important.

— Il n'y a pas que des bonnes nouvelles...

— Quoi ?

La peur, encore.

— J'ai entendu mes parents en parler. Ben va se faire expulser.

— De Bolton ?

Ce n'était pas du tout ce à quoi je m'attendais.

— C'est ridicule !

— Le lycée a déjà pris contact avec Kit, puisque c'est lui qui gère nos bourses. C'est fait.

— Mais Ben coopère avec la justice ! C'est incroyable ! Comment peuvent-ils le virer s'il n'est pas inculpé ?

— Tu connais l'administration, a répondu Shelton. Des snobs aristos avec des balais géants dans le derrière. Nul scandale ne doit ternir leur lycée immaculé, de près ou de loin.

— C'est un établissement privé, a dit Hi tristement. Ils font ce qu'ils veulent.

— Kit ne laissera pas passer ça, ai-je protesté.

Et je m'en assurerai.

— Mon père m'a dit que Kit a déjà essayé. Il a offert une donation importante, mais Bolton a refusé. C'est comme si Ben était déjà parti.

On est restés là en silence, à assimiler cette terrible nouvelle.

— Alors, qu'est-ce qu'on fait ? a enfin demandé Hi.

Je n'avais aucune réponse.

Les trajets en ferry. Les cours. Le déjeuner. Je n'imaginais rien de tout ça sans Ben.

Tout à coup, j'ai revu notre face-à-face, à l'hôpital.

La confession de Ben au cœur brisé.

J'avais toujours refusé de réfléchir à ses paroles. Aux réactions qu'elles avaient suscitées en moi.

Non.

Oh, non, non, non !

Pas encore.

Maintenant que j'étais saine et sauve, Kit était furieux contre moi. Toutes mes possessions matérielles étaient peut-être gâtées par l'eau. Chance et Jason en avaient vu beaucoup trop, et pouvaient nous causer des ennuis. Je devais témoigner au procès de notre persécuteur dément, ce qui déchaînerait à coup sûr la frénésie des médias.

J'avais bien assez de problèmes comme ça.

Les affaires de cœur attendraient.

J'ai laissé le silence s'installer, lançant encore et encore le bâton à Coop.

Puis ça a recommencé.

Quelque chose avait changé depuis Marion Square. Il m'avait fallu plusieurs jours pour m'en rendre compte. Je ne pense pas que les garçons le sentaient, mais je soupçonnais que Coop, oui. Quand le chien-loup me regardait, à présent, j'entendais presque ses pensées.

Rien de précis. Je le savais, c'était tout. Une compréhension instinctive, qui ne ressemblait à rien de ce que j'avais connu avant.

Et si j'étais plus sensible que le reste de ma meute ? Pourquoi ?

Parce que j'étais alpha ? L'étais-je vraiment ?

Mes pouvoirs étaient en veille, nichés dans mon ADN. Pourtant, je sentais un… contact. Un reste de l'union parfaite que nous avions éprouvée en combattant le Meneur de Jeu.

Je ressentais le lien avec ma meute, même maintenant, sans flambée.

Hi. Shelton. Coop. Même Ben, quelque part dans le Sud-Est.

Nous ne serions plus jamais séparés, même quand nous l'étions. Plus jamais.

Cette prise de conscience m'a redonné courage.

En remuant sur ma chaise, j'ai senti un objet dur. J'ai sorti une barre de plastique rouge de ma poche.

— La clé USB de Karsten.

Hi a jeté un rapide coup d'œil à l'intérieur de la maison.

— Tu la gardes sur toi ?

— Bien sûr. Elle contient peut-être les réponses qu'il nous faut. Je ne peux pas risquer de la perdre.

Je contemplais la clé au creux de ma paume. Quels secrets renfermait-elle ?

Une carte ADN ? La vérité sur le métabolisme de nos mutations ? Un remède ?

— Tu as demandé ce qu'on allait faire, Hi ?

J'ai posé la clé USB sur la table du patio.

— On va découvrir ce qui nous est arrivé. Toute l'histoire. Puis, on réfléchira à la suite.

J'ai effleuré la nouvelle conscience qui tourbillonnait dans les recoins de mon esprit. Je me suis sentie toute proche de l'illumination… puis cette impression s'est évanouie.

— Il est temps de découvrir ce qui fait de nous des Viraux.

Épilogue

Chance Claybourne fixait d'un œil sévère l'homme qui se tenait devant lui.

Il était assis à son bureau. Ce meuble colossal lui rappelait son père, et il avait horreur de s'y installer, mais l'acajou luisant avait un certain potentiel d'intimidation qu'il trouvait utile.

Et à cet instant précis, il voulait justement paraître intimidant.

— Rien d'autre ? demanda Chance, assez fort pour être entendu malgré le vacarme qui s'élevait de la cour, en contrebas.

Le manoir Claybourne avait une nouvelle fois résisté à un ouragan. Ceci étant, Katelyn n'avait pas laissé la demeure intacte. Des vitres brisées. Des arbres déracinés. Une annexe réduite à l'état de ruines.

Mais le bâtiment principal se dressait, solide comme toujours. Chance s'était moqué de l'appel à évacuer. Confortablement installé dans sa cave à vin, il avait parcouru des ouvrages sur sa liseuse électronique, sans même entendre le vacarme de la tempête. Tout cela avait fait beaucoup de bruit pour rien.

Chance repensait à un moment précédent passé dans ce lieu.

Tory Brennan. Je me suis fait tirer dessus dans cette cave, bon sang.

Devant lui, l'homme s'agitait. Chance ne lui offrit pas de s'asseoir.

Il avait besoin de ce minable, mais il ne l'aimait pas.

— Ils n'auraient pas dû se trouver là, expliquait Mike Iglehart. La seule personne qui ait jamais travaillé à l'étage du bâtiment 6 était notre ancien directeur, Marcus Karsten.

— Karsten ? demanda Chance, imperturbable.

— Oui. Il n'est plus des nôtres. Assassiné. Cela a été horrible.

Chance regarda le scientifique sournois avec dégoût. C'était la taupe parfaite ; il avait acheté sa loyauté pour presque rien. Cela l'étonnait encore. Iglehart avait visiblement un compte personnel à régler avec son employeur.

— Quel rapport avec ce qui m'intéresse ?

— Je pense que ces morveux ont volé quelque chose, répondit Iglehart. Je suis certain que la fille cachait ce qu'elle avait dans les mains. Cela pourrait avoir un rapport avec les recherches de Karsten.

Chance éprouva une certaine excitation, mais il conserva son calme.

— Des recherches ?

— Personne n'est au courant. Karsten a détruit tous les fichiers.

Chance réfléchit à ces nouvelles informations. Iglehart ne savait rien de ses rapports avec le projet, ni de son rôle dans les événements entourant la mort de Karsten. Chance avait l'intention de le laisser dans son ignorance.

Les recherches secrètes de Karsten. Tory et ses amis insupportables.

Existait-il un lien ? Comment ? Et lequel ?

Chance repensa à ses conversations avec Madison – et aux expériences bizarres qu'il avait vécues avec ces quatre-là.

La cave à vin, trois étages plus bas.

Une plage déserte.

Le sous-sol de la Citadelle.

Il me manque un élément.

— Euh… Monsieur Claybourne ? demanda Iglehart, mal à l'aise. Autre chose ?

— Vous pouvez disposer, fit Chance avec un petit signe de tête. Et gardez les yeux ouverts.

Chance sentait la colère qui irradiait d'Iglehart. Le ressentiment de se retrouver, lui, un scientifique accompli, obligé de jouer les larbins pour un gamin d'à peine dix-huit ans.

Chance sourit froidement. *Le pouvoir de l'argent.*

Une fois Iglehart parti, Chance ouvrit un tiroir et en sortit un gros trousseau de clés. Puis il se tourna vers un meuble ancien.

Le cabinet privé de son père.

Il n'avait jamais regardé dedans avant que le vieux s'en aille.

Chance ouvrit la porte, prit une pile de dossiers et revint s'asseoir.

Il contempla les classeurs un long moment.

Son père ne lui en avait jamais parlé. Il les avait trouvés seulement quelques semaines plus tôt.

Il fit glisser son doigt sur les lettres…

<u>Société pharmaceutique Candela.</u>
Dr. Marcus Karsten – Notes de recherche
Top secret.

— J'aurai mes réponses, murmura Chance.

Il se mit à lire les documents pour la centième fois.

Remerciements

Code n'aurait pas été possible sans le travail patient et les encouragements de notre super-éditrice Arianne Lewin chez G.P. Putnam's Sons. Merci de tes efforts inlassables pour donner forme à cette histoire, et de tes avis sur l'évolution de la série. Nous te devons beaucoup. Merci aussi à Ben Schrank et Anne Hetzel pour leur contribution vigilante à ce manuscrit et à la série. Nous vous sommes reconnaissants à tous les deux.

Encore merci à Don Weisberg de Penguin et Susan Sandon de Random House UK, qui soutiennent ces fous de Viraux depuis le premier jour, ce dont nous leur sommes éternellement reconnaissants. Nous devons aussi remercier Jennifer Rudolph Walsh et toute l'équipe de William Morris Endeavor Entertainment, pour tout ce qu'ils font.

Enfin, un grand merci – le dernier mais non le moindre – à tous nos fidèles lecteurs. Nous sommes à votre service.

Par Kathy Reichs

Circuit mortel, Laffont 2013.
Les Traces de l'Araignée, Laffont 2012, Pocket 2013.
Autopsies, Laffont 2011, Pocket 2012.
Les Os du Diable, Laffont 2009, Pocket 2011.
Meurtres en Acadie, Laffont 2009, Pocket 2010.
Meurtres au scalpel, Laffont 2008, Pocket 2009.
À tombeau ouvert, Laffont 2007, Pocket 2008.
Meurtres à la carte, Laffont 2006, Pocket 2007.
Os troubles, Laffont 2005, Pocket 2006.
Secrets d'outre-tombe, Laffont 2004, Pocket 2005.
Voyage fatal, Laffont 2003, Pocket 2004.
Mortelles décisions, Laffont 2002, Pocket 2003.
Passage mortel, Laffont 2000, Pocket 2002.
Déjà Dead, Laffont 1998, Pocket 2000.

Par Kathy Reichs et Brendan Reichs

Crise, Oh ! Éditions 2011, Pocket 2012.
Viral, Oh ! Éditions 2010, Pocket 2011.